Stories of Mystery

D0090123

Collection « Les langues modernes / bilingue »
Série anglaise dirigée par Pierre Nordon

Stories of Mystery

Nouvelles fantastiques

Préface, traduction et notes de Jean-Pierre Naugrette
Ancien élève de l'École Normale Supérieure
Agrégé de l'Université

Le Livre de Poche

Tableau des signes phonétiques

1. Voyelles

i:	**leaf**	ɒ	**not**
ɪ	**sit**	ɔ:	**ball**
e	**bed**	u	**book**
ə	**actor**	u:	**moon**
æ	**cat**	ʌ	**duck**
ɑ:	**car**	ɜ:	**bird**

Le signe : indique qu'une voyelle est **allongée.**

2. Diphtongues

eɪ	**day**	au	**now**
aɪ	**buy**	ɪə	**here**
ɔɪ	**boy**	eə	**there**
əʊ	**boat**	ʊə	**poor**

3. Consonnes

- Les consonnes p, b, t, d, k, m, n, l, r, f, v, s, z, h, w conservent en tant que signes phonétiques leur valeur sonore habituelle.
- Autres signes utilisés :

g	game	θ	**thin**
ʃ	**ship**	ð	**then**
tʃ	**chain**	ʒ	measure
dʒ	Jane	j	**yes**
ŋ	long		

4. Accentuation

' accent unique ou principal, comme dans **actor** ['æktə]

, accent secondaire, comme dans **supernatural** [,su:pə'nætʃrl]

Référence : Daniel JONES, **English Pronouncing Dictionary,** 14e édition revue par A.C. GIMSON et S. RAMSARAN (London, Dent, 1988).

La collection « Les Langues Modernes » n'a aucun lien avec l'A.P.L.V. et les ouvrages qu'elle publie le sont sous sa seule responsabilité.

© Librairie Générale Française, 1990, pour les traductions, la préface et les notes.

Sommaire

CONCORDIA UNIVERSITY LIBRARY
PORTLAND, OR 97211

Préface

Un soldat monte sur les remparts d'un château. Il fait nuit noire. Bien qu'il fasse partie de la garde montante, le soldat, une fois là-haut, pose tout haut la question « Qui va là ? », signe que quelque chose ne va pas sur ces remparts, dans cette nuit noire. Nous sommes au début d'*Hamlet*. Quelque chose ne va pas. Au lieu de prendre la relève de son camarade d'un air martial et assuré, le soldat, une fois là-haut, hésite. Au lieu d'attendre que son camarade lui pose la question rituelle, c'est lui, au contraire, qui la pose *("Who's there?")*. Dans la mise en scène de Patrice Chéreau au Théâtre des Amandiers de Nanterre (1988-89), le soldat débouche, terrorisé à l'avance, sur un grand plateau sombre qui bruisse déjà d'échos inquiétants. Bientôt, un cheval cauchemardesque déboulera des ténèbres avec, sur son dos, le fantôme du père d'Hamlet. Mais tout est là, d'entrée de jeu, dans cette question qui renverse l'ordre naturel des choses. Question à double sens : « qui va là ? », mais aussi « qui est là ? », sur ces remparts, dans cette nuit noire. Hésitation, incertitude, inquiétude. Le soldat ne sait pas si, une fois là-haut, il va trouver un autre soldat, un autre lui-même, ou bien cet Autre, ce spectre qui, dit-on, hante les lieux.

Cette question primordiale, primitive, ancestrale, de l'homme inquiet face à ce quelque chose d'indéfinissable et qui le dépasse pourrait à elle seule servir à définir ce genre ambigu qu'est le fantastique. Fantastique, et non féerie ou merveilleux. Comme dit Roger Caillois en introduction à son *Anthologie du fantastique*, « Le féerique est un univers merveilleux qui s'ajoute au monde réel sans lui porter atteinte ni en détruire la cohérence. Le fantastique, au contraire, manifeste un scandale, une déchirure, une irruption insolite, presque insupportable dans le monde réel (...). Le conte de fées se passe dans un monde où l'enchantement va de soi et où la magie est la règle. Le surnaturel n'y est pas épouvantable, il n'y est même pas étonnant, puisqu'il constitue la substance même de l'univers, sa loi, son climat. Il ne viole aucune régularité : il fait partie de l'ordre des choses ; il est l'ordre ou plutôt l'absence d'ordre des choses (...). Au contraire, dans le fantastique, le surnaturel apparaît comme une rupture de la cohérence universelle. Le prodige y devient une agression interdite, menaçante, qui brise la stabilité d'un monde dont les lois étaient jusqu'alors tenues pour rigoureuses et immuables. Il est l'impossible, survenant à l'improviste dans un monde d'où l'impossible est banni par définition » (pp. 8-9).

La distinction est fondamentale. Alors que dans le conte de fées le *merveilleux* implique l'acceptation, par le héros et le lecteur, d'un monde régi par d'autres lois, monde à la fois exceptionnel et tout compte fait rassurant, le *fantastique* suppose un doute, une brisure, une fêlure, ce que Caillois appelle encore « l'irruption de l'insolite dans le banal » (p. 12). A aucun moment le lecteur du conte de fées ne met en doute ce monde merveilleux dans lequel les chats sont bottés et doués de la parole (ce sera aussi le monde d'*Alice au pays des merveilles*) ou dans lequel, d'un coup de baguette magique, une citrouille est transformée en carrosse doré, des souris en chevaux, des lézards en valets ou des haillons en beaux atours. Loin d'inquiéter, ces contes ont au contraire la fonction de rassurer un public souvent enfantin, voire de lui assurer, par sa fonction symbolique, la résolution imaginaire de conflits psychologiques liés à l'enfance et la petite enfance, comme l'a montré Bruno Bettelheim dans sa *Psychanalyse des contes de fées*. Tout autre est le monde dans lequel se produit l'événement qui fait basculer personnages et lecteurs dans le fantastique :

« Dans un monde qui est bien le nôtre, celui que nous connaissons, sans diables, sylphides, ni vampires, se produit un événement qui ne peut s'expliquer par les lois de ce même monde familier. Celui qui perçoit l'événement doit opter pour l'une des deux solutions possibles : ou bien il s'agit d'une illusion des sens, d'un produit de l'imagination et les lois du monde restent alors ce qu'elles sont ; ou bien l'événement a véritablement eu lieu, il est partie intégrante de la réalité, mais alors cette réalité est régie par les lois inconnues de nous (...). Le fantastique occupe le temps de cette incertitude ; dès qu'on choisit l'une ou l'autre réponse, on quitte le fantastique pour entrer dans un genre voisin, l'étrange ou le merveilleux. Le fantastique, c'est l'hésitation éprouvée par un être qui ne connaît que les lois naturelles, face à un événement en apparence surnaturel » (Todorov, *Introduction à la littérature fantastique*, p. 29).

Partant de la distinction majeure opérée par Caillois, Todorov affine donc la définition des genres en distinguant trois notions principales :

— le *merveilleux*, ou « le surnaturel accepté », qui se caractérise, pour le héros comme pour le lecteur, par l'absence d'hésitation ;
— le *fantastique*, ou l'hésitation définie plus haut ;
— l'*étrange*, ou « le surnaturel expliqué », c'est-à-dire la résolution de l'hésitation.

Alors que la première notion apparaît très nettement comme autonome par rapport aux deux autres, il arrive, dans un même texte, que l'on passe du fantastique à l'étrange : un événement, en apparence surnaturel, reçoit une explication rationnelle. Comme dit Daniel Couty : « Moment de rupture d'un ordre rationnel (...), le fantastique postule donc le retour à cet ordre : après l'hésitation, l'explication qui permet de retrouver sa raison» (*Le Fantastique*, p. 7). C'est sur ce principe que fonctionnent les romans «noirs» ou «gothiques» qu'écrit Ann Radcliffe à la fin du XVIIIe siècle en Angleterre *(L'Italien, Les Mystères d'Udolphe)*, la parodie qu'en fait Jane Austen au début du XIXe avec *Northanger Abbey* (la jeune héroïne a trop lu Ann Radcliffe, et croit voir des souterrains, des fantômes et des crimes partout), ou bien encore un certain nombre de films d'Hitchcock, comme *Psychose* où le décor fantomatique et l'atmosphère d'horreur sont «expliqués», à la fin du film, par la résolution psychanalytique du cas étrange de Norman Bates. On voit bien ce que cette «rupture momentanée de l'ordre» (Couty, *op. cit.* p. 8) peut avoir de commun avec d'autres genres littéraires: le roman policier, par exemple, qui repose lui aussi sur la dialectique:

1. rupture de l'ordre (social, légal, etc.);
2. hésitation ou enquête;
3. solution finale ou restauration de l'ordre.

Certains textes fantastiques adoptent ainsi la forme et la structure de l'enquête policière. Dans *Frankenstein*, de Mary Shelley (1818), le monstre commet des meurtres et une innocente est condamnée à sa place. Dans *The Strange Case of Dr Jekyll and Mr Hyde*[1], de Robert Louis Stevenson (1886), le notaire, ami du Dr Jekyll, enquête sur Mr Hyde avant que celui-ci ne commette un meurtre qui fait la une des journaux. Quant à Edgar Poe, l'auteur des *Histoires extraordinaires*, il est aussi, faut-il le rappeler, l'inventeur de la nouvelle policière. De même la nouvelle de Conan Doyle qui clôt cette anthologie tient à la fois de l'enquête policière dont elle reprend la forme et de la nouvelle fantastique qui débouche, malgré l'explication finale, sur une série d'interrogations, tant le passage du «fantastique» à «l'étrange» ne va pas sans laisser au

1. Paru dans cette collection. Voir note 4, p. 28.

lecteur ce que Freud appellerait une impression « d'inquiétante étrangeté » *(das Unheimliche)* que le retour à la rationalité ne saurait complètement effacer.

Le fantastique, quant à lui, pose plus de questions qu'il n'en résout. Le support qu'est la nouvelle s'y prête admirablement. Comme le remarque Michel Tournier, le conte plonge le lecteur dans un monde plein, abondant, merveilleux, alors que la nouvelle se prête à une vision plus pessimiste où la rareté, la lacune et le soupçon règnent en maîtres. D'où, en France, les Maupassant, Nerval, Gautier, Mérimée, Villiers de l'Isle-Adam, Nodier ou Balzac, les Bierce, Hawthorne, Poe ou Henry James dans le domaine américain, Hogg, Stevenson, Le Fanu, Saki, Chesterton, Dickens ou Wells dans le domaine anglais, Gogol, Tchekhov, Hoffmann, Arnim, Kafka et autres Borges dans la littérature mondiale. La nouvelle sied bien au fantastique, et réciproquement. Souvent courte, conçue parfois comme une partition musicale avec une exposition d'un motif, son développement et une fin qui va crescendo (voir ici la nouvelle de Poe, « Le Cœur révélateur »), la nouvelle fantastique joue souvent sur son propre agencement, sur les sonorités, sur les échos internes, sur le langage, afin de créer, le moment venu, l'effet de rupture dont parlait Caillois, ce détail ou ce mot, cette expression ou cette phrase dont la répétition ou la variation va plonger le lecteur dans l'effroi voulu. C'est souvent à la fin du texte, dans ses lignes ultimes, que se produit la rupture : il suffit pour cela d'un mot, du dernier mot. La nouvelle permet, par sa brièveté, voire son laconisme, une sorte de raréfaction des certitudes à travers laquelle le fantastique trouve un moyen d'expression privilégié. Alors que le roman policier suspend le savoir pour mieux le rétablir à la fin, la nouvelle fantastique procède le plus souvent par étapes successives, lentement, mais sûrement, subvertissant savamment les lois du monde rationnel, avant de faire écrouler ses derniers remparts au tout dernier moment : c'est ici le cas des nouvelles de Hogg, de Poe, de Stevenson ou de Bierce. Le fantastique aime avoir le dernier mot.

C'est dire à quel point le lecteur est impliqué dans le texte fantastique. Alors que le conte de fées est écrit à la troisième personne, le texte fantastique repose souvent sur la narration d'une première personne, d'un « je » qui établit tout naturellement un contact, un lien, voire un dialogue avec le lecteur auquel il s'adresse. La fonction la plus évidente d'un narrateur à la première personne est d'établir avec le lecteur un rapport de vraisemblance, une forme de témoignage ou d'authenticité : vous pouvez me croire, semble dire le narrateur au lecteur, puisque je l'ai vu, entendu, ou entendu dire. Il en va ainsi du narrateur de Poe qui affirme, en début de nouvelle, qu'il n'est pas fou, du narrateur de Bierce qui cite son propre grand-père comme source de son témoignage, ou encore celui de Dickens qui a été le principal témoin, sinon l'acteur du drame qu'il raconte. Seul ce narrateur-écrivain-témoin permet de garantir ce minimum de vraisemblance sans lequel le lecteur basculerait aussitôt dans le merveilleux : pour que le monde décrit reste bien « le nôtre » (Todorov), il faut et il suffit qu'une première personne s'avance sur la scène du récit pour nous le dire. Le texte fantastique propose au lecteur une sorte de pacte poétique qui repose sur l'acceptation d'une certaine forme de véracité, alors que le texte féerique ou merveilleux repose très exactement sur le pacte contraire, le « Il était une fois » suffisant à garantir au lecteur qu'il a quitté, d'entrée de jeu, le monde naturel et ordinaire. Le merveilleux se dit dès les premiers mots du conte, le fantastique à la fin de la nouvelle. L'autre fonction majeure du narrateur est de représenter ce même lecteur, d'incarner ses doutes, ses hésitations, ses soupçons, face aux phénomènes rencontrés.

De même qu'il garantit le rationnel dans l'irrationnel, de même apporte-t-il la marque de l'irrationnel auprès du rationnel. Dans cette fonction de communication, le narrateur joue souvent un rôle d'intermédiaire : ses hésitations sont les nôtres. C'est lui qui crée l'effet *fantastique* en posant, ou se posant, les questions qui vont faire vaciller nos certitudes, en introduisant, dans son récit, ces « peut-être », « sans doute » et autres « il me semblait », toutes ces « modalisations » (Todorov) qui créent, dans le texte même, ces bifurcations de la raison. Ainsi, chez Dickens, le narrateur du « Signaleur » ne cesse-t-il de poser des questions à cet employé des chemins de fer dépassé par les événements. Cela donne un dialogue qui confine à l'absurde, dont la fonction principale est précisément de mener narrateur, personnage et lecteur dans une impasse rationnelle :

« Je vous ai pris pour quelqu'un d'autre hier soir. C'est ça qui me perturbe.

— Votre erreur ?

— Non. Ce quelqu'un d'autre.

— Qui est-ce ?

— Je n'en sais rien.

— Un air de ressemblance ?

— Je n'en sais rien » (p. 103).

La fin de la nouvelle n'apportera pas plus de *réponses* : au lecteur de se faire une opinion sur l'étrange récurrence des événements relatés par le narrateur. La première personne du texte fantastique est celle qui véhicule, avant tout, des *questions* : elle est le doute, l'hésitation, le soupçon incarnés, le « qui va là ? » en personne.

Si le pacte narratif engage et inclut le lecteur, encore ne faudrait-il pas concevoir le narrateur comme un simple porte-parole, le représentant attitré d'un public rationaliste auprès d'un monde qui ne le serait plus. Ses facultés d'étonnement et de questionnement ne sauraient faire oublier que le pacte d'écriture engage et inclut le narrateur lui-même par rapport à l'histoire qu'il relate, histoire dont il a été le témoin mais aussi, souvent, l'acteur à part entière. Ainsi le narrateur du « Signaleur » n'est-il pas seulement le témoin de phénomènes étranges mais aussi, et peut-être surtout, l'un des deux acteurs du drame : de ce point de vue, les premières lignes de la nouvelle sont décisives pour la compréhension de cette ambiguïté. L'hésitation propre au fantastique ne signifie pas retrait, recul ou indifférence : qu'il le veuille ou non, le témoin de l'étrangeté finit par être tôt ou tard happé par elle. L'acte d'écrire ou de relater ne va pas sans une certaine forme d'ironie pour celui qui est censé incarner la rationalité auprès du fantastique et qui, peu à peu, pris au piège de sa propre vraisemblance, finit souvent par incarner le fantastique auprès de la rationalité. Non seulement le narrateur-témoin est impliqué dans les événements qu'il relate, mais sa relation, sa narration, son récit peuvent devenir le lieu même de l'expérience fantastique. Il n'y a pas de narration objective ou innocente, encore moins lorsque le narrateur est lui-même impliqué dans les événements. Ainsi, chez Hogg, le narrateur qui introduit l'histoire effectue-t-il une analyse des rêves qu'il faut mettre en perspective (critique) avec le reste de la nouvelle, ainsi le narrateur de Stevenson fabrique-t-il lui-même l'histoire qu'il va présenter comme objective, ou bien encore, chez Bierce, va apporter sa part d'imagination à ce qu'il présente tout d'abord comme une compilation d'événements rapportés par la tradition orale. Mieux, chez Edgar Poe, le narrateur du « Cœur révélateur » va jusqu'à utiliser la première personne de son récit ou de sa déposition comme moyen de prouver sa bonne santé mentale, entreprise qui se révélera pathétique et dérisoire, car l'écriture, peu à peu, ne fera que prouver, s'il en était besoin, le contraire de ce qu'il recherchait. Pacte de vraisemblance, la narration devient alors un piège tendu par celui-là même qui voulait échapper à sa propre étrangeté. Lorsque le narrateur a lui-même basculé dans l'irrationnel, le récit à la première personne devient le miroir de son propre abîme. Ainsi le Dr Jekyll, chez Stevenson, doit-il poser la plume et renoncer définitivement à la première personne (Chap. X) avant que Hyde ne s'en empare, avant que le « il » ne puisse dire « je » en toute impunité. L'hésitation propre au fantastique n'est donc pas extérieure au récit lui-même, elle n'émane pas uniquement d'un témoin dégagé de toute responsabilité. C'est au contraire le récit qui, souvent, est en jeu, l'enjeu même de cette hésitation où la raison vacille. Loin d'être le simple véhicule d'une expérience donnée, le récit fantastique peut devenir cette expérience elle-même. Le narrateur n'est plus, alors, simple témoin, il se métamorphose en écrivain, en auteur. Ainsi, dans le roman de James Hogg *The Private Memoirs and Confessions of a Justified Sinner* (1824), les « confessions » écrites par Robert Wringhim à la première personne marquent-elles, par leur rythme de plus en plus haletant, la dérive d'un psychisme schizoïde qui ne se contrôle plus lui-même : mieux, c'est l'écriture qui devient l'enjeu final de cette intime métamorphose, à la fois bouée de sauvetage pour cet être qui se délite et se déchire et miroir implacable de sa propre déraison. Le « suspense » est alors totalement intégré au récit, il *est* le récit. Le fantastique, c'est le récit d'un narrateur révélateur.

Autant dire que la littérature fantastique est toujours consciente d'elle-même et de ses possibilités. Loin d'être autonome ou autarcique par rapport aux autres genres littéraires, elle ne cesse au contraire de réfléchir ou de jouer sur ses propres conditions et mécanismes de fonctionnement. Parmi les procédés de mise à distance, voire de distanciation qu'elle utilise, il faudrait ainsi distinguer :

1. la mise en abyme : le récit dans le récit, la première personne dans la première personne, etc. Voir *Frankenstein*, et ici Hogg, Stevenson ou Bierce ;
2. l'ironie : le narrateur rationaliste est pris dans la trame fantastique de son histoire (Dickens), le narrateur délirant est pris au piège de l'écriture ou de la narration (Poe) ;
3. la réactivation de motifs ou de mythes antérieurs : par exemple le mythe de Faust (Hogg, Stevenson), d'Œdipe (Poe), ou de la métamorphose (Conan Doyle) ;
4. l'intertextualité : présence dans le texte de textes antérieurs (allusions, citations, etc.). Souvent les pièces « fantastiques » de Shakespeare *(Hamlet, Macbeth)* et la Bible, à des fins parodiques ou subversives (voir, ici, Hogg et Stevenson). A noter les effets d'intertextualité entre les auteurs de l'anthologie : Stevenson a certainement lu la nouvelle de Hogg, et Conan Doyle *Dr Jekyll and Mr Hyde...* ;
5. les jeux de langage : jeu sur les prénoms, sur les métaphores prises au pied de leur lettre, utilisation du dialecte écossais pour rendre le récit encore plus crédible, etc.

Cette dernière catégorie est peut-être la plus importante. On a vu que le fantastique reposait sur une hésitation, une indécision, un soupçon. Selon Todorov, le fantastique cesse dès que cette hésitation disparaît. A l'auteur donc de maintenir cet équilibre précaire, toujours menacé, frontière ou lisière qui menace, à tout moment, de disparaître : il existe bien un « suspense » fantastique à part entière. Le langage permet précisément de maintenir l'ambiguïté en fournissant un certain nombre d'indices au lecteur. Prenons par exemple le nom du camarade de

Fettes dans la nouvelle de Stevenson : Wolfe Macfarlane. Visiblement, les deux noms appartiennent à deux registres sémantiques différents. Le second, de toute évidence, sonne comme un nom typiquement écossais : la nouvelle se passe à Edimbourg. Le premier, par contre, n'est pas courant. *Wolfe* ressemble étrangement à *wolf*, le loup, et semble indiquer une forme de métamorphose animale. Une lecture serrée du texte vient confirmer cette hypothèse : les métaphores animales y sont nombreuses. Mais le prénom animal évoque également d'autres échos, intertextuels cette fois. Le prénom et l'occupation principale de Macfarlane (déterrer des cadavres) semblent en effet trouver leur origine dans le macabre des métamorphoses élizabéthaines ou jacobéennes. Dans *La Duchesse de Malfi*, la tragédie jacobéenne de John Webster (1623), Ferdinand est jaloux de sa sœur au point d'être peu à peu atteint de lycanthropie, affection mélancolique par laquelle le malade s'imagine transformé en loup. Après la mort de celle-ci, il s'exclame :

> « Le loup trouvera sa tombe, et la violera ;
> Non pour manger son corps, mais découvrir
> L'horrible meurtre » (IV, 2, 302-303).

Le rapprochement avec la nouvelle de Stevenson est confirmé peu après avec la définition et le récit effectués par le Docteur chargé de soigner le Duc Ferdinand :

> « Ceux qui en sont atteints sont envahis
> D'une telle mélancolie qu'ils s'imaginent
> Être changés en loups.
> Ils visitent les cimetières en pleine nuit
> Et déterrent les cadavres : deux nuits de cela
> On vit le Duc marcher sur le coup de minuit
> Derrière l'église de Saint Marc, qui transportait
> La jambe d'un homme sur l'épaule en hurlant atroce-
> [ment

Et en proclamant qu'il était un loup» (V, 2, 8-16).

Ainsi, non seulement Stevenson a repris dans sa nouvelle l'image macabre des déterreurs de cadavres qui visitent les cimetières nocturnes, mais aussi, dans le prénom d'un de ses personnages, le mot *wolf* qui hante le texte de Webster. L'ambiguïté fantastique est ici maintenue par ce jeu sur le mot *Wolf/e* qui suggère une métamorphose de type animal sans la réaliser : à aucun moment Macfarlane ne se transforme véritablement en loup, mais son prénom est là, qui rappelle à lui seul la lycanthropie de Ferdinand chez Webster. L'onomastique transforme le prénom en une métaphore qui est suffisamment inquiétante pour indiquer une transformation surnaturelle, mais qui, en tant que métaphore, ne saurait transporter le lecteur dans un monde surnaturel. Comme le remarque Pierre Brunel, «la métamorphose n'est qu'une métaphore. Elle feint de décrire l'autre pour décrire le même. Elle suggère un événement qui ne se passe point. Bref, elle n'est qu'une clause de style» (*Le Mythe de la métamorphose*, p. 178). Le prénom métaphorique de Macfarlane a bien ici valeur d'indice : il indique sans démontrer, il suggère sans dire, il métaphorise sans métamorphoser. De même, Hogg joue-t-il sur la métaphore de l'Enfer dans sa nouvelle ou bien encore sur l'irruption du dialecte écossais[1] dans son texte pour marquer le passage d'un monde à l'autre.

Hésitation, oscillation, ambiguïté : le fantastique résulte toujours d'un équilibre par définition instable et précaire. A tout moment, remarque Todorov, le fantastique peut basculer dans le «fantastique-étrange» ou le «fantastique-merveilleux» (*op. cit.* p. 49), tant les lisières

1. Je tiens à remercier ici Ian Jack et Colin Wilcockson, de l'Université de Cambridge, ainsi que Adrian Harding, de l'Université de Paris X-Nanterre, pour l'aide précieuse qu'ils ont bien voulu m'apporter dans ce domaine.

sont ténues en la matière. Insistons, pour conclure, sur l'autre aspect essentiel du genre, sur le caractère « banal » (Caillois) du monde dans lequel l'insolite fait soudain irruption. Si le fantastique inquiète et dérange, c'est avant tout parce qu'il s'immisce dans la trame du banal et du quotidien. D'où un certain *réalisme* des personnages, des situations, voire des décors. Alors que le roman gothique mettait héros et lecteurs en présence de méchants démoniaques, d'abbayes ou de couvents sinistres, et de paysages idéalisés (l'Espagne, l'Italie, l'Orient...), le fantastique met ici en scène un simple cocher, un étudiant en médecine, un pionnier de l'Ohio ou un signaleur occupés à leurs tâches quotidiennes. L'inquiétude ici créée est à la mesure de la banalité du monde mis en scène, en jeu, en doute. Il arrive même que la fiction surgisse du réel ou de la biographie. Le 9 juin 1865, le train Folkestone-Londres déraille entre Headcorn et Staplehurst. Seul le deuxième wagon reste suspendu au-dessus du pont, tandis que les autres voitures et la locomotive basculent dans la rivière ou les terrains marécageux en contrebas. La catastrophe fait dix morts et quarante blessés. Du deuxième wagon s'extirpe un homme qui a aussitôt la présence d'esprit d'aider les autres passagers de son compartiment à sortir des débris, puis d'aider les blessés autour de lui. Certains sont atrocement mutilés. Puis il réalise qu'il a laissé dans le train une partie du manuscrit de son prochain roman. Il retourne dans le wagon. Le manuscrit est intact. Le roman devait s'appeler *Our Mutual Friend*, l'homme en question n'était autre que Charles Dickens. Malgré cette série de hasards favorables, l'accident de Staplehurst devait laisser une impression indélébile dans l'esprit, sinon dans le corps du romancier. Longtemps après la catastrophe, il garda une phobie des chemins de fer : quatre ans après, il déclara que l'accident possédait pour lui une

« terrible signification » malgré le temps écoulé. Faut-il préciser que dans le compartiment se trouvait une certaine jeune femme dont la présence aux côtés du romancier risquait de révéler auprès du public anglais une forme de « double vie » ? A l'évidence, les événements relatés dans « Le Signaleur » trouvent leur origine dans ce traumatisme biographique, la mort soudaine de la jeune femme étant l'expression de l'angoisse rétrospective du romancier qui, dans *Our Mutual Friend*, développe le thème des vies parallèles et le motif de la double identité. Lorsque la fiction (le manuscrit), la vie privée (la bien-aimée) et les angoisses du monde moderne (le train) sont ainsi mêlées, comment s'étonner que le réel devienne à son tour fantastique ? Charles Dickens mourut le 9 juin 1870, soit cinq années, jour pour jour, après la catastrophe de Staplehurst, et il faut n'y voir, bien sûr, qu'une simple coïncidence.

Jean-Pierre Naugrette.

Bibliographie sélective

ARNAUD, Pierre. *Ann Radcliffe et le fantastique : essai de psychobiographie.* Paris, Aubier, 1976.

BESSIÈRE, Irène. *Le Récit fantastique.* Paris, Larousse, 1974.

BONAPARTE, Marie. *Edgar Poe : sa vie, son œuvre. Étude analytique,* 1933, 2 vol. Paris, P.U.F., 1958, 3 vol.

BORGES, Jorge Luis. *Le Livre des êtres imaginaires.* Paris, Gallimard, Coll. « L'Imaginaire », nº 188, 1987.

BRUNEL, Pierre. *Le Mythe de la métamorphose.* Paris, Colin, U2, 1974.

CAILLOIS, Roger. *Au cœur du fantastique.* Paris, Gallimard, 1965.

CAILLOIS, Roger (éd.). *Anthologie du fantastique.* Paris, Gallimard, 1966.

CASTEX, P.-G. (éd.). *Anthologie du conte fantastique français.* Paris, Corti, 1963.

COUTY, Daniel (éd.). *Le Fantastique.* Paris, Bordas, Coll. « Univers des Lettres », 1986.

CUDDON, J.A. (éd.). *The Penguin Book of Horror Stories.* Harmondsworth, 1984.

EGAN, Joseph J. "Grave sites and moral death: a re-examination of Stevenson's 'The Body Snatcher'". *English Literature in Transition,* XIII (1970), 9-15.

FREUD, Sigmund. *Délire et rêves dans la "Gradiva" de Jensen.* Paris, Idées-Gallimard, 1949.

FREUD, Sigmund. *L'Inquiétante étrangeté et autres essais.* Paris, Folio essais nº 93, Gallimard, 1985.

GOIMARD, Jacques et STRAGLIATI, Roland (éds). *La Grande Anthologie du Fantastique.* Paris, Presses Pocket, 1977, 8 vol.

KOFMAN, Sarah. « Le double e(s)t le diable », in *Quatre romans analytiques.* Paris, Galilée, 1973.

LACAN, Jacques. *Écrits I.* Paris, Éd. du Seuil, 1966.

LECERCLE, Jean-Jacques. *Frankenstein: mythe et philosophie.* Paris, P.U.F., Coll. « Philosophies », 1988.

LOVECRAFT, H.P. *Supernatural Horror in Literature.* New York, Ben Abramson, 1945. Paris, C. Bourgois, 1969.

MILNER, Jean-Claude. *Détections fictives.* Paris, Ed. du Seuil, Coll. « Fiction & Cie », 1985.

NORDON, Pierre. *Sir Arthur Conan Doyle: l'homme et l'œuvre.* Paris, Didier, 1964.

POE, E.A. *Prose.* Trad. Baudelaire, Paris, Bibliothèque de la Pléiade, Gallimard, 1951.

POE, E.A. *Tales of Mystery and Imagination,* Everyman, Dent, 1981.

PUNTER, David. *The Literature of Terror.* London, Longman, 1980.

RANK, Otto. *Don Juan et le Double.* Paris, Payot, P.B.P. 1973.

SAYERS, Dorothy L. (éd). *Great Short Stories of Detection, Mystery and Horror.* London, V. Gollancz, 1928.

TODOROV, Tzvetan. *Introduction à la littérature fantastique.* Paris, Éd. du Seuil, 1970.

VAX, Louis. *L'Art et la littérature fantastiques.* Paris, P.U.F., Coll. « Que Sais-Je ? », 1960.

James HOGG (1770-1835)

Le roman gothique (et la parodie qu'en fait Jane Austen dans *Northanger Abbey)* mettait en scène de jeunes héroïnes qui partaient, tremblantes, vers des châteaux ténébreux et obscurs. Rien de tel ici, même si James Hogg reprend le motif du voyage et de l'expédition initiatiques : le héros est un simple cocher de fiacre, et le voyage est intériorisé. Pour cet écrivain nourri de la Bible et des Ballades de Walter Scott, pour cet Écossais qui fut longtemps berger et donc très proche de la nature, le fantastique fait partie intégrante du paysage intérieur : le décor des environs d'Édimbourg n'est ici que la matière des rêves. Dans *The Private Memoirs and Confessions of a Justified Sinner* (1824), qu'André Gide fit connaître en France après la guerre, Hogg explorait déjà le terrain mouvant d'une conscience torturée, en prise directe avec cet « autre monde » dont parlait Malraux : « Pas nécessairement infernal ou paradisiaque, pas seulement monde d'après la mort : un au-delà présent » (*Le Surnaturel*). Toute l'ironie de l'auteur consiste ici à dénier tout intérêt aux rêves liés à la profession du rêveur pour mieux superposer ensuite le rêve à la réalité (ce que fera Stevenson à la fin du siècle), démontrer l'efficacité de l'onirique par rapport au quotidien, et ancrer la prémonition tragique dans le cadre banal d'une mauvaise nuit : l'au-delà n'est pas ailleurs, il est présent, et Hogg n'hésite pas à introduire le dialecte écossais pour enraciner son histoire dans un terroir qui croyait aux fantômes et aux revenants.

The Expedition to Hell

Une expédition en Enfer

There is no phenomenon[1] in nature less understood, and about which greater nonsense[2] is written than dreaming. It is a strange thing. For my part I do not understand it, nor have I any desire to do so; and I firmly believe that no philosopher that ever wrote knows a particle more about it than I do, however elaborate and subtle the theories he may[3] advance concerning it. He knows not even what sleep is, nor can he define its nature, so as to enable any common mind to comprehend him; and how, then, can he define that ethereal part of it, wherein the soul holds intercourse with the external world? — how, in that state of abstraction, some ideas force themselves upon us, in spite of all our efforts to get rid of them[4]; while[5] others[6], which we have resolved to bear about with us by night as well as by day, refuse us their fellowship, even at periods when we most require their aid?

No, no[7]; the philosopher knows nothing about either; and if he says he does, I entreat you not to believe him. He does not know what mind is; even his own mind, to which one would think he has the most direct access: far less can he estimate the operations and powers of that of any other intelligent being. He does not even know, with[8] all his subtlety, whether it be[9] a power distinct from his body, or essentially the same, and only incidentally and temporarily endowed with[10] different qualities.

---

1. **phenomenon** [fə'nɒmɪnən] : au pluriel, **phenomena**.
2. **nonsense** : nom indénombrable (sans pluriel, jamais précédé d'un nombre), qui recouvre la plupart du temps une réalité plurielle en français.
3. **may** : à noter la construction **however** + adjectif (**elaborate and subtle**) + sujet + **may** + infinitif sans **to** pour exprimer une concession avec une nuance d'éventualité, d'incertitude ou de doute.
4. **to get rid of them** : littéralement, *s'en débarrasser*.
5. **while** [waɪl] = **whereas**, *alors que, tandis que* (expression d'un contraste prononcé).
6. **others** : en corrélation avec **some. Ideas** est sous-entendu.
7. **No, no** : on remarquera l'aspect rhétorique de l'argumentation.

Il n'existe aucun phénomène naturel aussi peu compris, et sur lequel on écrit autant d'inepties que le rêve. C'est une chose étrange, qui pour ma part dépasse mon entendement, sans que j'en sois contrarié le moins du monde. Au contraire, j'ai l'intime conviction qu'en comparaison, le savoir des philosophes n'a pas bougé d'un iota sur le sujet, malgré tout le raffinement et la subtilité de leurs théories. Ils ne savent même pas ce qu'est le sommeil, pas plus qu'ils ne sont capables d'en définir clairement la nature pour le commun des mortels. Comment, à plus forte raison, sauraient-ils en définir l'aspect le plus impalpable, par lequel l'âme communique avec le monde extérieur ? Comment, dans cet état second, certaines idées s'imposent à nous malgré tous nos efforts pour les tenir à distance, alors que d'autres, que nous avons décidé de faire nôtres de jour comme de nuit, se dérobent à notre compagnie, même au moment où leur aide nous importe le plus ?

Non, non : les philosophes ne sauraient répondre à ces deux questions-là, et quand ils affirmeraient le contraire, je vous conjure de n'en point croire un mot. Ils ne savent pas ce qu'est l'intelligence humaine, pas même la leur (à laquelle ils sont censés avoir l'accès le plus direct), et sont donc d'autant moins compétents pour évaluer son fonctionnement et sa capacité chez tous leurs semblables. Malgré toute leur finesse, ils ne savent toujours pas si cette capacité est distincte du corps, ou si elle est essentiellement la même et ne s'en sépare que de manière épisodique et fortuite.

Hogg utilise ici le dialogisme, figure du discours qui imite un dialogue entre deux interlocuteurs.

8. **with** : suivi de **all**, souvent l'équivalent de **in spite of**.
9. **whether it be** = **if it is**.
10. **endowed** [ɪn'daʊd] **with** : littéralement, *dotée de* (= **gifted with**).

He sets himself to[1] discover at what period of his existence the union was established. He is baffled[2]; for Consciousness refuses the intelligence[3], declaring, that she cannot carry him far enough back to ascertain it. He tries to discover the precise moment when it is dissolved, but on this Conciousness[4] is altogether silent; and all is darkness and mystery; for[5] the origin, the manner of continuance, and the time and mode of breaking up of the union between soul and body, are in reality undiscoverable by our natural faculties — are not patent[6], beyond the possibility of mistake[7]: but whosoever can read his Bible, and solve a dream, can do either, without being subjected to any material error.

It is on this ground that I like to contemplate, not the theory of dreams, but the dreams themselves; because they prove to the unlettered[8] man, in a very forcible manner, a distinct existence of the soul, and its lively and rapid intelligence with external nature, as well as with a world of spirits[9] with which it has no acquaintance, when the body is lying dormant, and the same to the soul as if sleeping in death.

I account nothing of any dream that relates to the actions of the day; the person is not sound asleep[10] who dreams about these things; there is no division between matter and mind, but they are mingled together in a sort of chaos —what a farmer would call compost— fermenting and disturbing one another.

---

1. **he sets himself to = he tries to.**

2. **baffled**: *déconcerté, dérouté.* **To baffle description/explanation**: *échapper à, défier la description/l'explication.*

3. **the intelligence**: ici au sens d'*information* ou de *renseignement,* comme dans **Intelligence Service**, le service de renseignement britannique.

4. **Consciousness**: on remarquera ici la personnalisation de la Conscience psychique. L'introspection menée par le narrateur annonce dans une large mesure celle du Dr Jekyll dans *The Strange Case of Dr. Jekyll and Mr. Hyde* de R.L. Stevenson (Le Livre de Poche Bilingue, nº 8704, 1988).

S'ils cherchent à découvrir le moment de leur vie où naquit cette union, ils ne savent plus quoi penser, car la Conscience se refuse à répondre, en arguant qu'elle ne saurait les faire remonter aussi loin en arrière pour s'en assurer. S'ils tentent de découvrir le moment précis où cette union se dissout, la Conscience, là-dessus, reste muette, de sorte que tout demeure dans l'ombre et le mystère: l'origine de cette union, la manière dont elle perdure, le mode et le moment de sa dissolution, tout cela échappe en réalité à notre entendement — se dérobe à la sûreté de notre faculté de juger. Par contre, quiconque sait lire sa Bible et interpréter un rêve peut le faire sans s'exposer à de graves erreurs.

C'est dans cette perspective que j'aime à contempler, non point la théorie des rêves, mais les rêves eux-mêmes, parce qu'ils démontrent au commun des mortels, de manière très convaincante, l'existence distincte de l'âme et son commerce instantané avec le monde extérieur, mais aussi avec le monde insoupçonné des esprits, lorsque le corps est au repos et qu'au regard de l'âme il dort du sommeil de la mort.

Je ne fais aucun cas de tous les rêves qui se rapportent aux actions de la journée : il ne dort guère d'un sommeil lourd celui qui rêve à ces choses-là. Il n'y a plus de division entre intelligence et matière, mais une sorte de mélange chaotique — de compost, dirait un fermier — qui fermente et bouillonne.

---

5. **for** : ici au sens de *car*.

6. **patent** ['peɪtənt] = **obvious**, *évident, manifeste*.

7. **beyond the possibility of mistake** : littéralement, *au-delà d'une possibilité d'erreur*.

8. **unlettered** : *illettré*. Par opposition aux philosophes, Hogg entend ici convaincre et toucher un public simple et fruste, nourri de Bible et de légendes populaires.

9. **a world of spirits** : le rêve est un moyen pour l'âme d'entrer en contact avec le surnaturel.

10. **sound asleep** = **fast asleep**, *profondément endormi*.

I find that in all dreams of that kind, men of every profession have dreams peculiar to their own occupations; and, in the country, at least, their import[1] is generally understood. Every man's body is a barometer[2]. A thing made up of the elements must be affected by their various changes and convulsions; and so the body assuredly is. When I was a shepherd[3], and all the comforts of my life depended so much on[4] good or bad weather, the first thing I did every morning was strictly to overhaul[5] the dreams of the night; and I found that I could calculate better from them than from the appearance and changes of the sky. I know a keen sportsman[6] who pretends that his dreams never deceive him. If the dream is of angling[7], or pursuing salmon in deep waters, he is sure of rain; but if fishing on dry ground, or in waters so low that the fish cannot get from him, it forebodes[8] drought; hunting or shooting hares is snow, and moorfowl[9] wind, &c. But the most extraordinary professional dream on record[10] is, without all doubt, that well-known one of George Dobson, coach-driver in Edinburgh, which I shall here relate; for though it did not happen in the shepherd's cot[11], it has often been recited[12] there.

George was part proprietor and driver of a hackneycoach in Edinburgh, when such vehicles were scarce[13]; and one day a gentleman, whom he knew, came to him and said:

---

1. **import** = **meaning.**
2. **barometer** [bə'rɒmɪtə].
3. **a shepherd**: noter l'emploi de l'article indéfini devant un nom singulier attribut. Ex. : **When I was a boy**: *quand j'étais enfant.*
4. **on**: **to depend on,** *dépendre de.*
5. **to overhaul**: *réviser* (machine, véhicule), *radouber* (navire). Ici au sens de *revoir en esprit,* d'*examiner.*
6. **sportsman**: en anglais, ne désigne pas le "sportif" au sens moderne et français du terme, mais des activités traditionnelles comme la chasse et/ou la pêche.
7. **angling**: *pêche à la ligne* (**angler**: *pêcheur à la ligne*).
8. **forebodes**: de **to forebode,** *annoncer, présager.* **A foreboding**: *un pressentiment, une prémonition* (néfaste).

Je constate que dans tous les rêves de ce genre, chaque profession donnée rêve en rapport avec ses activités propres, et qu'à la campagne, en tout cas, on en comprend la plupart du temps le sens. Le corps de chaque homme est un baromètre : tout ce qui dépend des éléments est obligatoirement affecté par leurs variations et leurs perturbations, et c'est son cas. Lorsque j'étais berger, et que tout le confort de ma vie était tributaire du bon ou du mauvais temps, ma première réaction, tous les matins, était d'examiner systématiquement mes rêves de la nuit. De fait, ils s'avérèrent plus fiables pour mes estimations que les changements à vue du temps. L'un de mes amis, qui pratique assidûment la chasse et la pêche, affirme que ses rêves ne l'ont jamais trompé. S'il rêve qu'il taquine le saumon ou qu'il le traque en pleine rivière, c'est la pluie assurée. Mais s'il pêche au sec, ou dans des eaux trop basses pour que le poisson puisse lui échapper, c'est la sécheresse qui s'annonce; chasser ou tirer un lièvre indique la neige, un coq de bruyère le vent, etc. Mais dans les annales, le plus célèbre et le plus extraordinaire rêve lié à la profession du rêveur est sans conteste celui de George Dobson, un cocher d'Édimbourg, que je m'en vais vous raconter maintenant. Car même s'il n'a pas pour cadre la hutte du berger, c'est souvent là-bas qu'on l'a évoqué.

George était cocher — et pour moitié, propriétaire — d'une voiture de louage à Édimbourg, à une époque où de tels véhicules n'étaient pas foison. Un beau jour, un gentleman de sa connaissance vint le voir en lui disant :

---

9. **moorfowl** : littéralement, *volaille de la lande*, ce qui s'explique par le contexte écossais.

10. **on record** : voir **public records** : *les archives, les annales.*

11. **in the shepherd's cot** : allusion à la profession de Hogg, qui était surnommé "le berger d'Ettrick" par ses confrères écrivains.

12. **recited** [rɪ'saɪtɪd] : l'auteur s'appuie ici sur la tradition orale, dont il se fait l'écho.

13. **scarce** [skɛəs] : *peu abondant, rare ;* **scarcely** : *à peine.*

'George, you must drive me and my son here out to —,' a certain place[1] that he named, somewhere in the vicinity of Edinburgh.

'Sir,' said George, 'I never heard tell of such a place, and I cannot drive you to it unless[2] you give me very particular directions[3].'

'It is false,' returned the gentleman; 'there is no man in Scotland who knows the road to that place better than you do. You have never driven on any other road all your life; and I insist on you taking us.'

'Very well, sir,' said George, 'I'll drive you to hell, if you have a mind[4]; only you are to[5] direct me on the road.'

'Mount and drive on, then' said the other; 'and no fear of the road.'

George did so, and never in his life did he see[6] his horses go at such a noble rate; they snorted, they pranced, and they flew on; and as the whole road appeared to lie down-hill, he deemed[7] that he should soon come to his journey's end. Still he drove on at the same rate, far, far down-hill[8] — and so fine an open road he never travelled— till by degrees it grew so dark that he could not see to drive any farther. He called to the gentleman, inquiring what he should do; who answered that this was the place they were bound to, so he might draw up[9], dismiss[10] them, and return.

---

1. **a certain place**: Hogg joue sur l'ambiguïté topographique. L'histoire se passe près d'Édimbourg, mais l'absence de nom précis laisse la porte ouverte au mystère et au fantastique.

2. **unless**: introduit une condition négative (= **if... not**).

3. **directions**: au sens d'*indications topographiques*. Ex. : **a sense of direction**: *le sens de l'orientation*.

4. **if you have a mind = if you wish**. Ex. : **I've a good mind to do it**, *j'ai bien envie de le faire*.

5. **you are to = you must. To be to** s'utilise pour exprimer un ordre ou une nécessité.

6. **never...did he see**: dans le style littéraire, l'inversion du verbe est fréquente lorsqu'un terme négatif (**never, nowhere, not only...**) ou restrictif (**hardly, only, little, seldom**) est mis en relief en tête de phrase ou de proposition.

« George, il faut que tu me conduises, moi et mon fils, à ... » — un certain endroit qu'il nomma, quelque part aux environs d'Édimbourg.

« Monsieur », dit George, « je n'ai jamais entendu parler d'un tel endroit, et je ne saurais vous y conduire si vous ne me donnez pas d'indications plus précises.

— C'est faux », répliqua le gentleman. « Personne d'autre en Écosse ne connaît mieux cet endroit-là que toi. Tu n'as jamais emprunté au cours de ta vie d'autre route que celle-ci, et j'exige que tu nous emmènes.

— Parfait, monsieur », dit George. « Je vous conduirai en Enfer, si tel est votre bon plaisir. Simplement, je vous demanderai de m'indiquer le chemin.

— Alors, en route, et fouette, cocher ! » fit l'autre. « Ne t'inquiète pas pour le chemin. »

Ainsi fit George, et jamais, de toute son existence, il ne vit ses chevaux aller à si fière allure. Ils s'ébrouaient, caracolaient, et filaient, filaient, et comme la route entière semblait aller en descendant, il estima que la fin de son voyage était proche. Et toujours il allait à la même allure, en descendant, en descendant toujours plus avant — et c'est la première fois qu'il empruntait une route aussi belle, aussi dégagée — jusqu'à ce que l'obscurité devienne peu à peu trop épaisse pour pouvoir continuer avec assez de visibilité. Il se tourna vers le gentleman en lui demandant ce qu'il devait faire. Ce dernier lui répondit qu'ils étaient arrivés à destination, et qu'il pouvait s'arrêter, les congédier, et prendre le chemin du retour.

---

7. **deemed = thought, estimated** (style littéraire).

8. **far, far, down-hill** : le narrateur cherche à recréer le mouvement rapide des chevaux par le biais de la ponctuation, des allitérations et des répétitions.

9. **draw up** : *s'arrêter* (véhicule).

10. **dismiss** : littéralement, "les renvoyer". **Them** se rapporte au gentleman et à son fils, mais on remarquera dans toute la nouvelle l'effacement complet du fils en question.

He did so, alighted from[1] the dickie[2], wondered at his foaming horses[3], and forthwith[4] opened the coach-door, held the rim[5] of his hat with the one hand and with the other demanded his fare[6].

'You have driven us in fine style, George,' said the elder gentleman, 'and deserve to be remembered; but it is needless for us to settle[7] just now, as you must meet us here again tomorrow precisely at twelve o'clock.'

'Very well, sir,' said George; 'there is likewise an old account, you know, and some toll[8]-money;' which indeed there was.

'It shall be all settled tomorrow, George, and moreover[9], I fear there will be some toll-money today.'

'I perceived no tolls today, your honour,' said George.

'But I perceived one[10], and not very far back neither, which I suspect you will have difficulty in repassing without a regular ticket. What a pity I have no change on me!'

'I never saw it otherwise with your honour,' said George, jocularly[11]; 'what a pity it is you should always suffer yourself to run short of[12] change!'

'I will give you that which is as good, George,' said the gentleman; and he gave him a ticket written with[13] red ink, which the honest coachman[14] could not read. He, however, put it into his sleeve,

---

1. **alighted from** : de **to alight from** : *descendre de* (personne).
2. **dickie** : ou **dicky** : *petit siège* ou *strapontin* **(dicky-seat)**.
3. **foaming horses** : le détail a son importance.
4. **forthwith** = **immediately**.
5. **rim** : également la *jante* d'une roue ou la *monture* d'une paire de lunettes. Ex. : **horn-rimmed spectacles**, *lunettes à monture d'écaille*.
6. **fare** [feə] : *prix* d'un billet ou d'un ticket (transports).
7. **to settle** : *régler, s'acquitter d'une dette* **(account)**.
8. **toll** [təʊl] : *péage*. D'où **tollkeeper** (ou **keeper** plus bas) : *péager*, **tollbar** (ou **tollgate**) : *barrière de péage*, **tollbridge** : *pont à péage*. **To toll** signifie également *sonner* (cloches). Ex. : **For whom the bell tolls** : *Pour qui sonne le glas*, vers de John Donne qui fournit son titre au roman d'Hemingway (1940).

Ainsi fit-il. Il descendit de son siège en remarquant, au passage, ses chevaux qui écumaient, et sans plus attendre ouvrit la porte du fiacre, tenant le bord de son chapeau d'une main, l'autre tendue pour demander son dû.

« Tu as magnifiquement conduit, George, » dit le vieux gentleman, « et tu mérites reconnaissance. Mais il n'est pas nécessaire que je te règle sur l'heure, puisque tu dois nous reprendre demain ici même à douze heures précises.

— Comme vous voudrez, monsieur », dit George. « Vous savez, vous me devez aussi un arriéré, ainsi qu'un droit d'octroi. » (Ce qui était le cas.)

« Nous réglerons le tout demain, George. Sans compter, j'en ai peur, le droit d'octroi qu'il faudra régler aujourd'hui.

— Je n'ai pas aperçu de barrière aujourd'hui, votre honneur », dit George.

« Moi, si. Et pas plus tard que tout à l'heure. J'ai dans l'idée que tu auras quelque difficulté à repasser sans ticket valable. Que n'ai-je de la monnaie sur moi !

— Que je sache, il en va toujours ainsi avec votre honneur », fit George en plaisantant. « Quel dommage que vous vous laissiez toujours démunir de monnaie !

— Je m'en vais te donner ceci en guise d'équivalent, George », dit le gentleman en lui donnant un ticket écrit à l'encre rouge, que le brave cocher fut incapable de déchiffrer mais qu'il glissa néanmoins dans sa manche.

---

9. **moreover** = **besides**, *en outre, qui plus est.*

10. **But I perceived one** : le fantastique naît souvent d'une différence dans la perception des phénomènes naturels. Voir Préface.

11. **jocularly** ['dʒɒkjʊləlɪ] : de **jocular** : *joyeux, enjoué, jovial.*

12. **to run short of** : *venir à manquer de, se trouver à court de qqch.* Voir également **money is running short** : *l'argent commence à manquer.*

13. **with** : sert ici à exprimer le moyen utilisé.

14. **honest coachman** : par opposition au **gentleman.** Voir note 6, p. 38.

and inquired of his employer where that same toll was which he had not observed, and how it was that they[1] did not ask from him as he came through? The gentleman replied, by informing George that there was no road out of that domain, and that whoever entered it must either remain in it, or return by the same path; so they never asked any toll till[2] the person's return, when they were at times highly capricious; but that the ticket he had given him would answer[3] his turn. And he then asked George if he did not perceive a gate, with a number of men in black[4] standing about it.

'Oho! Is yon[5] the spot?' says George; 'then, I assure your honour, yon is no toll-gate, but a private entrance into a great man's mansion[6]; for do not I know two or three of the persons yonder to be gentlemen of the law, whom I have driven often and often? and as good fellows they are too as any I know —men who never let themselves run short of change! Good day— Twelve o'clock tomorrow?'

'Yes, twelve o'clock noon, precisely;' and with that, George's employer vanished[7] in the gloom, and left him to wind[8] his way out of that dreary labyrinth the best way he could. He found it no easy matter, for his lamps were not lighted[9], and he could not see[10] a yard before him — he could not even perceive his horses' ears;

---

1. **they**: sert souvent à exprimer le *on* français. Ex.: **They drink a lot of tea in England**: *on boit beaucoup de thé en Angleterre.*
2. **till = until**, *jusqu'à ce que, avant que.*
3. **answer**: ici au sens de *répondre à, correspondre à, satisfaire* (besoin, souhait, etc.) Ex.: **It answers the purpose**: *cela fait l'affaire.*
4. **in black**: la couleur noire est traditionnellement de mauvais augure.
5. **yon**: forme littéraire ou dialectale de **yonder**: *là-bas* (**over there** en anglais moderne).
6. **mansion** ['mænʃn]: à la campagne, un *château* ou un *manoir*. En ville, un *hôtel particulier*. Ex.: **the Mansion House** = la résidence officielle du Lord Mayor de Londres.
7. **vanished**: on notera la rapidité de la disparition.
8. **to wind** [waɪnd]: ne pas confondre avec **wind** [wɪnd], *le vent.* **To**

Puis il demanda à son employeur où se trouvait cette barrière qui lui avait échappé, et comment il se faisait qu'on ne lui avait rien demandé à l'aller. Le gentleman répondit à George en l'informant qu'aucune route ne traversait ce domaine, et que quiconque y pénétrait devait soit y rester, soit repartir par le même chemin. Voilà pourquoi les gens de l'octroi ne demandaient jamais rien avant le retour du voyageur, et c'est à ce moment-là qu'ils se montraient parfois terriblement tatillons. Heureusement, le ticket qu'il lui avait donné ferait l'affaire. Puis il demanda à George s'il n'apercevait pas une barrière gardée par un groupe d'hommes en noir.

« Ho ! Ho ! Vous voulez dire là-bas ? » fit George. « Alors, votre honneur, je vous garantis que ce n'est point une barrière d'octroi, mais bien l'entrée d'un chemin privé qui mène à la demeure d'un seigneur, car je crois bien reconnaître là-bas deux ou trois gens de loi que j'ai déjà conduits dans mon fiacre, et tous d'agréable compagnie, qui plus est — des gens qui ne se laissent jamais démunir de monnaie ! Au plaisir — À demain, douze heures ?

— C'est ça. À demain midi, douze heures sonnantes. »

Là-dessus, l'employeur de George s'évanouit dans les ténèbres en le laissant se débrouiller pour trouver tant bien que mal la sortie de ce lugubre labyrinthe. Cela n'alla pas sans difficulté, car ses lanternes étaient éteintes, et il n'y voyait goutte — il ne distinguait pas même les oreilles de ses chevaux,

---

wind (wound, wound) se dit d'une rivière ou d'un chemin qui serpente ou fait des zigzags. Ex. : **the road winds through the valley** : *la route serpente à travers la vallée.*

9. **were not lighted** : R.L. Stevenson reprendra ce motif des lanternes éteintes dans sa nouvelle "The Body Snatcher" (voir infra, pp. 186 et suivantes).

10. **could not see** : le cocher perd un à un tous les repères habituels de sa perception.

and what was worse[1], there was a rushing sound, like that of a town on fire, all around him, that stunned[2] his senses, so that he could not tell whether his horses were moving or standing still. George was in the greatest distress imaginable, and was glad when he perceived the gate before him, with his two identical friends, men of the law, still standing. George drove[3] boldly up, accosted them by their names, and asked what they were doing there; they made him no answer, but pointed to the gate and the keeper. George was terrified to look at this latter[4] personage, who now came up and seized[5] his horses by the reins, refusing to let him pass. In order to introduce himself, in some degree, to this austere toll-man, George asked him, in a jocular[6] manner, how he came to employ his two eminent friends as assistant gate-keepers?

'Because they are among the last[7] comers,' replied the ruffian, churlishly[8]. 'You will be an assistant here tomorrow.'

'The devil I will, sir.'

'Yes, the devil you will[9], sir.'

'I'll be d—d if I do then— that I will!'

'Yes, you'll be d—d if you do— that you will.'

'Let my horses go in the meantime, then, sir, that I may proceed on my journey.'

'Nay[10].'

'Nay! — Dare you say nay to me, sir?

---

1. **worse** [wɜ:s] : comparatif de **bad**. Au superlatif, **the worst** : *le pire*.

2. **stunned** : de **to stun**, 1) *étourdir, assommer* (sens physique). 2) *abasourdir, stupéfier* (= **to amaze**), *paralyser*.

3. **drove** [drəʊv] : **to drive, drove, driven**.

4. **latter** : *le deuxième, le dernier*. Souvent en corrélation avec **the former** : *le premier*.

5. **seized** [sɪ:zd] : de **to seize** = **to take hold of, to clutch, to grab**, *se saisir, s'emparer de*.

6. **jocular** : pendant toute la nouvelle, Hogg ne cessera d'insister sur le caractère honnête et enjoué de George, par opposition au caractère malhonnête et sinistre de son employeur ou du péager.

et, pis encore, il percevait une sorte de crépitation, comme celle d'une ville en feu, qui l'encerclait et l'assourdissait au point qu'il était incapable de dire si ses chevaux avançaient ou s'ils faisaient du sur-place. George était dans le plus grand désarroi. Il ne fut pas fâché d'apercevoir la barrière devant lui, et ses deux amis en personne, les gens de loi, qui montaient toujours la garde. George fit avancer hardiment son fiacre, et, les accostant par leur nom, leur demanda ce qu'ils faisaient là. En guise de réponse, ils désignèrent la barrière et son gardien. George fut terrifié à la vue de ce personnage qui s'approchait maintenant de lui et s'emparait des chevaux par la bride en lui refusant le passage. En manière d'introduction auprès de ce gardien austère, George lui demanda sur le ton de la plaisanterie comment il se faisait qu'il employait ses deux éminents amis comme gardiens en second.

« Parce qu'ils font partie des derniers arrivés », rétorqua le rustre en bougonnant. « Demain, vous en serez vous aussi.

— Plutôt aller au diable, cher monsieur.

— En effet, cher monsieur, plutôt aller au diable.

— Plutôt être damné dans ce cas, en effet !

— C'est ça. Plutôt être damné dans votre cas.

— En attendant, cher monsieur, laissez passer mon attelage, afin de poursuivre mon voyage.

— Non.

— Non ?... Vous avez le front de me dire non ?

---

7. **the last** : comme l'indique sa terminaison, **the last** (comme **the first**) est un superlatif.

8. **churlishly** : adverbe composé à partir de **churl** [tʃɜ:l] : *un rustre, un malotru*, ou *une personne revêche*. Dans un contexte historique, *un manant*.

9. **the devil you will** : alors que George utilise le mot "diable" de manière figurée ("aller au diable"), le gardien le prend dans son sens littéral, comme le mot "damné" (**d—d = damned**) plus bas.

10. **Nay** [neɪ] = **No** (ancien ou littéraire).

My name is George Dobson, of the Pleasance, Edinburgh, coach-driver, and coach-proprietor too; and no man shall say *nay* to me, as long as I can pay my way[1]. I have his Majesty's licence, and I'll go and come as I choose — and that I will. Let go my horses there, and tell me what is your demand[2].'

'Well, then, I'll let your horses go,' said the keeper: 'But I'll keep yourself for a pledge[3].' And with that he let go the horses, and seized honest George by the throat, who struggled in vain to disengage himself, and swore, and threatened, according to his own confession, most bloodily. His horses flew off like the wind so swiftly, that the coach seemed flying in the air and scarcely bounding on the earth once in a quarter of a mile. George was in furious wrath[4], for he saw that his grand[5] coach and harness would all be broken to pieces, and his gallant[6] pair of horses maimed[7] or destroyed; and how was his family's bread now to be won! —He struggled, threatened, and prayed in vain; —the intolerable toll-man was deaf to all remonstrances. He once more appealed to his two genteel[8] acquaintances of the law, reminding them how he had of late[9] driven them to Roslin on a Sunday, along with two ladies, who he supposed, were their sisters, from their familiarity[10], when not another coachman in town would engage[11] with them. But the gentlemen, very ungenerously, only shook their heads[12], and pointed to the gate.

---

1. **nay...way** : on remarquera la paronomase, figure de style qui rapproche deux mots aux sonorités voisines, mais dont le sens est différent. Ex. : *qui vivra verra*. Rendu ici par *refus* et *dû*.

2. **demand** [dɪ'mɑ:nd] : *exigence, réclamation, revendication*.

3. **pledge** : *promesse, engagement, gage*. **To pledge one's word (that)** : *donner sa parole (que)*.

4. **wrath** [rɒθ] : *colère, courroux*. Ex. : ***The Grapes of Wrath** : Les Raisins de la colère*, roman de John Steinbeck (1939).

5. **grand** [grænd] : *magnifique, splendide*. **Grand style** : *style noble*.

6. **gallant** ['gælənt] : *courageux, brave, vaillant*.

7. **maimed** : de **to maim** : *estropier, mutiler*. Ex. : **to be maimed for life**, *être estropié à vie*.

Mon nom est George Dobson, de Pleasance, à Édimbourg, cocher de fiacre, propriétaire de fiacre, qui plus est ; et personne ne m'opposera de refus, tant que je paierai mon dû. Je suis patenté par Sa Majesté, et j'irai où bon me semble... où bon me semble. Laissez donc passer mon attelage, et dites-moi votre tarif.

— Très bien », dit le gardien, « dans ce cas, je laisse passer l'attelage. Mais je vous garde en gage. »

Et là-dessus, laissant le champ libre aux chevaux, il saisit le brave George à la gorge, qui essaya en vain de se dégager, jura, et tempêta, selon ses propres termes, épouvantablement. Ses chevaux filèrent comme le vent, si rapidement que la voiture semblait voler dans les airs et ne retomber sur terre que tous les demi-kilomètres. George était furibond, car il voyait déjà son beau fiacre et son bel attelage brisés en mille morceaux, et ses deux fringants chevaux mutilés ou trépassés. Et comment pourrait-il alors nourrir les siens ? Il se débattit, menaça, et implora, en vain : l'intolérable gardien restait sourd à toute remontrance. Il fit de nouveau appel aux deux éminents gens de loi de sa connaissance, en leur rappelant qu'il les avait conduits à Roslin un dimanche, en compagnie de deux jeunes femmes qui, vu leur intimité, étaient sans doute leurs sœurs, alors qu'aucun cocher d'Édimbourg ne voulait les prendre à leur bord. Mais les gentlemen, avec beaucoup d'ingratitude, lui firent signe que non et se contentèrent de lui désigner la barrière.

---

8. **genteel** [dʒen'tɪ:l] : *élégant, distingué, de bon ton.*

9. **of late = recently.**

10. **from their familiarity** : la remarque montre la naïveté du brave cocher...

11. **engage** [ɪn'geɪdʒ] : les accepter comme clients. Les malheurs de George viendraient-ils de cette erreur initiale ? Pourquoi les autres cochers avaient-ils refusé ?

12. **shook their heads** : *hochèrent la tête en signe de refus* **(to shake, shook, shaken).**

George's circumstances[1] now became desperate, and again he asked the hideous toll-man what right he had to detain him, and what were his charges.

'What right have I do detain you, sir, say you? Who are you that make such a demand here? Do you know where you are, sir?'

'No, faith[2], I do not,' returned George; 'I wish I did[3]. But I *shall*[4] know, and make you repent your insolence too. My name, I told you, is George Dobson, licensed coach-hirer in Pleasance, Edinburgh; and to get full redress[5] of you for this unlawful interruption, I only desire to know where I am.'

'Then, sir, if it can give you so much satisfaction to know where you are,' said the keeper, with a malicious grin, 'you *shall* know, and you may take instruments[6] by the hands of your two friends there instituting a legal prosecution. Your redress, you may be assured, will be most ample, when I inform you that you are in HELL[7]! and out at this gate you pass no more.'

This was rather a damper[8] to George, and he began to perceive that nothing would be gained in such a place by the strong hand, so he addressed the inexorable toll-man, whom he now dreaded more than ever, in the following terms: 'But I must go home at all events, you know, sir, to unyoke[9] my two horses, and put them up[10], and to inform Chirsty Halliday my wife, of my engagement. And, bless me!

---

1. **circumstances**: le pluriel anglais renvoie ici à un singulier en français. Ex.: **under similar circumstances**: *en pareil cas.*

2. **faith** [feɪθ]: *la foi.* A ici valeur d'interjection.

3. **I wish I did**: noter l'emploi du preterite modal après **to wish** pour les auxiliaires comme **had, were, did** et le défectif **could**.

4. **shall**: marque l'insistance.

5. **redress** [rɪ'dres]: terme juridique *(redressement, réparation)*. Le cocher tente d'invoquer son bon droit.

6. **instruments**: encore un terme juridique *(instrument, acte juridique)* manié avec dérision par le gardien.

La situation de George devenait maintenant désespérée, aussi demanda-t-il une nouvelle fois à l'affreux gardien de quel droit il le retenait, et quel était son tarif.

« De quel droit je vous retiens, dites-vous, cher monsieur ? Qui donc êtes-vous pour faire une telle requête en ces lieux ? Savez-vous, cher monsieur, où vous êtes ?

— Ma foi, non », répondit George. « Si je le savais ! Mais je le *saurai*, et vous ferai aussi ravaler votre insolence. Mon nom, je vous l'ai dit, est George Dobson, cocher et loueur patenté de Pleasance, à Édimbourg ; et en dédommagement contre cette détention illégale, je désire seulement savoir où je suis.

— Dans ce cas, cher monsieur, si cela peut tant vous contenter de savoir où vous êtes », dit le gardien avec un sourire sardonique, « vous le *saurez*, et vous pourrez vous référer au procès-verbal que vos deux amis là-bas sont en train de dresser. Vous serez, soyez-en assuré, amplement dédommagé lorsque je vous aurai dit que vous êtes en ENFER ! et que vous n'irez pas plus loin que cette barrière. »

Cette nouvelle refroidit quelque peu George. Il commença à se rendre compte qu'en un tel lieu rien ne pourrait être obtenu par la force, aussi s'adressa-t-il en ces termes au gardien inflexible et de plus en plus redoutable :

« Mais monsieur, vous savez bien qu'il faut de toute façon que je rentre à la maison pour dételer mes deux chevaux, et les rentrer, et dire à Chirsty Halliday, ma femme, que je suis retenu. Oh ! Mon Dieu !

7. **you are in HELL ! :** la métaphore initiale utilisée par George ("Je vous conduirai en Enfer", p. 33) a donc été prise de manière littérale.

8. **a damper :** voir **to put a damper on :** *jeter un froid sur.*

9. **unyoke ≠ to yoke,** *atteler*. **The yoke :** *le joug.*

10. **put them up :** voir **to put up at :** *descendre dans, passer la nuit à* (auberge, hôtel).

I never recollected till this moment, that I am engaged to be back here tomorrow at twelve o'clock[1], and see, here is a free ticket for my passage this way.'

The keeper took the ticket with one hand, but still held George with the other. 'Oho! were you in with our honourable friend, Mr. R.— of L.—y?' said he. 'He has been on our books[2] for a long while; —however, this will do, only you must put your name to it likewise; and the engagement is this —You, by this instrument, engage your soul[3], that you will return here by tomorrow at noon.'

'Catch me there[4], billy!' says George. 'I'll engage no such thing, depend on it; —that I will not.'

'Then remain where you are,' said the keeper, 'for there is no other alternative. We like best for people to[5] come here in their own way —in the way of their business;' and with that he flung[6] George backwards, heels-over-head[7] down hill, and closed the gate.

George finding all remonstrance vain, and being desirous[8] once more to see the open day, and breathe the fresh air, and likewise[9] to see Chirsty Halliday, his wife, and set his house and stable in some order, came up again, and in utter desperation signed the bond[10], and was suffered[11] to depart. He then bounded away on the track of his horses with more than ordinary swiftness, in hopes to overtake[12] them;

---

1. **tomorrow at twelve o'clock** : voir p. 34.

2. **on our books** : ici au sens de *registres* ou *livres de compte*. Allusion au registre sur lequel étaient consignés les noms des damnés.

3. **engage your soul** : Hogg joue sur le verbe **engage.** 1) *prendre un passager* pour le cocher 2) *gager* son âme. Le motif de l'âme offerte en gage ou vendue au Diable rappelle le mythe de Faust (Marlowe, ***Dr Faustus***, 1588). L'encre rouge sur le billet (voir p. 34) rappelle le sang utilisé pour signer le contrat chez Marlowe : **"And write a deed of gift with thine own blood"** (II, 1,35). Le billet qui devait lui permettre de passer gratuitement n'est autre que le contrat qui le lie au Diable.

4. **catch me there** : littéralement, *attrape-moi si tu peux...*

5. **We like best for people to = We prefer people to.**

6. **flung** : preterite de **to fling (flung, flung)** : *lancer, jeter*.

Je me rappelle, maintenant, que je suis tenu de revenir ici demain à midi, regardez, j'ai là un ticket pour passer la barrière gratis. »

Le gardien prit le ticket d'une main, mais sans lâcher George de l'autre.

« Ho ! Ho ! Vous êtes en relation avec notre honorable ami, M. R... de L... y ? » fit-il. « Cela fait longtemps qu'il est dans nos registres. Ceci fera quand même l'affaire. Simplement, il faut y apposer aussi votre nom. N'oubliez pas les termes du contrat : par ledit document, vous gagez votre âme que vous reviendrez ici, demain, à midi.

— Compte là-dessus, mon bonhomme ! » s'écria George. « Il n'en est pas question. Aucun danger de ce côté-là.

— Dans ces conditions, reste où tu es », dit le gardien, « car il n'y a pas d'autre alternative. Nous préférons que les gens arrivent ici de leur propre chef, dans l'exercice de leurs fonctions. »

Ce sur quoi il repoussa George en arrière et le fit bouler en bas de la colline. Puis il referma la barrière.

Voyant que toute protestation était vaine, et désireux de revoir le grand jour, de respirer l'air pur, de retrouver Chirsty Halliday, son épouse, et de remettre en ordre écurie et maison, George remonta jusqu'au sommet, et signa le papier la mort dans l'âme : on le laissa partir. Il bondit alors sur les traces de ses chevaux avec une vélocité extraordinaire, dans l'espoir de les rejoindre.

---

7. **heels-over-head** : littéralement, *les talons sur la tête*.
8. **desirous** [dɪ'zaɪərəs].
9. **likewise** ['laɪkwaɪz] : ici l'équivalent d'**also**. Voir aussi **to do likewise** : *en faire autant, faire de même*.
10. **the bond** : *le contrat* (voir supra, note 3).
11. **suffered = allowed.**
12. **to overtake** : 1) *rattraper, rejoindre qqn* (= **to catch up with sby**) 2) *doubler, dépasser* (voiture). La vitesse, l'accélération, et le mouvement sont constamment utilisés ici par Hogg pour créer un effet fantastique (voir par exemple Berlioz, **La Symphonie fantastique**, 1830).

and always now and then uttered a loud Wo! in hopes they might hear and obey, though he could not come in sight of them. But George's grief was but[1] beginning; for at a well-known and dangerous spot[2], where there was a tan-yard[3] on the one hand, and a quarry on the other, he came to his gallant steeds overturned, the coach smashed to pieces, Dawtie with two of her legs broken, and Duncan dead[4]. This was more than the worthy coachman could bear, and many degrees worse than being in hell. There, his pride and manly spirit bore him up[5] against the worst of treatment; but here his heart entirely failed him, and he laid himself down, with his face on his two hands, and wept bitterly, bewailing[6], in the most deplorable terms, his two gallant horses, Dawtie and Duncan.

While lying in this inconsolable state, some one took hold of his shoulder, and shook it; and a well-known voice said to him, 'Geordie[7]! what is the matter wi' ye[8], Geordie?' George was provoked beyond measure at the insolence of the question, for he knew the voice to be that of Chirsty Halliday, his wife. 'I think you needna[9] ask that, seeing what you see,' said George. 'O, my poor Dawtie, where are a' your jinkings and prancings now, your moopings and your wincings[10]? I'll ne'er be a proud man again — bereaved o' my bonny[11] pair!'

'Get up, George; get up, and bestir[12] yourself,' said Chirsty Halliday, his wife.

---

1. **but** : ici l'équivalent de **only**.
2. **spot = place.**
3. **tan-yard** : de **to tan**, 1) *tanner le cuir, les peaux* (**hide**) 2) *brunir, hâler, bronzer*. **To be tanned** : *être hâlé, basané*.
4. **Duncan dead** : on remarquera que le cheval porte le même nom que le roi assassiné dans ***Macbeth***, également situé en Écosse.
5. **bore him up** : prétérit de **to bear up** : *ne pas se laisser décourager, tenir le coup* (**against, under** : *contre*).
6. **bewailing = lamenting.**
7. **Geordie** : familier et affectueux pour **George**. Également le titre d'une ballade écossaise. La rupture avec ce qui précède est ici accentuée par l'introduction du dialecte écossais.

De temps à autre il poussait tout haut un « Holà ! » en espérant qu'ils l'entendraient et qu'ils lui obéiraient, bien qu'il fût incapable de les apercevoir. Mais les déboires de George ne faisaient que commencer, car arrivé à un endroit connu pour être dangereux (là où il y avait une tannerie d'un côté et de l'autre une carrière), il trouva ses fiers coursiers dans le bas-côté, le fiacre en miettes, Dawtie avec deux pattes brisées, et Duncan trépassé. C'était plus que le brave cocher ne pouvait supporter, et pis, à maints égards, que de se retrouver en enfer. Là-bas, au moins, son courage et sa fierté le fortifiaient contre les pires traitements ; mais ici, sa vaillance l'abandonna, et il s'effondra, le visage enfoui dans les mains, pleurant amèrement et se lamentant profondément sur la perte de ses deux beaux chevaux, Dawtie et Duncan.

Tandis qu'il gisait de la sorte, inconsolable, quelqu'un le saisit et le secoua par l'épaule ; alors, une voix qu'il connaissait bien lui dit :

« Geordie ! qu'est-ce que tu as, Geordie ? »

L'insolence de la question fit sortir George de ses gonds, car il avait reconnu la voix de Chirsty Halliday, sa femme.

« Comment peux-tu poser cette question devant un tel spectacle ! », fit George. « Oh ! ma pauvre Dawtie, où est le temps où tu folichonnais et tu caracolais, où tu piaffais et tu bronchais ? J'ai perdu à jamais ma fierté, sans mes deux beaux coursiers !

— Debout, George, debout, et du nerf », dit Chirsty Halliday, sa femme.

---

8. **wi' ye = with you.**

9. **needna = need not.**

10. les termes techniques utilisés par Hogg renforcent le réalisme de l'histoire.

11. **bereaved o' my bonny pair : deprived of my gallant pair (of horses).** En écossais, **bonny** (ou **bonnie**) = **fine, nice, gallant.**

12. **bestir** [bɪ'stɜ:] : = **stir** [stɜ:], **move, rouse.**

'You are wanted[1] directly to bring the Lord President to the Parliament House[2]. It is a great storm, and he must be there by nine o'clock —Get up— rouse yourself, and make ready —his servant is waiting for you.'

'Woman, you are demented!' cried George. 'How can I go and bring in the Lord President, when my coach is broken in pieces, my poor Dawtie lying with twa[3] of her legs broken, and Duncan dead? And, moreover, I have a previous engagement, for I am obliged to be in hell before twelve o'clock.'

Chirsty Halliday now laughed outright[4], and continued long in a fit of laughter; but George never moved his head from the pillow, but lay[5] and groaned —for, in fact, he was all this while lying snug[6] in his bed; while the tempest without[7] was roaring with great violence, and which circumstance may perhaps account for[8] the rushing and deafening[9] sound which astounded him so much in hell. But so deeply was he impressed with the idea of the reality of his dream, that he would do nothing but[10] lie and moan, persisting and believing in the truth of all he had seen. His wife now went and[11] informed her neighbours of her husband's plight[12], and of his singular engagement with Mr. R.—of L.—y at twelve o'clock. She persuaded one friend to harness the horses, and go for the Lord President; but all the rest laughed immoderately at poor coachy's[13] predicament[14]. It was, however, no laughing matter to him; he never raised his head,

---

1. **you are wanted** : littéralement, *tu es voulu, on te veut*. Voir **Wanted** : *recherché* (pour meurtre).
2. **Parliament House** : à Édimbourg.
3. **twa** = **two** en écossais.
4. **outright** : *franchement, carrément, tout net*. Ex. : **the bullet killed him outright** : *la balle l'a tué net*.
5. **lay** [leɪ] : preterite de **to lie, lay, lain** : *être allongé, étendu, alité*.
6. **snug** [snʌg] : *confortable, douillet, moelleux* (maison, pièce, lit). **To be snug in bed** : *être bien au chaud dans son lit*.
7. **without** : ici au sens de **outside** (≠ **within, inside**).

« On a justement besoin de toi pour conduire le Lord Président au Palais du Parlement. La tempête fait rage, et il doit être là-bas pour neuf heures ! Debout ! Lève-toi, et habille-toi ! Son serviteur attend après toi.

— Femme, tu es folle ! » s'écria George. « Comment puis-je partir chercher le Lord Président quand mon fiacre est en miettes, ma pauvre Dawtie avec deux pattes brisées, et Duncan trépassé ? Et qui plus est, j'ai déjà un autre rendez-vous, car je dois être en enfer avant midi. »

Chirsty Halliday partit alors d'un éclat d'hilarité qui se prolongea en fou rire ; mais George ne se levait toujours pas et restait au contraire au lit en geignant — car pendant tout ce temps-là, il était dans ses couvertures, bien au chaud, alors qu'au-dehors la tempête faisait rage, détail qui pouvait expliquer cette crépitation épouvantable qui l'assourdissait tant lorsqu'il était en enfer. Mais la réalité de son rêve avait laissé dans son esprit une marque si profonde qu'il préférait ne rien faire d'autre que rester au lit à gémir, persistant à croire en la véracité de tout ce qu'il avait vu. Sa femme sortit alors pour informer le voisinage de l'état lamentable où se trouvait son mari, et du singulier rendez-vous qu'il avait avec M. R... de L... y à midi. Elle décida l'un de ses amis à harnacher des chevaux, et à partir chercher le Lord Président ; mais tous les autres rirent copieusement aux tracas du pauvre automédon. Pour lui, cependant, ce n'était point matière à plaisanterie : il gardait toujours la tête sur l'oreiller,

---

8. **account for = explain.**

9. **deafening** : de **to deafen** : *assourdir* (**deaf** : *sourd*).

10. **nothing but = nothing except.**

11. **went and** : **to go and (do smth.)** : *aller* (faire qqch.).

12. **plight** [plaɪt] : *situation, état critique.* **To be in a sorry plight** : *être dans un triste état.*

13. **coachy** : terme familier (et légèrement ironique) pour **coachman.** Automédon = *cocher* (nom du conducteur du char d'Achille).

14. **predicament** [prɪ'dɪkəmənt] = **plight.**

and his wife becoming uneasy[1] about the frenzied state of his mind, made him repeat every circumstance[2] of his adventure to her (for he would[3] never believe or admit that it was a dream), which he did in the terms above narrated; and she perceived or dreaded that he was becoming somewhat feverish. She went out, and told Dr. Wood of her husband's malady, and of his solemn engagement to be in hell at twelve o'clock.

'He maunna[4] keep it, dearie. He maunna keep that engagement at no rate,' said Dr. Wood. 'Set back the clock an hour or twa, to drive him[5] past the time, and I'll ca'[6] in the course of my rounds. Are ye[7] sure he hasna[8] been drinking hard?' She assured him he had not. 'Weel[9], weel, ye maun[10] tell him that he maunna keep that engagement at no rate. Set back the clock, and I'll come and see him. It is a frenzy that maunna be trifled with. Ye maunna laugh at it, dearie —maunna laugh at it. Maybe a nervish[11] fever, wha kens[12].'

The Doctor and Chirsty left the house together, and as their road lay the same way for a space, she fell a telling him[13] of the two young lawyers whom George saw standing at the gate of hell, and whom the porter had described as two of the last comers. When the Doctor heard this, he stayed his hurried, stooping[14] pace in one moment, turned full round on the woman, and fixing his eyes on her, that gleamed with a deep unstable lustre[15], he said,

1. **uneasy = worried.**
2. **circumstance = detail.**
3. **would** : marque ici le refus (**never**).
4. **maunna = must not.**
5. **to drive him** : on notera l'ironie de l'expression. En temps normal, c'est le cocher qui conduit (**drive**) les autres, et non l'inverse.
6. **ca' = call,** *rendre visite à qqn.*
7. **ye = you.**
8. **hasna = has not.**
9. **Weel = well.**
10. **maun = must.**

et sa femme, qui commençait à s'inquiéter de voir son cerveau ainsi dérangé, lui fit raconter son aventure jusqu'au moindre détail (car il se refusait toujours à croire ou admettre que c'était un rêve), ce qu'il fit dans les termes ci-dessus rapportés; et elle eut conscience — ou eut peur — de le voir devenir légèrement fébrile. Elle sortit pour informer le docteur Wood que son mari était malade, et qu'il avait officiellement rendez-vous en enfer à midi.

« Il ne faut pas qu'il y aille, ma bonne. Il ne faut pas qu'il s'y rende, à aucun prix », déclara le docteur Wood. « Avancez la pendule d'une heure ou deux, pour qu'il dépasse l'heure dite, et je passerai chez vous pendant ma tournée. Vous êtes sûre qu'il n'a pas trop forcé sur la bouteille ? Non ? Eh bien, dans ce cas, il faut que vous lui disiez de ne pas aller à ce rendez-vous, à aucun prix. Avancez la pendule, et je passerai le voir. Il ne faut pas plaisanter avec ce genre de lubies. Il ne faut pas en rire, ma bonne... ne pas en rire. Peut-être une fièvre nerveuse, qui sait. »

Chirsty et le docteur quittèrent la maison en même temps, et ils firent un bout de chemin ensemble. Elle en profita pour lui parler des deux jeunes gens de loi que George avait vus en faction à la barrière de l'enfer, et que le gardien avait décrits comme étant deux des derniers arrivants. En entendant ces paroles, le docteur ralentit le pas, se redressa, se tourna droit vers la femme, et la fixant avec des yeux qui luisaient d'un éclat instable et profond, il s'exclama :

---

11. **nervish = nervous**. De Hogg à Maupassant, le personnage du docteur rationaliste et peu ouvert au surnaturel est une des constantes du conte fantastique.

12. **wha kens = who knows** (voir l'allemand **kennen** : *connaître*).

13. **she fell a telling him = she began to tell him.**

14. **stooping** : *voûté*. **To stoop down** : *se baisser, se pencher, se courber*. Le docteur *cessant* (**stayed**) de marcher ainsi, on peut penser qu'il se redresse.

15. **lustre** ['lʌstə].

'What's that ye were saying, dearie? What's that ye were saying? Repeat it again to me, every word[1].' She did so. On which the Doctor held up his hands, as if palsied with astonishment, and uttered some fervent ejaculations. 'I'll go with you straight,' said he, 'Before I visit another patient. This is wonderfu'[2]! it is terrible! The young gentlemen are both at rest — both lying corpses at this time! Fine young men — I attended[3] them both— died of the same exterminating disease — Oh, this is wonderful; this is wonderful!'

The Doctor kept Chirsty half running all the way down the High Street and St. Mary's Wynd[4], at such a pace did he walk, never lifting his eyes from the pavement, but always exclaiming now and then, 'It is wonderfu'! Most wonderfu'!' At length, prompted by woman's natural curiosity, Chirsty inquired at the Doctor if he knew any thing of their friend Mr. R.—of L.—y. But he shook his head, and replied, 'Na, na, dearie —ken naething[5] about him. He and his son are baith[6] in London —ken naething about him; but the tither[7] is awfu'[8] —it is perfectly awfu'!'

When Dr. Wood reached his patient he found him very low, but only a little feverish; so he made all haste to wash his head with vinegar and cold water, and then he covered the crown with a treacle[9] plaster,

---

1. **every word**: écho de **every circumstance** plus haut (p. 50). On remarquera la mise en abyme: la femme répète mot pour mot ce que son mari lui a raconté, ce que Hogg raconte au lecteur...

2. **wonderfu'** = **wonderful**, ici au sens d'*extraordinaire, hors du commun*, et non de magnifique, formidable, sensationnel.

3. **attended**: voir **to attend a patient**: *soigner un malade.*

4. **Wynd** [waınd]: en écossais, *une ruelle, une venelle, une allée*. Voir "The Body Snatcher", p. 150. Le quartier ici décrit est celui de John Knox (1505-1572), l'un des fondateurs du presbytérianisme en Écosse.

5. **naething** = **nothing**.

6. **baith** = **both**.

7. **the tither** = **the other**, sous-entendu **matter**, à savoir l'histoire des deux jeunes gens. Souvent en corrélation avec **the tane** (= **the one**),

« Que disiez-vous à l'instant, ma bonne ? Que disiez-vous à l'instant ? Redites-moi ça mot pour mot. »

Ainsi fit-elle. Là-dessus le docteur, levant les bras au ciel comme s'il était paralysé d'étonnement, se mit à pousser des cris d'exclamation.

« Je vous accompagne sur-le-champ », dit-il, « et en priorité. C'est extraordinaire ! C'est terrible ! Les deux jeunes gens sont tous deux défunts — tous deux des cadavres à l'heure où je parle ! De fiers gaillards — j'étais leur médecin — morts de la même maladie infectieuse... Oh, c'est extraordinaire ! C'est extraordinaire ! »

Chirsty fut presque obligée de courir tout le long du chemin entre High Street et St. Mary's Wynd, tellement le docteur marchait à vive allure, sans jamais lever les yeux du trottoir et en s'exclamant régulièrement « C'est extraordinaire ! Tout à fait extraordinaire ! » À la longue, une curiosité toute féminine poussa Chirsty à demander au docteur s'il connaissait leur ami, M. R... de L... y. Mais il hocha la tête négativement, en répondant :

« Non, non, ma bonne... ne le connais point. Lui et son fils sont tous deux à Londres... ne le connais point : mais l'autre affaire est affreuse... parfaitement affreuse ! »

Lorsque le docteur Wood arriva chez son patient, il trouva ce dernier très affaibli, mais seulement un peu fébrile ; aussi ne perdit-il pas un instant pour lui laver la tête avec du vinaigre et de l'eau froide, puis il recouvrit le haut du crâne d'un cataplasme,

---

comme dans la célèbre ballade médiévale "The Twa Corbies" *(Les Deux Corbeaux)* : ***The tane unto the tither did say*** (I, 2) : *L'un dit à l'autre.*

8. **awfu' = awful.** Ici au sens fort : *affreux, terrible, terrifiant.*

9. **treacle** ['trɪ:kl] : *la mélasse.* **Mustard plaster :** *sinapisme.* Sur le mot **crown**, voir infra, note 3 p. 54.

and made the same application to the soles of his feet, awaiting the issue[1]. George revived a little, when the Doctor tried to cheer him up by joking him about his dream; but on mention of that he groaned, and shook his head. 'So you are convinced, dearie, that it is nae[2] dream?' said the Doctor.

'Dear sir, how could it be a dream?' said the patient. 'I was there in person, with Mr. R.—and his son; and see, here are the marks[3] of the porter's fingers on my throat.' Dr. Wood looked, and distinctly saw two or three red spots on one side of his throat, which confounded[4] him not a little. 'I assure you, sir,' continued George, 'it was no dream, which I know to my sad experience. I have lost my coach and horses —and what more have I?— signed the bond with my own hand, and in person entered into the most solemn and terrible engagement.'

'But ye're no to keep it, I tell ye,' said Dr. Wood; 'ye're no to keep it at no rate. It is a sin to enter into a compact wi' the deil[5], but it is a far greater ane to keep it. Sae let Mr. R. —and his son bide[6] where they are yonder, for ye sanna[7] stir a foot to bring them out the day.'

'Oh, oh, Doctor!' groaned the poor fellow, 'this is not a thing to be made a jest o'![8] I feel that it is an engagement that I cannot break. Go I must, and that very shortly.

1. **the issue** = **the result.**

2. **nae** = **no.** Voir plus bas **Sae** = **so.**

3. **and see, here are the marks**: ce détail rappelle les stigmates du Christ dans l'Évangile, notamment celui de Jean: "Tout en leur parlant, il leur montra ses mains et son côté" (20). Les allusions bibliques sont ici nombreuses: le vinaigre proposé par le docteur rappelle celui offert à Jésus pendant sa crucifixion, le mot **crown** (p. 52) *la couronne d'épines* (**crown of thorns**), quant à Chirsty, l'épouse de George, son nom semble être l'anagramme presque parfait de **Christ**. Mais s'il y a surnaturel ici, il n'est pas miraculeux comme dans la Bible, l'expérience de George constituant plutôt une descente aux Enfers: Hogg utilise la symbolique biblique pour mieux la parodier.

4. **confounded** = **perplexed.**

en appliquant le même traitement à la plante des pieds. Le remède ne tarda pas à agir : George reprit quelque vigueur, mais lorsque le docteur tenta de l'égayer en le taquinant sur son rêve, il se mit aussitôt à gémir, en secouant la tête.

« Ainsi donc, mon brave, vous êtes convaincu qu'il ne s'agit point d'un rêve ? » fit le docteur.

« Mon cher docteur, comment pourrait-il s'agir d'un rêve ? » fit le patient. « J'étais là-bas, en personne, avec M. R... et son fils ; regardez, j'ai encore les marques des doigts du gardien sur la gorge. »

Le docteur Wood regarda, et vit distinctement deux ou trois taches rouges d'un côté de la gorge, ce qui ne laissa pas de le surprendre.

« Je vous assure, docteur », poursuivit George, « que ce n'était point un rêve, j'en sais hélas quelque chose. J'ai perdu mon fiacre et mes chevaux... j'ai tout perdu... signé le papier de ma propre main, et contracté l'obligation la plus solennelle et la plus terrible qui soit.

— Mais il ne faut pas la tenir, c'est moi qui vous le dis », fit le docteur Wood. « Il ne faut pas la tenir, à aucun prix. C'est pécher que de conclure un pacte avec le diable, mais c'est pécher plus encore que de le respecter. Laissez donc M. R.... et son fils là où ils sont, là-bas, car je vous interdis de lever le petit doigt pour aller les chercher aujourd'hui.

— Oh ! Oh ! docteur ! » gémit le pauvre homme, « il n'y a pas de quoi plaisanter. Je sens que c'est une promesse à laquelle je ne saurais me soustraire. J'irai, il le faut, et cela très bientôt.

---

5. **wi' the deil = with the devil.** Le motif du *pacte* **(compact)** avec le diable apparaît explicitement ici. Voir le roman de Hogg, ***The Private Memoirs and Confessions of a Justified Sinner***.

6. **bide** [baɪd] **= stay.**

7. **sanna = shall not.**

8. **to be made a jest o'! = to be made a jest of.**

Yes, yes, go I must, and go I will, although I should borrow David Barclay's pair.' With that he turned his face towards the wall, groaned deeply, and fell into a lethargy, while Dr. Wood caused them to let him alone, thinking if he would sleep out the appointed time, which was at hand[1], he would be safe; but all the time he kept feeling his pulse and by degrees showed symptoms of uneasiness. His wife ran for a clergyman of famed[2] abilities, to pray and converse with her husband, in hopes by that means to bring him to his senses; but after his arrival[3], George never spoke more, save[4] calling to his horses, as if encouraging them to run with great speed; and thus in imagination[5] driving at full career[6] to keep his appointment, he went off[7] in a paroxysm, after a terrible struggle, precisely within a few minutes of twelve o'clock.

A circumstance not known at the time of George's death made this singular professional dream the more remarkable and unique in all its parts. It was a terrible storm on the night of the dream, as has been already mentioned[8], and during the time of the hurricane, a London smack went down[9] off Wearmouth about three in the morning. Among the sufferers were the Hon[10]. Mr. R.—of L.—y, and his son! George could not know aught[11] of this at break of day, for it was not known in Scotland till the day of his interment; and as little knew he of the deaths of the two young lawyers, who both died of the small-pox[12] the evening before.

---

1. **at hand = near.**
2. **famed** [feɪmd] = **famous.** Voir **fame,** *la renommée* (**fama** en latin).
3. **but after his arrival:** l'arrivée du prêtre semble précipiter le déclin de George.
4. **save** [seɪv] = **except. Save that:** *sauf que..., à ceci près que...*
5. **in imagination:** Hogg met l'accent sur la contamination de la réalité par l'imagination et le rêve.
6. **full career = full speed.**
7. **went off = died, passed away.**
8. **already mentioned:** voir p. 48.

Oui, oui, il le faut, et j'irai, dussé-je emprunter son attelage à David Barclay. »

Là-dessus il tourna son visage vers le mur, poussa un grand gémissement, et tomba en léthargie, tandis que le docteur Wood fit évacuer la chambre en se disant que s'il pouvait dormir au-delà de l'heure dite, il serait bientôt tiré d'affaire. Mais il continua de garder sa main à son pouls, et se mit peu à peu à montrer des signes d'inquiétude. Sa femme se hâta d'aller chercher un prêtre dont la réputation n'était plus à faire, pour qu'il prie et converse avec son mari, cela dans l'espoir de le faire revenir à lui ; mais après son arrivée, George ne prononça plus une seule parole, sauf pour apostropher ses chevaux, comme s'il les encourageait à courir à toute vitesse ; et c'est ainsi, conduisant en imagination son attelage à toute allure pour tenir son rendez-vous, au sommet de son délire et après une terrible agonie, qu'il passa, exactement quelques minutes avant midi.

Un événement inconnu au moment où George mourut rendit le singulier rêve du cocher encore plus remarquable et unique en son genre. Comme il a déjà été mentionné, il y eut, la nuit du rêve, une terrible tempête, et au milieu de l'ouragan, un bateau parti de Londres sombra au large de Wearmouth vers les trois heures du matin. Parmi les victimes se trouvaient l'Honorable M. R... de L... y et son fils ! George n'avait pu en être informé au petit matin, car la nouvelle ne devait atteindre l'Écosse que le jour de son enterrement, pas plus qu'il n'avait été informé du décès des deux jeunes gens de loi, qui étaient morts tous deux de la petite vérole la veille au soir.

---

9. **went down** : de **to go down** = **to sink**. À mettre en parallèle avec **to go off** pour la mort de George. **A (fishing) smack** : *un bateau* (de pêche).

10. **The Hon.** = **Honourable**. Titre de courtoisie utilisé dans la noblesse ou à la Chambre des Communes.

11. **aught** [ɔ:t] = **anything**.

12. **small-pox** : *variole, petite vérole.* **Pox** : *vérole.*

Edgar Allan POE (1809-1849)

« Le Cœur révélateur » (publié en janvier 1843) doit être mis en perspective avec deux autres nouvelles de Poe, « Le Chat noir » et « Le Démon de la perversité ». Dans cette dernière, le narrateur définit lui-même cet élan paradoxal qui pousse l'assassin à dire tout haut ce qu'il aurait dû dire tout bas, à courir au milieu de la foule et se faire aussitôt accuser, ou bien, de manière plus perverse encore, par une sorte de « bravade frénétique » (« Le Chat noir »), à frapper de sa canne le mur même derrière lequel il avait caché le corps de sa victime : « c'est, en réalité, un mobile sans motif, un motif non motivé. Sous son influence, nous agissons sans but intelligible (...), nous agissons par la raison que *nous ne le devrions pas.* En théorie, il ne peut pas y avoir de raison plus déraisonnable ; mais, en fait, il n'y en a pas de plus forte » (« Le Démon de la perversité »).

La perversité selon Poe n'est peut-être que l'autre versant du remords, derrière l'affichage maniaque et suicidaire de ce qui aurait dû rester soigneusement enfoui. Le fantastique n'est plus alors que ce dialogue haletant de la conscience avec elle-même, comme en témoigne la ponctuation essoufflée, saccadée et heurtée adoptée par Poe (que la traduction se doit ici de garder), qui donne à la nouvelle le rythme hors d'haleine d'une confession condamnée à l'avance à détruire peu à peu la logique apparente d'un raisonnement qui n'en est pas un, d'une démonstration échafaudée jusqu'à l'absurdité, d'un esprit qui, à force d'écrire, ne réussit qu'à se trahir par son écriture même.

The Tell-Tale Heart

Le Cœur révélateur

True[1]! —nervous— very, very dreadfully nervous[2] I had been and am; but why *will* you say that I am mad? The disease had sharpened my senses —not destroyed— not dulled them. Above all was the sense of hearing acute. I heard all things in the heaven and in the earth. I heard many things in hell. How, then, am I mad? Hearken[3]! and observe how healthily —how calmly I can tell you the whole story.

It is impossible to say how first the idea entered my brain; but once conceived, it haunted me day and night. Object there was none. Passion there was none[4]. I loved the old man. He had never wronged me. He had never given me insult. For his gold I had no desire. I think it was his eye! yes, it was this! He had the eye of a vulture —a pale blue eye, with a film[5] over it. Whenever it fell upon me, my blood ran cold; and so by degrees —very gradually— I made up my mind to take[6] the life of the old man, and thus rid myself of the eye for ever.

Now this is the point. You fancy me mad[7]. Madmen know nothing. But you should have seen *me*. You should have seen how wisely I proceeded —with what caution— with what foresight —with[8] what dissimulation I went to work![9] I was never kinder to the old man than during the whole week before I killed him. And every night, about midnight, I turned the latch of his door and opened it —oh so gently!

---

1. **True!**: Baudelaire traduit par "Vrai !". "Exact !" semble mieux correspondre ici au caractère faussement logique et pseudo-rationnel de la démonstration entreprise par le narrateur devant un auditoire fictif. Comme dit Roger Asselineau à propos de Poe : "Les données de son imagination morbide sont toujours soumises à une méthode sévère et présentées sous la forme d'un enchaînement logique" (Introduction aux *Nouvelles Histoires Extraordinaires*, Paris, Garnier-Flammarion, 1965, p. 21).
2. **dreadfully nervous**: "Poe est l'écrivain des nerfs", disait Baudelaire.
3. **Hearken!** ['hɑ:kən] = **Listen!** (littéraire).
4. **there was none**: on remarquera dans la nouvelle les figures de symétrie et de répétition.

Exact! — nerveux, — très nerveux, je l'étais, terriblement, et je le suis toujours ; mais pourquoi voulez-vous à tout prix que je sois fou ? La maladie n'a fait qu'aiguiser mes sens — sans les détruire, — sans les émousser. Chez moi, c'est l'ouïe surtout qui était développée. J'entendais toutes choses du ciel et de la terre. J'entendais bien des choses de l'enfer. Et l'on dit que je suis fou ? Écoutez! Et observez avec quelle santé d'esprit, — avec quelle sérénité je puis vous révéler l'histoire tout entière.

Il est impossible de dire comment l'idée naquit dans mon cerveau ; mais dès sa naissance, elle me hanta jour et nuit. D'objet, aucun. De passion, point. J'aimais ce vieil homme. Il ne m'avait jamais fait aucun mal. Il ne m'avait jamais insulté. De son or je n'avais aucune envie. Je crois que c'était son œil ! Oui, c'était ça ! Il avait un œil de vautour, — un œil bleu pâle, avec une taie dessus. Chaque fois qu'il tombait sur moi, mon sang se glaçait ; et c'est ainsi, peu à peu, — progressivement, — que je me mis en tête d'ôter la vie à ce vieillard, et par la même occasion de me délivrer de l'œil à tout jamais.

Mais voilà. Vous me croyez fou. Les fous ignorent tout. Si vous m'aviez vu, *moi* ! Si vous aviez vu avec quelle prudence je procédai, — avec quelle précaution, — avec quelle prévoyance, — avec quelle dissimulation je me mis à la besogne ! Je ne fus jamais plus aimable avec le vieux que pendant toute la semaine qui précéda le meurtre. Et chaque nuit, vers minuit, je tournais le loquet de sa porte et je l'ouvrais — oh ! si doucement !

---

5. **film** : *pellicule, taie*. Cf. l'œil crevé du chat dans “Le Chat noir”.
6. **to take** : *prendre = ôter*.
7. **You fancy me mad** : cet appel à un interlocuteur fictif ou au lecteur est une forme de dialogisme (voir note 7, p. 26).
8. **with... with... with** : la période ternaire est le signe d'une rhétorique destinée à convaincre l'auditoire de la bonne santé mentale de l'orateur.
9. **I went to work!** : **to go to work**, *se mettre au travail, à la besogne*.

And then, when I had made an opening sufficient for my head, I put in[1] a dark lantern[2], all closed, closed, so that no light shone out, and then I thrust in my head. Oh, you would have laughed to see how cunningly I thrust it in! I moved it slowly —very, very slowly, so that I might not disturb the old man's sleep. It took me an hour to place my whole head within the opening so far that I could see him as he lay upon his bed. Ha! —would a madman have been so wise as this? And then, when my head was well in the room, I undid[3] the lantern cautiously —oh, so cautiously— cautiously (for the hinges creaked) —I undid it just so much that a single thin ray fell upon the vulture eye. And this I did for seven long nights —every night just at midnight— but I found the eye always closed; and so it was impossible to do the work; for it was not the old man who vexed[4] me, but his Evil Eye[5]. And every morning, when the day broke, I went boldly into the chamber, and spoke courageously to him, calling him by name in a hearty[6] tone, and inquiring[7] how he had passed[8] the night. So you see he would have been a very profound old man, indeed, to suspect that every night, just at twelve, I looked in upon[9] him while he slept.

Upon the eighth night I was more than usually cautious[10] in opening the door.

---

1. **put in**: prétérit de **to put in,** *mettre dedans, passer, glisser* (la tête). Également *introduire* (paragraphe), *produire, fournir* (document), *faire relâche* (navire).

2. **dark lantern**: *lanterne sourde* (dont on peut cacher la lumière à volonté).

3. **undid**: prétérit de **to undo**: *défaire.*

4. **vexed**: de **to vex**: *contrarier, ennuyer, fâcher. Vexer:* **to hurt, to upset, to offend.** *Être vexé par:* **to be hurt by, to be upset/offended at.**

5. **Evil Eye**: selon une ancienne croyance, certains individus avaient le pouvoir de faire du mal (**Evil**: *le mal,* **the Evil One**: *le Malin*) ou même de tuer d'un simple coup d'œil. Virgile parle ainsi d'un mauvais œil ensorcelant des agneaux: *"Nescio quis teneros oculus mihi fascinat agnos"* (*Bucoliques*, Ecl. iii, 103).

6. **hearty** ['hɑ:tɪ]: *cordial, chaleureux, jovial* (de **heart**, *le cœur*). Voir également **a hearty laugh**: *un rire franc,* **a hearty meal**: *un repas copieux.*

Ensuite, dès qu'elle était suffisamment entrebâillée pour ma tête, j'introduisais une lanterne sourde hermétiquement fermée, fermée de telle sorte qu'aucune lumière n'en filtrait, puis je passais la tête. Oh ! vous auriez ri de voir avec quelle habileté je passais la tête ! Je l'avançais lentement, — très, très lentement, de manière à ne point troubler le sommeil du vieillard. Il me fallait une heure avant de pouvoir introduire suffisamment toute la tête dans l'ouverture pour le voir étendu sur son lit. Ah ! Un fou aurait-il été si prudent ? Alors, quand ma tête était introduite, j'ouvrais la lanterne avec précaution, — oh ! avec quelle précaution ! — quelle précaution ! — car les gonds grinçaient, — je l'ouvrais juste assez pour qu'un seul filet de lumière tombât sur l'œil de vautour. Et cela, je l'ai fait sept longues nuits durant, — chaque nuit, sur le coup de minuit, mais je trouvai toujours l'œil fermé ; aussi était-il impossible d'exécuter le travail ; car ce n'était point le vieil homme qui me tourmentait, mais son mauvais œil. Et chaque matin, à la levée du jour, j'entrais hardiment dans sa chambre, allais même, le courage aidant, jusqu'à lui parler, l'appelant par son nom d'un ton enjoué, et m'informant comment il avait passé la nuit. Ainsi, vous voyez qu'il eût été un vieillard bien sagace, en vérité, pour soupçonner que chaque nuit, sur le coup de minuit, j'entrais pour l'observer endormi.

La huitième nuit, j'ouvris la porte avec encore plus de précaution que d'ordinaire.

---

7. **inquiring = asking.**
8. **passed = spent.** Ex. : **how time passes!** *Que le temps passe vite !*
9. **I looked in upon :** voir aussi **to look in upon sby :** *passer voir qqn.*
10. **cautious** ['kɔ:ʃəs] : *prudent, circonspect.* On remarquera la triple répétition de **cautiously** plus haut, après **caution** (p. 62).

A watch's minute hand[1] moves more quickly than did mine. Never before that night, had I *felt* the extent of my own powers —of my sagacity. I could scarcely contain my feelings of triumph. To think that there I was, opening the door, little by little, and he not even to dream of my secret deeds or thoughts. I fairly chuckled[2] at the idea; and perhaps he heard me; for he moved on the bed suddenly, as if startled. Now you may think that I drew back[3] —but no. His room was as black as pitch[4] with the thick darkness (for the shutters[5] were close fastened, through fear of robbers), and so I knew that he could not see the opening of the door, and I kept pushing it on steadily, steadily.

I had my head in, and was about to open the lantern, when my thumb slipped upon the tin fastening[6], and the old man sprang up in bed, crying out —"Who's there[7]?"

I kept quite still and said nothing. For a whole hour I did not move a muscle, and in the meantime I did not hear him lie down. He was still sitting up in the bed listening; —just as I have done, night after night, hearkening to the death watches[8] in the wall.

Presently I heard a slight groan[9], and I knew it was the groan of mortal terror. It was not a groan of pain or of grief —oh, no!

---

1. **hand**: *aiguille* (horloge, montre, etc.). **Minute hand**: *l'aiguille des minutes, la grande aiguille.* Baudelaire traduit par "petite aiguille". En reprenant le mot **hand** avec **mine**, mais cette fois au sens de *main* (= **than did my hand**), le narrateur joue sur les deux sens du mot. Le français ne dispose pas, dans son lexique, d'une telle ambiguïté.
2. **chuckled**: **to chuckle**: *émettre un petit rire, glousser.*
3. **I drew back**: de **to draw back**: *se reculer* (**from**, *de*), *faire un mouvement en arrière.* **A drawback**: *un inconvénient.*
4. **pitch**: *la poix.* **Pitch-black**: *noir comme poix, noir ébène.*
5. **shutters**: voir **to put up the shutters**: *mettre les volets.* Au sens photographique, **shutter**: *obturateur.* Le narrateur joue ici sur le contraste entre le clos (les volets) et l'ouvert (la porte), et plus généralement, entre l'obscurité et la lumière.
6. **fastening**: *attache, fermoir, fermeture.*
7. **Who's there?**: voir la préface, p. 7.

Ma main allait encore plus lentement que la grande aiguille d'une montre. Jamais, avant cette nuit-là, je n'avais *senti* toute l'étendue de mes facultés, — de ma sagacité. J'avais peine à contenir mes sensations de triomphe. Penser que j'étais là, en train d'ouvrir la porte, petit à petit, et que lui ne rêvait même pas de mes menées ou de mes pensées secrètes ! Je me mis à rire sous cape à cette idée ; et peut-être m'entendit-il, car il remua soudain sur son lit, comme s'il se réveillait en sursaut. Maintenant vous croyez peut-être que je me retirai, — eh bien non. Sa chambre était aussi noire que de la poix, tant les ténèbres étaient épaisses (car les volets étaient hermétiquement fermés par peur des voleurs), aussi savais-je qu'il était incapable de distinguer l'entrebâillement de la porte, et je continuai à la pousser davantage, toujours davantage.

J'avais passé la tête, et j'étais sur le point d'ouvrir la lanterne, lorsque mon pouce dérapa sur la fermeture en fer-blanc, et le vieillard se redressa sur son lit en criant : « Qui va là ? »

Je m'immobilisai, sans rien dire. Pendant une heure entière je ne remuai pas un muscle, et pendant tout ce temps je ne l'entendis pas se recoucher. Il était toujours sur son séant, dans son lit, aux aguets ; — tout comme je l'avais fait, nuit après nuit, à écouter les horloges de mort dans le mur.

Mais voilà que j'entendis un faible gémissement, que je reconnus comme un gémissement de terreur mortelle. Ce n'était point un gémissement de douleur ou de chagrin, — oh ! non, —

---

8. **death watches** : peut-être un écho d'***Hamlet***, où **watch** signifie *le guet* (d'où *aguets* pour **listening**). Voir aussi **watch** plus haut. L'image des "horloges de mort" au mur crée ici un effet fantastique incontestable. Le peintre surréaliste Salvador Dali reprendra le motif de la montre avec ses célèbres "montres molles".

9. A comparer avec le cocher de Hogg, p. 54.

it was the low stifled sound that arises from the bottom of the soul when overcharged with awe[1]. I knew the sound well. Many a night, just at midnight, when all the world slept, it has welled up[2] from my own bosom[3], deepening, with its dreadful echo, the terrors that distracted me. I say I knew it well. I knew[4] what the old man felt, and pitied him, although I chuckled at heart. I knew that he had been lying awake ever since the first slight noise, when he had turned in the bed. His fears had been ever since growing upon him. He had been trying to fancy them causeless, but could not. He had been saying to himself —"It is nothing but the wind in the chimney— it is only a mouse crossing the floor," or "it is merely a cricket which has made a single chirp[5]." Yes, he had been trying to comfort himself with these suppositions: but he had found all in vain. *All in vain;* because Death, in approaching him had stalked[6] with his black shadow before him, and enveloped the victim. And it was the mournful influence of the unperceived shadow that caused him to feel —although he neither saw nor heard— to *feel* the presence of my head within the room.

When I had waited a long time, very patiently, without hearing him lie down, I resolved to open a little —a very, very little crevice[7] in the lantern. So I opened it —you cannot imagine how stealthily, stealthily— until, at length a single dim ray, like the thread of the spider[8], shot from out the crevice and fell full[9] upon the vulture eye.

---

1. **awe** [ɔ:] : *crainte* (révérentielle), *effroi.*
2. **welled up** : de **to well up** : *monter* (larmes, émotion). Ex. : **anger welled up within him** : *la colère monta en lui* (cf. **a well** : *un puits*). Poe joue sur les sonorités avec les autres **well** de cette page.
3. **bosom** ['bʊzəm] : *le cœur, la poitrine.*
4. **I knew** : on notera encore une série de répétitions dans cette page, comme **I knew** (4 fois), ou encore **he had been** (5 fois).
5. **which has made a single chirp** : littéralement, *qui a poussé une seule stridulation.* Plus généralement, **to chirp** [tʃɜ:p] = *pépier, gazouiller.*
6. **stalked** : de **to stalk** 1) *marcher d'un air imposant* 2) *traquer* (proie),

c'était le son sourd et étouffé qui s'élève du fond d'une âme accablée d'effroi. Je connaissais bien ce son. Bien des nuits, sur le coup de minuit, quand le monde entier était endormi, il était monté de ma poitrine, amplifiant, de son terrible écho, les terreurs qui m'affolaient. Je dis que je le connaissais bien. Je savais ce que ressentait le vieil homme et j'avais pitié de lui, malgré mon petit rire sous cape. Je savais qu'il était resté éveillé depuis le premier petit bruit, quand il s'était retourné dans son lit. Ses craintes n'avaient alors cessé de croître. Il avait essayé de se persuader qu'elles étaient sans fondement, mais en vain. Il s'était dit à lui-même : « Ce n'est rien que le vent dans la cheminée, — ce n'est qu'une souris qui trotte sur le parquet », ou encore « c'est seulement la stridulation d'un grillon ». Oui, il s'était efforcé de se fortifier avec ces hypothèses : mais tout avait été vain. *Tout avait été vain,* car la Mort qui s'approchait était passée devant lui avec sa grande ombre noire, et avait enveloppé sa victime. Et c'était la funèbre influence de cette ombre invisible qui lui faisait sentir, — bien qu'il ne vît et n'entendît rien, — qui lui faisait *sentir* la présence de ma tête à l'intérieur de la chambre.

Après avoir attendu et patienté longtemps, sans l'entendre se recoucher, je me résolus à ouvrir une petite, — une toute, toute petite fente dans la lanterne. Je l'ouvris donc, — si furtivement, si furtivement, que vous ne sauriez l'imaginer, — jusqu'à ce qu'enfin un simple filet pâle, tel un fil d'araignée, s'élançât de la fente et s'abattît droit sur l'œil de vautour.

---

filer (suspect). Poe joue ici sur les deux sens. La personnification de la Mort (**Death**) rappelle ici une autre nouvelle de Poe, "The Masque of the Red Death" (1842), dans laquelle la "Mort Rouge" investit une abbaye lors d'un bal masqué.

7. **crevice** ['krevɪs] : *fissure, fente, lézarde.*

8. **like the thread of the spider** : l'image du fil d'araignée fait écho à **stalked** et à la victime enveloppée par la Mort.

9. **fell full** : l'allitération accentue l'effet produit par ce qui suit.

It was open[1] —wide, wide open— and I grew furious as I gazed upon it. I saw it with perfect distinctness —all a dull blue, with a hideous veil over it that chilled the very marrow in my bones[2]; but I could see nothing else of the old man's face or person: for I had directed the ray, as if by instinct, precisely upon the damned spot.

And have I not told you that what you mistake for madness is but over acuteness of the senses? —now, I say, there came to my ears a low, dull, quick sound[3], such as a watch[4] makes when enveloped in cotton. I knew *that* sound well, too. It was the beating of the old man's heart. It increased my fury, as the beating of a drum stimulates the soldier into courage.

But even yet I refrained and kept[5] still. I scarcely breathed. I held the lantern motionless. I tried how steadily I could maintain the ray upon the eye. Meantime the hellish tattoo[6] of the heart increased. It grew quicker and quicker, and louder and louder every instant. The old man's terror *must* have been extreme! It grew louder, I say, louder every moment! —do you mark me well? I have told you that I am nervous: so I am. And now at the dead hour of the night[7], amid the dreadful silence of that old house, so strange a noise as this excited me to uncontrollable terror[8]. Yet, for some minutes longer I refrained and stood still. But the beating grew louder, louder!

---

1. **It was open** : on remarque ici une correspondance entre la lanterne ouverte (p. 64) et l'œil du vieillard, lui aussi ouvert. Le paradoxe tient au fait qu'aucun des deux ne *voit* vraiment.

2. **chilled the very marrow in my bones** : littéralement, *glaçait jusqu'à la moelle de mes os.* Voir aussi **to be chilled to the bone** : *être transi jusqu'aux os.*

3. **sound** : *son* a été ici préféré à *bruit* (Baudelaire), pour tenter de mieux rendre les allitérations en *s* présentes dans la phrase (**mistake, madness, over acuteness, senses, say, such**, etc.)

4. **such as a watch** : voir p. 66.

5. **kept = remained**. Voir **to keep silent** : *se taire, garder le silence.*

6. **tattoo** [tə'tu:] : voir **to beat a tattoo on the drums** : *battre le*

Il était ouvert, — grand, grand ouvert, — et sa contemplation me rendit furieux. Je le distinguais avec une parfaite netteté, — d'un bleu terne, uniforme, et recouvert d'un voile hideux qui me glaçait les os jusqu'à la moelle; mais il m'était impossible de voir autre chose du visage ou de la personne du vieillard: car j'avais dirigé le rayon, comme par instinct, précisément sur le maudit endroit.

Or ne vous ai-je pas dit que ce que vous prenez à tort pour de la folie n'est qu'une hyperacuité des sens? — à cet instant, précisément, parvint à mes oreilles un son bas, sourd et lancinant: on aurait dit celui d'une montre enveloppée dans du coton. *En l'occurrence*, il n'y avait aucun doute possible. C'était le battement de cœur du vieillard. Il ne fit qu'accroître ma fureur, comme le roulement de tambour stimule le courage du soldat.

Mais je me contins encore, et restai sans bouger. Je respirais à peine. Je tenais la lanterne immobile. Je m'appliquais à maintenir le rayon droit sur l'œil. En même temps, le tambourinement infernal de son cœur s'amplifiait. Il devenait de plus en plus précipité, de plus en plus fort à chaque instant. La terreur du vieillard *devait* être extrême! De plus en plus fort, vous dis-je, à chaque instant! — Vous me suivez bien? Je vous ai dit que j'étais nerveux: et je le suis. Et c'est alors qu'au cœur de la nuit, dans le silence effrayant de cette vieille maison, un bruit aussi étrange que celui-ci déclencha en moi une terreur panique. Pendant quelques minutes encore je réussis pourtant à me contenir et à rester calme. Mais le battement devenait plus fort, plus fort!

---

tambour. Au sens militaire, 1) *retraite* (tambour, clairon) 2) *parade militaire* (ex.: **Edinburgh Tattoo**).

7. **at the dead hour of the night**: Poe joue sur les deux sens de **dead** 1) *le cœur de la nuit* (**dead of night**) 2) *l'heure de la mort*.

8. **terror**: le narrateur passe de la terreur supposée du vieillard à la sienne propre, preuve que la première n'était que la projection de la seconde.

I thought the heart must burst. And now a new anxiety seized me —the sound would be heard by a neighbour! The old man's hour had come! With a loud yell, I threw open the lantern and leaped[1] into the room. He shrieked once — once only[2]. In an instant I dragged him to the floor, and pulled the heavy bed over him. I then smiled gaily, to find the deed so far done[3]. But, for many minutes, the heart beat on with a muffled sound. This, however, did not vex[4] me; it would not be heard through the wall. At length it ceased. The old man was dead. I removed the bed and examined the corpse. Yes, he was stone, stone dead. I placed my hand upon the heart and held it there many minutes. There was no pulsation. He was stone dead. His eye would trouble me no more.

If still you think me mad, you will think so no longer when I describe the wise[5] precautions I took for the concealment of the body. The night waned[6], and I worked hastily, but in silence. First of all I dismembered the corpse. I cut off the head and the arms and the legs.

I then took up three planks from the flooring of the chamber, and deposited all between the scantlings[7]. I then replaced the boards so cleverly, so cunningly, that no human eye —not even *his*— could have detected anything wrong. There was nothing to wash out[8] —no stain of any kind— no blood-spot whatever.

---

1. **leaped** : après **yell**, suggère un comportement de type animal.
2. **once only** : voir p. 68, "**it is merely a cricket which has made a single chirp**". Le parallèle confirme l'association du vieillard avec des animaux : la souris, le grillon, le vautour, etc.
3. **the deed so far done** : voir ***Macbeth***, "I have done the deed" (***Macbeth***, II, 2,16). Peu avant ce vers, Lady Macbeth déclare qu'elle aurait tué elle-même le Roi s'il n'avait en dormant ressemblé à son propre père. Dans son *Edgar Poe* (pp. 609-626), Marie Bonaparte interprète le meurtre apparemment gratuit perpétré par le narrateur comme une variante du crime œdipien.
4. **vex** : voir note 4, p. 64.
5. **wise** : voir **wisely**, p. 62. L'utilisation du lexique par Poe passe à la fois par la répétition de certains mots au sein d'un même paragraphe

Je crus que le cœur allait bientôt éclater. Et voilà qu'une nouvelle angoisse s'empara de moi — le bruit pouvait être entendu par un voisin ! L'heure du vieillard était venue ! Poussant un grand hurlement, j'ouvris la lanterne et m'élançai dans la chambre. Il ne lança qu'un cri, — rien qu'un seul. En un instant, je le tirai sur le parquet, et renversai sur lui tout le poids écrasant du lit. Alors j'eus un sourire de joie en voyant ma besogne si bien avancée. Mais, pendant longtemps, le cœur continua de battre sourdement. Cela toutefois ne me tourmenta pas ; on ne pouvait l'entendre à travers le mur. À la longue il cessa. Le vieux était mort. Je relevai le lit, et examinai le corps. Oui, il était roide, roide mort. Je mis la main sur le cœur, et l'y maintins longtemps. Aucune pulsation. Il était roide mort. Plus jamais son œil ne me poursuivrait.

Si vous persistez à me croire fou, vous changerez d'avis quand je vous décrirai les sages précautions que je pris pour dissimuler le corps. La nuit avançait, et j'activai le travail, mais sans faire de bruit. D'abord je démembrai le cadavre. Je coupai la tête, puis les bras, et les jambes.

Ensuite j'arrachai trois planches du parquet de la chambre, et déposai le tout entre les lattes. Puis je replaçai le bois si habilement, si adroitement qu'aucun œil humain — pas même *le sien* — n'aurait pu deviner quelque chose d'anormal. Il n'y avait rien à laver, — pas la moindre souillure, — pas une seule tache de sang.

---

ou d'une même phrase (**stone dead** ici) et la reprise de ces mots à plusieurs pages d'intervalle, dans une structure en spirale.

6. **waned** [weɪnd] : *déclinait*. **To wane** est souvent utilisé pour la lune.

7. **scantling** : 1) *petite poutre* ou *pièce de bois* 2) *petite quantité* 3) *mètre de charpentier* (du vieux français **escantillon** : *échantillon*).

8. **nothing to wash out** : voir Lady Macbeth, "A little water clears us of this deed" (II, 2, 66). Poe introduit ici le motif du crime parfait (voir infra, p. 74).

I had been too wary[1] for that. A tub had caught all —ha! ha!

When I had made an end of these labours, it was four o'clock —still dark as midnight. As the bell sounded the hour, there came a knocking at the street door[2]. I went down to open it with a light heart, —for what had I *now* to fear? There entered three men, who introduced themselves, with perfect suavity, as officers of the police. A shriek had been heard by a neighbour during the night; suspicion of foul play[3] had been aroused; information had been lodged[4] at the police office, and they (the officers) had been deputed[5] to search the premises[6].

I smiled, —for *what* had I to fear? I bade[7] the gentlemen welcome. The shriek, I said, was my own in a dream. The old man, I mentioned, was absent in the country. I took my visitors all over the house. I bade them search —search *well*. I led them, at length, to *his* chamber. I showed them his treasures, secure, undisturbed. In the enthusiasm of my confidence, I brought chairs into the room, and desired them *here* to rest from their fatigues, while I myself, in the wild[8] audacity of my perfect triumph, placed my own seat[9] upon the very spot beneath which reposed the corpse of the victim.

The officers were satisfied. My *manner* had convinced them. I was singularly at ease. They sat, and while I answered cheerily, they chatted[10] of familiar things.

---

1. **wary** ['weərɪ] = **cautious.**

2. **a knocking at the street door**: le détail semble encore tiré de ***Macbeth***, où la scène du portier suit immédiatement celle du meurtre: "Knock, knock, knock! Who's there?" (II, 3, 12).

3. **suspicion of foul play**: voir ***Hamlet***, "All is not well./I doubt some foul play" (I, 3, 255-6).

4. **lodged**: expression juridique. **To lodge a complaint against sby** = *porter plainte contre qqn.*

5. **deputed** = **sent.**

6. **to search the premises**: littéralement, *fouiller les lieux.* Voir **a search warrant**, *un mandat de perquisition.* Encore une expression juridique.

Je n'avais rien laissé au hasard. Un baquet avait tout recueilli — ha ! ha !

Quand j'eus achevé ces travaux, il était quatre heures, — toujours aussi noir qu'à minuit. Au quatrième coup d'horloge, quelqu'un frappa à la porte donnant sur la rue. Je descendis pour ouvrir, le cœur léger, — qu'avais-je en effet à craindre *maintenant* ? Trois hommes entrèrent qui se présentèrent, avec une parfaite suavité, comme officiers de police. Un cri avait été entendu par un voisin pendant la nuit ; cela avait éveillé le soupçon de quelque mauvais coup ; une dénonciation avait été transmise au bureau de police, et ces messieurs (les officiers) avaient été dépêchés pour perquisitionner.

Je souris, — qu'avais-je à craindre, en effet ? Je souhaitai la bienvenue à ces gentlemen. Le cri, leur dis-je, c'était moi qui l'avais poussé dans un rêve. Le vieil homme, ajoutai-je, était en voyage dans le pays. Je leur fis faire le tour du propriétaire. Je les invitai à perquisitionner, — perquisitionner *de fond en comble*. Je finis par les conduire dans *sa* chambre. Je leur montrai ses trésors, intacts, impeccables. Dans l'enthousiasme de ma confiance, j'apportai des chaises dans la chambre, *dans sa chambre,* et les priai de s'y reposer, tandis que moi-même, avec la folle audace de mon parfait triomphe, j'installai mon propre siège sur l'endroit même où était caché le corps de la victime.

Les officiers étaient satisfaits. Mes *manières* les avaient convaincus. Je me sentais singulièrement à l'aise. Ils s'assirent, et causèrent de choses familières auxquelles je répondis d'un air enjoué.

---

7. **bade** [bæd] : prétérit de **to bid (bade/bid, bidden/bid)** : *inviter, convier*. Ici, **to bid welcome** : *accueillir, souhaiter la bienvenue*.

8. **wild** : ici au sens de *fou, délirant*.

9. **seat = chair**.

10. **chatted** : de **to chat,** *causer, bavarder*.

But, ere[1] long, I felt myself getting pale and wished them gone. My head ached, and I fancied[2] a ringing in my ears: but still they sat and still chatted. The ringing became more distinct: —it continued and became more distinct: I talked more freely to get rid of the feeling: but it continued and gained definiteness —until, at length, I found[3] that the noise was *not* within my ears.

No doubt I now grew *very* pale; —but I talked more fluently, and with a heightened[4] voice. Yet the sound increased —and what could I do? It was *a low, dull, quick sound —much such a sound as a watch makes when enveloped in cotton.* I gasped for breath[5] —and yet the officers heard it not. I talked more quickly —more vehemently; but the noise steadily increased. I arose and argued about trifles[6], in a high key[7] and with violent gesticulations; but the noise steadily increased. Why *would* they not be gone? I paced the floor to and fro with heavy strides[8], as if excited to fury by the observations of the men —but the noise steadily increased. Oh God! what *could* I do? I foamed —I raved— I swore[9]! I swung the chair upon which I had been sitting, and grated[10] it upon the boards, but the noise arose over all and continually increased. It grew louder —louder— *louder!* And still the men chatted pleasantly, and smiled. Was it possible they heard not? Almighty God!

1. **ere** [eə] = **before** (littéraire).
2. **fancied**: de **to fancy**: *s'imaginer, se figurer.* **Fancy**: 1) *imagination* 2) *caprice, lubie*. Voir aussi **fantasy**: *un fantasme.*
3. **found** = **discovered.**
4. **heightened** = **raised.**
5. **I gasped for breath**: voir la nouvelle de Poe intitulée "Perte d'haleine" (1832). Marie Bonaparte interprète la perte d'haleine comme une image de l'impuissance sexuelle.
6. **trifles** ['traɪflz]: *vétilles, broutilles.* Baudelaire traduit ici par "je disputai sur des niaiseries". "Chercher noise" fait écho à **noise** plus haut, qui vient du vieux français **noise**: *querelle, dispute.*
7. **key**: *le ton* (musique). **To sing in key**: *chanter juste* ≠ **to sing off key**: *chanter faux.* Le texte de Poe, dont la forme et la composition

Mais bien vite je me sentis pâlir et en vins à souhaiter leur départ. Ma tête me faisait mal, et il me semblait que mes oreilles tintaient : mais ils restaient toujours assis, et toujours ils causaient. Le tintement devint plus distinct : — il continua, et devint encore plus distinct : je bavardai plus abondamment pour me débarrasser de cette sensation : mais il continua, et devint plus net, — jusqu'à ce que je finisse par découvrir que le bruit n'était *pas* dans mes oreilles.

Sans doute devins-je alors *très* pâle ; — mais je déversais un flot de paroles, en élevant la voix. Or le son augmentait, — et qu'y pouvais-je ? C'était *un son bas, sourd et lancinant, — on aurait dit celui d'une montre enveloppée dans du coton.* J'étais hors d'haleine, — et pourtant les officiers n'entendaient rien. Mes paroles étaient plus rapides, — plus véhémentes ; mais le bruit ne cessait d'augmenter. Je me levai, leur cherchai noise sur un ton aigu, et avec force gesticulations ; mais le bruit s'amplifiait toujours. Pourquoi ne *voulaient*-ils pas s'en aller ? J'arpentai le plancher en tout sens d'un pas pesant, comme poussé jusqu'à l'exaspération par les observations de mes contradicteurs, — mais le bruit ne cessait d'augmenter. O Dieu ! que *pouvais*-je faire ? J'écumai, — je délirai, — je jurai ! Je balançai la chaise sur laquelle j'avais été assis, la fis râper sur le parquet, mais le bruit dominait l'ensemble et continuait de s'amplifier. Il devenait plus fort, — plus fort, — plus *fort* ! Et toujours les autres qui causaient, plaisantaient et souriaient. Était-il possible qu'ils n'entendissent pas ? Dieu tout-puissant ! —

---

doivent beaucoup à la musique (exposition du thème, répétitions, variations), ira lui-même crescendo.

8. **strides** [straɪdz] : *enjambées.*

9. **I foamed — I raved — I swore!** : on remarquera le rythme ternaire.

10. **grated** [greɪtɪd] : de **to grate,** 1) *faire grincer, crisser* 2) *grincer, crisser.* Ex : **it grated on his nerves,** *cela lui tapait sur les nerfs.*

—no, no! They heard! —they suspected! —they *knew*[1]! —they were making a mockery of my horror! —this I thought, and this I think. But anything was better than this agony! Anything was more tolerable than this derision! I could bear those hypocritical smiles no longer! I felt that I must scream or die! and now —again!— hark! louder! louder! louder! louder! *louder!*

"Villains!" I shrieked, "dissemble[2] no more! I admit the deed! —tear up the planks! here, here!— it is the beating of his hideous heart[3]!"

---

1. **They heard! — they suspected! — they knew!** : voir note 9, p. 77.
2. **dissemble = conceal, feign.**
3. **it is the beating of his hideous heart!** ; d'où le titre de la nouvelle. Du point de vue du narrateur, c'est le cœur du vieillard qui a "révélé" (ou "rapporté", au sens où un enfant par exemple est "cafard" ou "rapporteur" = **tell-tale**) l'emplacement du cadavre, et donc le crime.

Non, non ! Ils entendaient ! — ils soupçonnaient ! — ils *savaient !* — ils se gaussaient de mon effroi ! — je le crus, et je le crois encore. Mais tout était préférable à cette agonie ! Tout était plus supportable que cette dérision ! Je ne pouvais plus supporter ces hypocrites sourires ! Je sentis qu'il me fallait hurler ou mourir ! et maintenant — encore ! — écoutez ! plus fort ! plus fort ! plus fort ! *plus fort !*

« Traîtres ! » m'écriai-je, « jetez vos masques ! J'avoue le crime ! — arrachez les planches ! c'est là ! c'est là ! — c'est le battement de son horrible cœur ! »

Son hallucination est telle qu'en racontant sa propre histoire (**tell tale**), il semble entendre de nouveau les battements (**and now — again!**), comme s'il s'adressait de nouveau aux officiers de police en leur parlant au présent ; la dernière phrase du texte, écrite au présent, maintient jusqu'au bout l'ambiguïté.

Charles DICKENS (1812-1870)

Dickens auteur de contes fantastiques ? L'association pourrait surprendre si l'auteur de *David Copperfield* n'avait pas, dès 1843, songé à écrire ce « petit livre fantomatique » que sera *A Christmas Carol*, dans lequel Ebenezer Scrooge est hanté par le fantôme de son associé Jacob Marley. La magie de Noël laisse ici la place à la description d'une voie ferrée solitaire perdue au fond d'une tranchée humide et sinistre, dans laquelle un « pauvre signaleur » se trouve confronté à des phénomènes qui le dépassent. Dans ce lieu désertique, inhumain et infernal, le combat intérieur entre l'employé consciencieux et l'homme effaré, enfermé dans une solitude inexpugnable, devient alors l'image et le symbole d'un monde industriel dans lequel « la bête humaine » écrase le modeste ouvrier sous les apparitions répétées d'un Destin aveugle. Le fantastique s'intègre ici au décor impersonnel de la vie moderne pour mieux transfigurer le paysage prosaïque d'une époque matérialiste qui croyait au Progrès. Publiée en 1866, soit un an seulement après l'accident de Staplehurst (voir Préface), la nouvelle de Dickens fait apparaître dans sa composition une véritable mécanique de précision, un système savant d'échos, de répétitions et de bifurcations, comme si l'auteur avait voulu lui-même aiguiller son lecteur vers « un monde ambigu dont la réalité donne sans cesse sur le rêve » (J.-J. Mayoux).

The Signal-Man

Le Signaleur

"Halloa! Below there!"

When he heard a voice thus calling to him, he was standing at the door of his box, with a flag in his hand, furled[1] round its short pole. One would have thought, considering the nature of the ground, that he could not have doubted from what quarter[2] the voice came; but instead of looking up to where I stood on the top of the steep cutting[3] nearly over his head, he turned himself about, and looked down the Line[4]. There was something remarkable in his manner of doing so, though I could not have said for my life what. But I know it was remarkable enough to attract my notice[5], even though his figure was foreshortened[6] and shadowed, down in the deep trench, and mine was high above him, so steeped in the glow of an angry[7] sunset, that I had shaded my eyes with my hand before I saw him at all.

"Halloa! Below!"

From looking down the Line, he turned himself about again, and, raising his eyes, saw my figure[8] high above him.

"Is there any path by which I can come down and speak to you?"

He looked up at me without replying, and I looked down at him without pressing him too soon with a repetition of my idle[9] question. Just then there came a vague vibration in the earth and air, quickly changing into a violent pulsation,

---

1. **furled** [fɜ:ld] : de **to furl** 1) *ferler, serrer* (une voile) 2) *rouler* (un drapeau, un parapluie). **The flags are furled** : *les drapeaux sont en berne*. On peut penser que l'auteur joue déjà sur cette connotation de mort ou de deuil.

2. **quarter = direction**.

3. **cutting** : *tranchée* (route, voie ferrée). Voir aussi **trench** plus bas, qui désigne en outre une *tranchée militaire*.

4. **the Line** : l'auteur ne précise pas de quelle ligne il s'agit.

5. **notice = attention**.

6. **foreshortened** : *être écrasé* (par la perspective).

« Ohé ! Vous, là-bas ! »

Lorsqu'il entendit une voix l'apostropher ainsi, il se tenait debout à la porte de sa cabine, avec, à la main, un drapeau enroulé autour de sa courte hampe. On aurait pu croire, vu la nature du terrain, qu'il ne pouvait pas ne pas savoir d'où venait cette voix ; mais au lieu de lever les yeux vers l'endroit où je me trouvais, debout au sommet de la tranchée escarpée, presque au-dessus de sa tête, il me tourna le dos et se mit à scruter la voie ferrée. Il y avait quelque chose de remarquable dans son comportement, mais j'aurais bien été en peine de dire quoi. Je sais seulement qu'il était suffisamment remarquable pour attirer mon attention, même si sa silhouette, tout au fond de la tranchée, était raccourcie et obscurcie pour moi qui le surplombais, et baignait si profondément dans la lumière d'un violent soleil couchant que j'avais dû me faire une visière de la main pour réussir à le distinguer.

« Ohé ! En bas ! »

Cessant de scruter la voie, il fit volte-face et, levant les yeux, aperçut ma silhouette qui le surplombait.

« Y a-t-il un chemin pour descendre ? Je désire vous parler. »

Il leva les yeux dans ma direction sans répondre, et je baissai les miens vers lui sans le harceler tout de suite avec la même question oiseuse. Au même instant, l'air et la terre furent parcourus d'une vague vibration qui se mua bientôt en violente pulsation,

---

7. **angry** : la personnification du paysage ambiant est révélatrice. D'ores et déjà, la nature apparaît violente et hostile.

8. **figure** ['fɪgə] : *forme, silhouette humaine*. Ex. : **I saw a figure approach**, *j'ai vu une silhouette s'approcher de moi*. Le terme est fréquemment utilisé dans la littérature fantastique pour signaler la présence d'un fantôme ou d'une apparition. Dickens jouera plus bas sur un autre sens du mot (**figure** : *chiffre*) : **"and had been as a boy, a poor hand at figures"** (p. 92).

9. **idle** ['aɪdl] : pour une personne, *oisif, paresseux*. Ici, *oiseux, futile*. Ex : **idle talk,** *paroles oiseuses, en l'air*. **Idle fears** : *craintes sans fondement*.

and an oncoming[1] rush that caused me to start back[2], as though it had force to draw me down. When such vapour as rose to my height from this rapid train had passed me, and was skimming[3] away over the landscape, I looked down again, and saw him refurling the flag he had shown while the train went by.

I repeated my inquiry. After a pause, during which he seemed to regard me with fixed attention, he motioned with his rolled-up flag towards a point on my level, some two or three hundred yards distant. I called down to him, "All right!" and made for that point. There, by dint of looking closely about me, I found a rough zigzag descending path notched out[4], which I followed.

The cutting was extremely deep, and unusually precipitous. It was made through a clammy[5] stone, that became oozier[6] and wetter as I went down. For these reasons, I found the way long enough to give me time to recall a singular air of reluctance or compulsion with which he had pointed out the path.

When I came down[7] low enough upon the zigzag descent to see him again, I saw that he was standing between the rails on the way by which the train had lately passed, in an attitude as if he were[8] waiting for me to appear. He had his left hand at his chin, and his left elbow rested on his right hand, crossed over his breast. His attitude was one of such expectation and watchfulness that I stopped a moment, wondering at it.

---

1. **oncoming = approaching**. Se dit également d'un *danger imminent* (**oncoming danger**).

2. **to start back** : ici au sens de *reculer soudainement, faire un bond en arrière* (= **to recoil from** : *avoir un mouvement de recul devant qqch.*).

3. **skimming** : pour un oiseau, **to skim the ground** : *raser, effleurer, frôler le sol.*

4. **notched out** : de **notch** : *une entaille, une encoche.*

5. **clammy** : 1) *moite* (main, toucher) 2) *suintant* (mur).

6. **oozier** : comparatif de **oozy**, de **to ooze** [u:z] : *suinter.* **Ooze** : *la vase, la boue, le limon.* Comme dans la nouvelle de Hogg, le caractère fantastique du récit est annoncé par une sorte de descente aux Enfers ;

puis ce fut un halètement rapproché qui me fit reculer d'un bond, comme si sa puissance avait pu me happer. La vapeur émise par le train s'éleva jusqu'à ma hauteur, et il me fallut attendre qu'elle se dissipe et se perde dans la campagne pour baisser de nouveau les yeux et voir qu'il était occupé à enrouler le drapeau qu'il avait déployé au passage du train.

Je réitérai ma question. Il marqua un temps d'arrêt — durant lequel il sembla me contempler fixement —, puis à l'aide de son drapeau enroulé me désigna un point situé à ma hauteur, à quelque deux ou trois cents mètres de là. Je lui criai « Parfait ! » et partis dans cette direction. Une fois sur place, à force d'inspecter le terrain, je finis par découvrir et emprunter un vague chemin en lacet qui avait été grossièrement taillé dans la tranchée.

Celle-ci était extrêmement profonde, et particulièrement escarpée. Elle était creusée dans une roche gluante qui suintait et s'humidifiait de plus en plus à mesure que l'on descendait. C'est pourquoi j'eus tout loisir, vu la longueur du trajet, de me remémorer l'air singulièrement réticent et contraint avec lequel il m'avait indiqué le chemin.

Une fois descendu assez bas, je l'aperçus de nouveau dans mon champ de vision : il était planté entre les rails de la voie que le train venait d'emprunter, avec l'air de quelqu'un qui attendait mon apparition. Il se tenait le menton de la main gauche, le coude gauche appuyé sur la main droite, et le bras droit croisé sur la poitrine. C'était une telle attitude d'expectative et de vigilance que je marquai un temps d'arrêt, stupéfait.

---

la tranchée marque ici le passage symbolique entre le monde d'en haut et celui d'en bas, entre le soleil et les ténèbres, entre le sol dur et le sol suintant, etc.

7. On remarquera la répétition lancinante de **down** dans cette page.

8. **as if he were** : il s'agit ici d'un subjonctif preterite (ou preterite modal), qui n'exprime pas un passé, mais un irréel du présent (**were** à toutes les personnes).

I resumed[1] my downward way, and stepping out upon the level of the railroad, and drawing nearer to him, saw that he was a dark sallow man, with a dark beard and rather heavy eyebrows. His post was in as solitary and dismal[2] a place as ever I saw. On either side, a dripping-wet wall of jagged[3] stone, excluding all view but a strip of sky; the perspective one way only a crooked[4] prolongation of this great dungeon[5]; the shorter perspective in the other direction terminating in a gloomy red[6] light, and the gloomier entrance to a black tunnel, in whose massive architecture[7] there was a barbarous, depressing and forbidding air. So little sunlight ever found its way to this spot, that it had an earthy, deadly smell; and so much cold wind rushed through it, that it struck chill to me, as if I had left the natural world[8].

Before he stirred[9], I was near enough to him to have touched him. Not even then removing his eyes from mine, he stepped back one step, and lifted his hand.

This was a lonesome post to occupy (I said), and it had riveted[10] my attention when I looked down from up yonder. A visitor was a rarity, I should suppose; not an unwelcome rarity, I hoped? In me, he merely saw a man who had been shut up within narrow limits all his life, and who, being at last set free, had a newly-awakened interest in these great works. To such purpose I spoke to him;

---

1. **resumed** [rɪ'zju:md] : de **to resume** : *reprendre, recommencer* (ce qui a été interrompu) ≠ **To sum up, to summarize** : *résumer.*

2. **dismal** ['dɪzml] : *lugubre, sombre, morne.* **Dismal weather** : *temps maussade.*

3. **jagged** ['dʒægɪd] : de **jag** : *pointe, saillie, aspérité.*

4. **crooked** ['krʊkɪd] : *courbé, crochu, tordu, de travers.* D'où **a crook** : *un escroc.*

5. **dungeon** : *cachot, oubliettes.* ≠ *Le donjon :* **the keep**.

6. **gloomy red** : on notera ici la juxtaposition du rouge et du sombre. Il s'agit d'un oxymore, figure de style permettant d'associer deux termes habituellement opposés et contradictoires. Ex. : un mort-vivant.

7. **massive architecture** ; le roman gothique faisait de l'architecture et

Je repris ma descente, et arrivai au niveau de la ligne de chemin de fer. En m'approchant de lui, je vis qu'il s'agissait d'un homme au teint bistré, avec une barbe noire et des sourcils plutôt épais. Son poste était situé dans un endroit parmi les plus solitaires et les plus sinistres que j'aie jamais vus. De part et d'autre, une paroi de pierre déchiquetée qui ruisselait d'humidité et ne laissait voir, pour tout horizon, qu'une infime bande de ciel; d'un côté la perspective n'était que le prolongement tortueux de ce cachot immense, de l'autre, elle se raccourcissait pour aboutir à un morne signal rouge et à l'entrée encore plus morne d'un noir tunnel dont l'architecture massive dégageait un air primitif, déprimant et rébarbatif. Le soleil pouvait si peu s'y frayer un chemin qu'il y flottait une mortelle odeur de terre, et l'endroit était tellement balayé par la bise que j'en fus saisi de froid: c'était comme si j'avais quitté le monde des vivants.

Avant qu'il esquisse le moindre geste, je fus suffisamment près de lui pour pouvoir le toucher, si j'avais voulu. Sans me quitter des yeux pour autant, il recula d'un pas et leva la main.

C'était un poste bien solitaire (lui dis-je), ce qui n'avait pas manqué d'attirer mon regard du haut de la tranchée. Un visiteur (je suppose) était rarissime, et (espérons-le) pas trop importun? En moi, il ne devait voir qu'un individu qui toute sa vie durant avait été enfermé dans des limites étroites et qui, enfin libre, s'éveillait de nouveau aux merveilles de la technique. Telle fut la teneur de mes propos;

---

du décor l'un des éléments essentiels du fantastique. De même, Edgar Poe au début de "La Chute de la Maison Usher": "au premier coup d'œil que je jetai sur le bâtiment, un sentiment d'insupportable tristesse pénétra mon âme" (trad. Baudelaire).

8. **as if I had left the natural world:** voir note 6, p. 86.

9. **stirred** [stɜːd] = **moved.**

10. **riveted** [rɪvɪtɪd]: de **to rivet,** *attirer, fasciner.* **To be riveted with fear:** *être cloué sur place par la peur.*

but I am far from sure of the terms I used; for, besides that I am not happy in opening any conversation, there was something in the man that daunted[1] me.

He directed a most curious look towards the red light near the tunnel's mouth[2], and looked all about it, as if something were missing from it, and then looked at me.

That light was part of his charge? Was it not?

He answered in a low voice, "Don't you know it is?"

The monstrous thought came into my mind, as I perused the fixed eyes and the saturnine face, that this was a spirit, not a man. I have speculated since[3], whether there may have been infection in his mind.

In my turn, I stepped back. But in making the action, I detected in his eyes some latent fear of me. This put the monstrous thought to flight[4].

"You look at me," I said, forcing a smile, "as if you had a dread of me."

"I was doubtful[5]," he returned[6], "whether I had seen you before."

"Where?"

He pointed to the red light he had looked at.

"There?" I said.

Intently watchful[7] of me, he replied (but without sound)[8], "Yes."

---

1. **daunted :** de **to daunt :** *intimider, décourager, démonter.* **Dauntless :** *intrépide, indomptable.*

2. **the tunnel's mouth :** *l'entrée, l'orifice* (trou, grotte, port), mais dans ce paysage personnifié, le sens de *bouche* n'est pas très loin et contribue à créer le mystère.

3. **since = since then.**

4. **to flight : to put to flight :** *mettre en fuite, chasser.*

5. **I was doubtful :** ce doute, qui, selon Todorov, est au cœur même du fantastique (voir la Préface). On remarquera ici une double hésitation de la part des deux protagonistes : le narrateur se demande s'il n'a pas en face de lui un esprit (**a spirit, not a man**), le signaleur s'il n'a pas déjà vu le narrateur, ce qui revient au même. Chacun, tour à tour, est un fantôme pour l'autre. Une bonne partie de l'ironie voulue par Dickens tient précisément à ce que la personne qui rejette le fantastique est perçue par le signaleur comme une apparition.

mais je suis loin de garantir l'exactitude des termes utilisés, car non seulement je suis malhabile à engager la conversation, mais il y avait dans l'individu quelque chose qui m'intimidait.

Il jeta un coup d'œil fort étrange vers le signal rouge situé à l'orifice du tunnel et le passa en revue comme s'il manquait quelque chose. Puis il tourna les yeux vers moi.

Ce signal (lui demandai-je) faisait partie de ses attributions, n'est-ce pas ?

« Comme si vous ne le saviez pas ! » répondit-il à voix basse.

Une idée monstrueuse me traversa l'esprit en contemplant ces yeux rivés et ce visage taciturne : c'était un esprit, et non un homme. Je me suis demandé depuis lors s'il n'y avait pas eu de la contagion dans ses pensées.

Ce fut à mon tour de reculer. Mais ce faisant, je lus dans ses yeux comme une peur latente à mon encontre, ce qui eut pour effet de chasser mon idée précédente.

« Vous me regardez », lui dis-je en me forçant à sourire, « comme si vous aviez peur de moi.

— Je me demandais », répondit-il, « si je ne vous avais pas déjà vu.

— Où ça ? »

Il me montra du doigt le signal rouge qu'il avait contemplé.

« Là ? » lui dis-je.

Sans cesser de me surveiller du coin de l'œil, il répondit (mais sans mot dire) par l'affirmative.

---

6. **returned = replied.**
7. **watchful :** *vigilant, attentif, méfiant.*
8. **(but without sound) :** la contradiction avec ce qui précède ne fait qu'accroître le mystère qui entoure le signaleur. Il y a ici figure d'oxymore, avec une contradiction entre la parole et le silence.

"My good fellow, what should I do there? However, be that as it may, I never was there, you may swear[1]."

"I think I may," he rejoined. "Yes; I am sure I may."

His manner cleared, like my own. He replied to my remarks with readiness, and in well-chosen words. Had he much to do there? Yes; that was to say, he had enough responsibility to bear; but exactness and watchfulness were what was required of him, and of actual[2] work — manual labour— he had next to[3] none. To change that signal, to trim[4] those lights, and to turn this iron handle now and then, was all he had to do under that head[5]. Regarding those many long and lonely hours of which I seemed to make so much[6], he could only say that the routine[7] of his life had shaped itself into that form, and he had grown used to it. He had taught himself a language down here — if only to know it by sight, and to have formed his own crude ideas of its pronunciation, could be called learning it. He had also worked at fractions and decimals, and tried a little algebra; but he was, and had been as a boy[8], a poor hand at[9] figures. Was it necessary for him when on duty[10] always to remain in that channel of damp air, and could he never rise into the sunshine from between those high stone walls? Why, that depended upon[11] times and circumstances.

---

1. **you may swear** : littéralement, *vous pouvez le jurer*.
2. **actual = real.**
3. **next to = almost.**
4. **to trim** : *tailler* (barbe, roses, etc.), *moucher* (chandelle, mèche).
5. **under that head** : *à ce titre, sous cette rubrique.*
6. **of which... to make so much** : **to make much of** : *faire grand cas de, se soucier de.*
7. **routine** [ru:'tɪ:n].
8. **as a boy = when he was a boy.**
9. **a poor hand at** : *peu doué pour, malhabile à.* **A hand** : *un travailleur manuel, un ouvrier.* Ex. : **a farmhand** : *un ouvrier agricole.* **To take on hands** : *embaucher de la main-d'œuvre.* **All hands on deck** : *tout le monde sur le pont.*

« Mon pauvre ami, qu'aurais-je été faire là-bas ? Quoi qu'il en soit, je n'y ai jamais mis les pieds, je vous le garantis.

— Je veux bien vous croire », répliqua-t-il. « Oui, je vous crois sur parole. »

Il s'était rasséréné, et moi aussi. C'est avec empressement et en termes choisis qu'il répondit à mes interrogations. Était-il très occupé ? oui ; c'est-à-dire qu'il avait d'assez lourdes responsabilités ; mais on attendait avant tout de lui qu'il fût ponctuel et vigilant ; comme travail proprement dit — travail manuel, s'entend — il n'avait pratiquement rien à faire. Changer un signal, moucher la lampe d'un fanal, actionner ce levier de temps à autre, voilà en quoi consistait ce genre de travail. Quant à toutes ces longues heures solitaires qui semblaient me préoccuper tant, il n'avait qu'une seule chose à répondre, à savoir que la routine de son existencc s'était coulée dans ce moule, et qu'il avait fini par s'y habituer. C'est là qu'il avait appris tout seul une langue étrangère — si l'on pouvait dire "apprendre" lorsqu'on savait seulement reconnaître les caractères et qu'on s'était formé une idée approximative de la prononciation. Il s'était également attaqué aux fractions et aux nombres décimaux, et avait abordé quelques rudiments d'algèbre ; mais il était, depuis son enfance, malhabile au maniement des chiffres. Lorsqu'il était de service, était-il obligé de ne jamais quitter ce fossé rempli d'humidité et de courants d'air ? Ne pouvait-il jamais s'élever vers le soleil et quitter ces hautes murailles de pierre ? Eh bien, cela dépendait des moments et des circonstances.

---

10. **when on duty = when (he was) on duty. To be on duty :** *être de service, de jour, de garde* (**≠ to be off duty**).

11. **depended upon : to depend upon/on,** *dépendre de.*

Under some conditions there would be less upon the Line than under others, and the same held good as to[1] certain hours of the day and night. In bright weather, he did choose occasions for getting a little above these lower shadows[2]; but, being at all times liable[3] to be called by his electric bell, and at such times listening for[4] it with redoubled anxiety, the relief was less than I would suppose.

He took me into his box, where there was a fire, a desk for an official book in which he had to make certain entries[5], a telegraphic instrument with its dial[6], face[7], and needles, and the little bell of which he had spoken. On my trusting that he would excuse the remark that he had been well educated, and (I hoped I might say without offence), perhaps educated above that station[8], he observed that instances[9] of slight incongruity in such wise[10] would rarely be found wanting among large bodies of men; that he had heard it was so in workhouses, in the police force, even in that last desperate resource, the army; and that he knew it was so, more or less, in any great railway staff. He had been, when young (if I could believe it, sitting in that hut, — he scarcely could), a student of natural philosophy, and had attended lectures; but he had run wild, misused his opportunities, gone down[11], and never risen again[12].

---

1. **held good as to = was true concerning.**
2. **lower shadows**: littéralement, *ombres inférieures*. L'expression confirme l'association de l'endroit avec les régions infernales.
3. **liable** ['laɪəbl] : **to be liable to** 1) *risquer de faire qqch.* (**to do**). 2) *être passible de, sujet à, assujetti à.* Ex. : **to be liable to a fine** : *être passible d'une amende.*
4. **listening for** : **for** marque ici l'attente inquiète, par rapport à **to**, simple écoute.
5. **entries** : pluriel de **entry** : *inscription* (liste), *entrée* (dictionnaire), *article* (encyclopédie).
6. **dial** ['daɪəl] : *cadran.* Ex. : **sundial** : *cadran solaire.* **To dial (a telephone number)** : *composer un numéro de téléphone.*
7. **face = dial.**

Dans certains cas il y avait moins de circulation que dans d'autres, et il en allait de même à certaines heures de la journée et de la nuit. Par beau temps, et quand l'occasion s'en présentait, il lui arrivait bien d'abandonner un instant les ombres de ces régions inférieures ; mais comme il risquait à tout moment d'être appelé par la sonnerie électrique, il devait à ces moments-là redoubler d'attention pour l'entendre, de sorte que le changement n'était pas aussi grand que je pouvais l'imaginer.

Il me conduisit dans sa cabine. À l'intérieur il y avait un poêle, un pupitre destiné au registre sur lequel il devait consigner certains renseignements, une installation télégraphique avec ses cadrans, ses aiguilles, et la petite sonnerie dont il avait parlé. Je me permis de lui dire, sans qu'il se formalise, à quel point il avait reçu une bonne éducation, voire même (sauf son respect) une éducation peut-être supérieure à son niveau actuel, cc à quoi il répondit que des cas d'incongruités analogues n'étaient point rares dans les sociétés humaines ; il avait entendu ainsi parler des hospices, de la police, et même de cette ultime ressource des désespérés qu'est l'armée ; et il n'ignorait pas qu'il en allait plus ou moins de même parmi le personnel de toute grande compagnie ferroviaire. Il avait, dans sa jeunesse (le croirais-je, assis dans cette cabane — lui, à peine) étudié la physique, et avait même suivi des cours ; mais il avait gâché ses possibilités, avait suivi la mauvaise pente, pour ne plus jamais la remonter.

---

8. **station :** *condition, rang social.* Dickens joue néanmoins sur le sens ferroviaire du mot (= *gare*), ce que *niveau* tente de rendre ici (cf. "passage à niveau").

9. **instances = examples. For instance = for example.**

10. **in such wise = in this manner.**

11. **gone down :** le signaleur est littéralement "en bas" de la tranchée.

12. **never risen again :** à prendre également au sens littéral (voir **lower shadows** plus haut).

He had no complaint to offer about that. He had made his bed, and he lay upon it. It was far too late to make another.

All that I have here condensed he said in a quiet manner, with his grave dark regards divided between me and the fire. He threw in[1] the word, "sir[2]," from time to time, and especially when he referred to his youth, —as though to request me to understand that he claimed to be nothing but what I found him. He was several times interrupted by the little bell, and had to read off[3] messages, and send replies. Once he had to stand without the door, and display a flag as a train passed, and make some verbal communication to the driver[4]. In the discharge of his duties, I observed him to be remarkably exact and vigilant, breaking off his discourse at a syllable, and remaining silent until what he had to do was done.

In a word, I should have set this man down[5] as one of the safest[6] of men to be employed in that capacity, but[7] for the circumstance that while he was speaking to me he twice broke off[8] with a fallen colour, turned his face towards the little bell when it did NOT ring, opened the door of the hut (which was kept shut to exclude the unhealthy damp[9]), and looked out towards the red light near the mouth of the tunnel. On both of those occasions, he came back to the fire with the inexplicable[10] air upon him which I had remarked, without being able to define, when we were so far asunder[11].

---

1. **He threw in**: preterite de **to throw in**: *interposer, intercaler, mentionner en passant.*

2. **sir**: comme Hogg, Dickens met en scène un homme simple et de condition modeste, face à quelqu'un qui lui est socialement supérieur.

3. **to read off**: 1) *lire d'un trait* 2) *relever* (les mesures d'un instrument). Ici, *déchiffrer un message.*

4. **driver**: *mécanicien* (d'une locomotive).

5. **set this man down**: de **to set by down (as)**: *ranger, classer qqn dans une catégorie*. Ex.: **I had already set him down as a liar**: *je le tenais déjà pour un menteur.*

Il ne cherchait pas à s'en plaindre. Ce qui était fait était fait. Il était trop tard pour le défaire.

Tout ce que j'ai résumé ici, il me l'avait dit calmement, tandis que son regard noir et grave se posait en alternance sur le feu et sur moi. De temps à autre il intercalait un "monsieur" dans son discours, notamment lorsqu'il faisait référence à sa jeunesse, comme pour me faire comprendre qu'il ne revendiquait d'autre place que sa présente situation. Il fut plusieurs fois interrompu par la petite sonnerie, et dut alors déchiffrer des messages ou bien répondre par d'autres. À un moment donné, il dut se lever et se poster devant la porte pour déployer son drapeau au passage d'un train et transmettre une information au mécanicien. Dans l'exercice de ses fonctions, sa ponctualité et sa vigilance étonnantes me sautèrent aux yeux : il interrompait son discours au milieu d'un mot, et tant que son devoir n'était pas accompli, il demeurait silencieux.

Bref, j'aurais été prêt à ranger cet homme parmi les plus fiables à ce genre de responsabilités s'il n'y avait pas eu le fait suivant. À deux reprises en effet, pendant qu'il me parlait, il s'arrêta, livide, se tourna vers la petite sonnerie alors qu'elle n'avait *pas* retenti, ouvrit la porte de la cabine (en principe fermée pour se garder de l'air humide et malsain), et dirigea son regard vers le signal rouge situé à l'entrée du tunnel. Dans les deux cas, il revint vers le poêle en arborant la même mine mystérieuse et indéfinissable que j'avais déjà remarquée lorsque nous étions séparés par la tranchée.

---

6. **safest : safe :** *sur qui l'on peut compter, fiable* (= **reliable**).
7. **but = except**.
8. **broke off:** de **to break off :** *s'arrêter, s'interrompre, cesser de.*
9. **damp :** à la fois substantif et adjectif : 1) *humide, moite* 2) *humidité*. Ici, littéralement, **unhealthy damp :** *l'humidité malsaine.*
10. **inexplicable** [ɪnɪk'splɪkəbl].
11. **asunder = apart.**

Said I, when I rose to leave him, "You almost make me think that I have met with a contented man."

(I am afraid I must acknowledge[1] that I said it to lead him on[2].)

"I believe I used to be so[3]," he rejoined, in the low voice in which he had first spoken; "but I am troubled, sir, I am troubled."

He would have recalled[4] the words if he could. He had said them, however, and I took them up quickly.

"With what? What is your trouble?"

"It is very difficult to impart[5], sir. It is very, very difficult to speak of. If ever you make me another visit, I will try to tell you."

"But I expressly intend to make you another visit. Say, when shall it be?"

"I go off early in the morning, and I shall be on[6] again at ten to-morrow night, sir."

"I will come at eleven."

He thanked me, and went out at the door with me. "I'll show my white light[7], sir," he said, in his peculiar low voice, "till you have found the way up. When you have[8] found it, don't call out! And when you are at the top, don't call out!"

His manner seemed to make the place strike[9] colder to me, but I said no more than, "Very well."

---

1. **acknowledge** [ək'nɒlɪdʒ] = **admit. Acknowledgements**: *remerciements* (en tête d'un livre, d'un ouvrage universitaire).

2. **to lead him on**: *l'amener* (à). Ex. : **they led him on to talk about his experiences**: *ils l'ont amené à parler de ses expériences.* Également dans le sens de *taquiner, faire marcher, duper qqn.*

3. **to be so**: sous-entendu **contented.**

4. **recalled**: voir **beyond/past recall**: *irrévocable.*

5. **to impart = to make known, to tell.**

6. **off... on**: sous-entendu **duty** (voir note 10, p. 93).

7. **white light**: par opposition au signal rouge à l'entrée du tunnel, la lumière blanche de la lanterne semble ici plutôt rassurante. C'est elle qui éclaire et montre le chemin dans l'obscurité : **till you have found the way up.**

« Je ne suis pas loin de croire que j'ai rencontré un homme satisfait de son sort », lui dis-je en me levant pour prendre congé.

(Je dois avouer non sans honte que j'avais dit cela pour susciter ses confidences.)

« C'était le cas autrefois, je crois », répondit-il à voix basse, comme il l'avait fait au début. « Mais je suis perturbé, monsieur, je suis perturbé. »

Il se serait repris s'il avait pu. Les mots étaient pourtant lâchés, et je les saisis au bond.

« Par quoi ? Par quoi êtes-vous perturbé ?

— Ce n'est pas facile à expliquer, monsieur. C'est très, très difficile d'en parler. Si jamais vous venez me rendre une autre visite, j'essaierai de vous raconter.

— Mais je compte bien vous rendre une autre visite. Dites-moi quand c'est possible.

— Je pars demain matin de bonne heure, mais je reprends mon service à partir de dix heures du soir, monsieur.

— Je serai là à onze heures. »

Il me remercia et m'accompagna jusqu'à la porte.

« Je vais vous éclairer avec ma lanterne, monsieur », dit-il de son étrange voix basse, « jusqu'à ce que vous ayez retrouvé le chemin. Quand ce sera fait, pas la peine de crier ! Et pas la peine de crier une fois là-haut ! »

À l'entendre, j'eus l'impression qu'il faisait soudain plus froid, mais je me contentai d'un simple

« Très bien.

8. **When you have** : dans une subordonnée commençant par une conjonction de temps (**when, while, once, as soon as, as long as, whenever,** etc.), la notion de futur est exprimée par un présent. Ex. : **let us know when you have finished** : *prévenez-nous quand vous aurez fini.* La règle ne s'applique pas aux cas où **when** est un adverbe interrogatif, une conjonction de coordination ou un pronom relatif.

9. **strike** [straɪk] : littéralement, *frapper, pénétrer.* Ici, *donner l'impression de.*

"And when you come down to-morrow night, don't call out! Let me ask you a parting[1] question. What made you cry, 'Halloa! Below there!' to-night?"

"Heaven knows, " said I. "I cried something to that effect[2] —"

"Not to that effect, sir. Those were the very[3] words. I know them well."

"Admit those were the very words. I said them, no doubt, because I saw you below."

"For no other reason?"

"What other reason could I possibly have?"

"You had no feeling that they were conveyed[4] to you in any supernatural[5] way?"

"No."

He wished me good night, and held up his light. I walked by the side of the down Line of rails (with a very disagreeable sensation of a train coming behind me) until I found the path. It was easier to mount than to descend, and I got back to my inn without any adventure[6].

Punctual to my appointment[7], I placed my foot on the first notch of the zigzag next night, as the distant clocks were striking eleven. He was waiting for me at the bottom, with his white light on[8]. "I have not called out," I said, when we came close together; "may I speak now?" "By all means, sir." "Good night, then, and here's my hand." "Good night, sir, and here's mine."

---

1. **parting** : littéralement *en partant*. Ex. : **a parting gift** : *un cadeau d'adieu,* **a parting shot** : *la flèche du Parthe.*

2. **to that effect** : *d'analogue, de ce genre.* Ex. : **we got a letter to the same effect** : *nous avons reçu une lettre dans le même sens.*

3. **very** : sert ici à renforcer. Ex. : **on the very spot** : *à l'endroit même.*

4. **conveyed** : littéralement, *transmis.* **To convey** : *transporter* (passagers, marchandises), *transmettre* (son), *communiquer* (idée, opinion). Ex. : **words cannot convey how I feel** : *les paroles ne peuvent traduire ce que je ressens..*

5. **supernatural** [ˌsu:pə'nætʃral] : le mot est lâché. On remarquera

— Et demain soir, quand vous descendrez, pas la peine de crier ! Juste une question, si je puis me permettre. Pourquoi avoir crié ce soir "Ohé ! Vous, là-bas !" ?

— Dieu seul le sait », lui dis-je. « Il se peut bien que j'aie prononcé ces mots-là...

— Non, monsieur, pas "il se peut bien". Ces mots-là, et point d'autres. Je les connais par cœur.

— Admettons. Si je les ai prononcés, c'est assurément parce que je vous avais vu là, en bas.

— Pas d'autre motif ?

— Quel autre motif aurais-je bien pu avoir ?

— Vous n'avez pas eu le sentiment que ces mots vous étaient dictés par une quelconque instance surnaturelle ?

— Non. »

Il me souhaita bonne nuit, et prit sa lanterne. Je longeai alors la voie dans le sens de la pente (d'où cette impression fort désagréable qu'un train arrivait dans mon dos) jusqu'à ce que je trouve le sentier. Il était plus facile à gravir qu'à descendre, et je revins sans encombre à mon auberge.

Fidèle au rendez-vous, j'abordai le premier lacet du sentier, le lendemain soir, au moment même où les cloches sonnaient onze heures dans le lointain. Il m'attendait en bas, sa lanterne allumée.

« Je n'ai pas crié », lui dis-je, après l'avoir rejoint ; « puis-je parler, maintenant ?

— Faites donc, monsieur.

— Dans ce cas, bonsoir », lui dis-je en tendant la main.

« Bonsoir, monsieur », dit-il en tendant la sienne.

---

qu'il fait écho à la remarque du narrateur : **as if I had left the natural world** (p. 88). Une fois encore, les deux hommes ont des réactions parallèles..

6. **adventure** : ici au sens d'*aventure désagréable, mésaventure*.

7. **appointment** : **I will come at eleven** (p. 98). Après Hogg, Dickens reprend ici le motif du rendez-vous fantastique.

8. **on ≠ off** (éteinte). **To switch on/off** : *allumer/éteindre*.

With that we walked side by side to his box, entered it, closed the door, and sat down by the fire.

"I have made up my mind[1], sir," he began, bending forward as soon as we were seated, and speaking in a tone but[2] a little above a whisper[3], "that you shall not have to ask me twice what troubles me. I took you for someone else yesterday evening. That troubles me."

"That mistake?"

"No. That someone else."

"Who is it?"

"I don't know."

"Like me?"

"I don't know. I never saw the face[4]. The left arm is across the face, and the right arm is waved[5], —violently waved. This way."

I followed his action with my eyes, and it was the action of an arm gesticulating, with the utmost[6] passion and vehemence[7], "For God's sake, clear the way!"

"One moonlight night," said the man, "I was sitting here, when I heard a voice cry, 'Halloa! Below there[8]!' I started up, looked from that door, and saw this some one else standing by the red light near the tunnel, waving as I just now showed you. The voice seemed hoarse with[9] shouting, and it cried, 'Look out! Look out[10]!'

---

1. **made up my mind** : de **to make up one's mind** : *se décider à, arriver à une décision..*

2. **but = only**.

3. **whisper** : *chuchotement, murmure, bruissement, bruit, rumeur.* **To speak in a whisper** : *parler à voix basse.* **There is a whisper that...** : *le bruit court que...*

4. **the face** : on remarquera ici, comme dans toute la page (**the left arm, the right arm, the voice**), l'absence d'adjectif possessif, qui renforce le caractère anonyme et impersonnel de l'apparition.

5. **waved** : de **to wave** : *faire un signe de la main.* Ex. : **to wave goodbye to sby** : *agiter la main en signe d'adieu.*

6. **utmost** ['ʌtməʊst] : *extrême.* Ex. : **with the utmost speed** : *à toute vitesse.* **With the utmost candour** : *en toute franchise.*

7. **vehemence** ['vɪːəməns].

Marcher ensemble jusqu'à sa cabine, entrer, fermer la porte et s'asseoir près du poêle fut l'affaire de quelques instants.

Il commença alors, en se penchant vers moi dès que nous fûmes assis, sur un ton à peine plus haut qu'un murmure.

« Je suis résolu, monsieur, à ce que vous n'ayez point à me demander deux fois ce qui me perturbe. Je vous ai pris pour quelqu'un d'autre hier soir. C'est ça qui me perturbe.

— Votre erreur ?

— Non. Ce quelqu'un d'autre.

— Qui est-ce ?

— Je n'en sais rien.

— Un air de ressemblance ?

— Je n'en sais rien. Je n'ai jamais vu son visage, qui est caché par son bras gauche, tandis que le droit s'agite... s'agite frénétiquement. Comme ceci. »

Je suivis son geste des yeux : c'était le mouvement d'un bras qui gesticulait, au comble de la passion et de la véhémence, en ayant l'air de dire : "Pour l'amour du Ciel, dégagez la voie !"

« Un soir, au clair de lune », poursuivit-il, « j'étais assis à cet endroit, quand j'entendis une voix crier "Ohé ! Vous, là-bas !" D'un bond, j'étais debout, et depuis le pas de la porte j'aperçus ce quelqu'un d'autre qui se tenait debout, à la hauteur du signal rouge à l'entrée du tunnel, en faisant de grands gestes comme ceux que je viens de vous montrer. Sa voix avait l'air rauque à force de hurler, et elle criait "Attention ! Attention !",

---

8. **Halloa! Below there!** : voir les premiers mots de la nouvelle (p. 84).

9. **with** : au sens causal. Ex. : **trembling with fear** : *tremblant de peur*, **he jumped with joy** : *il a sauté de joie*.

10. **Look out!** : voir **to look out for** : *faire attention à*. **A look-out** : *une vigie*.

And then again, 'Halloa! Below there! Look out!' I caught up my lamp, turned it on red, and ran towards the figure[1], calling, 'What's wrong? What has happened? Where?' It[2] stood just outside the blackness of the tunnel. I advanced so close upon it that I wondered at its keeping the sleeve across its eyes. I ran right up at it, and had my hand stretched out to pull the sleeve away, when it was gone."

"Into the tunnel?" said I.

"No. I ran on into the tunnel, five hundred yards. I stopped, and held my lamp above my head, and saw the figures[3] of the measured distance, and saw the wet stains stealing down[4] the walls and trickling through the arch. I ran out again faster than I had run in (for I had a mortal abhorrence of the place upon me), and I[5] looked all round the red light with my own red light, and I went up the iron ladder to the gallery atop of it, and I came down again, and ran back here. I telegraphed both ways. 'An alarm has been given. Is anything wrong?' The answer came back, both ways[6], 'All well.'"

Resisting the slow touch[7] of a frozen finger tracing out my spine, I showed him how that this figure must be a deception[8] of his sense of sight; and how that figures, originating in disease of the delicate nerves[9] that minister to the functions of the eye, were known to have often troubled patients,

---

1. **the figure**: voir note 8, p. 85.
2. **it**: par rapport à la page précédente, le pronom personnel est ici introduit, mais de genre neutre, le seul qui puisse convenir pour l'apparition. **It** ou **that** sont traditionnellement utilisés dans la littérature fantastique pour désigner un phénomène inexpliqué.
3. **figures**: encore un jeu sur le double sens de **figure**.
4. **stealing down**: *glisser, couler* (liquide). Ex.: **a tear was stealing down her cheek**: *une larme glissait sur sa joue.*
5. **and I**: on remarquera dans ce paragraphe la répétition de **and I**, qui dénote l'affolement du signaleur, les nombreuses virgules permettant de rendre les mouvements saccadés et inquiets de la personne. Ex.: **and I came down again, and ran back there**.
6. **both ways**: à chaque extrémité de la ligne.

puis de nouveau "Ohé ! Vous, là-bas ! Attention !" Je ramassai ma lanterne, la mis sur le rouge, et courus vers la silhouette en criant "Qu'est-ce qui ne va pas ? Que s'est-il passé ? Où ça ?" Ce quelqu'un se tenait juste à l'entrée des ténèbres du tunnel. Je m'avançai suffisamment près de lui pour voir avec étonnement que son bras masquait toujours son regard. Je courus jusqu'à lui, la main tendue, prêt à tirer sur la manche, quand il disparut.

— Dans le tunnel ? » demandai-je.

« Non. J'ai couru dans le tunnel pendant encore cinq cents mètres, après quoi je me suis arrêté. En levant la lanterne au-dessus de ma tête, j'ai vu les chiffres indiquant les distances ainsi que toute l'humidité qui suinte sur la paroi et dégoutte de la voûte. Je suis ressorti en courant plus vite qu'à l'aller (car j'étais mort de peur dans un tel endroit), et je me suis mis à inspecter les alentours du signal rouge avec ma propre lanterne rouge, grimpant à l'échelle de fer pour atteindre la galerie supérieure, puis redescendant, avant de revenir jusqu'ici, toujours en courant. Je télégraphiai dans les deux sens le message suivant : "L'alarme a été donnée. Rien d'anormal ?" La réponse me parvint, la même des deux côtés :

"Rien à signaler." »

Tentant de surmonter la sensation qu'un doigt glacé me parcourait lentement l'échine, je lui montrai à quel point cette apparition ne pouvait être qu'une illusion d'optique ; que ces apparitions, qui proviennent d'une déficience des nerfs délicats présidant à la fonction oculaire, sont connues pour le trouble qu'elles occasionnent aux malades,

---

7. **slow touch** : il s'agit bien sûr d'une image, mais l'effet produit par l'expression entretient l'ambiguïté fantastique.

8. **deception = illusion, mistake. To deceive** : *abuser, tromper, décevoir.* L'explication proposée est d'ordre physiologique.

9. A comparer avec "l'état morbide du nerf acoustique" qui caractérise Roderick Usher dans "La Chute de la Maison Usher" d'Edgar Poe (1839).

some of whom[1] had become conscious of the nature of their affliction, and had even proved it by experiments[2] upon themselves. "As to[3] an imaginary cry," said I, "do but listen for a moment to the wind in this unnatural valley while we speak so low, and to the wild harp it makes of the telegraph wires[4]."

That was all very well, he returned, after we had sat listening for a while, and he ought to know something of the wind and the wires —he who so often passed long winter nights there, alone and watching. But he would beg to remark that he had not finished.

I asked his pardon, and he slowly added these words, touching my arm:

"Within six hours[5] after the Appearance[6], the memorable accident[7] on this Line happened, and within ten hours the dead and wounded were brought along through the tunnel over the spot where the figure had stood."

A disagreeable shudder crept[8] over me, but I did my best against it. It was not to be denied, I rejoined, that this was a remarkable coincidence, calculated deeply to impress his mind. But it was unquestionable that remarkable coincidences did continually occur[9], and they must be taken into account in dealing with such a subject.

---

1. **whom** : pronom relatif complément dont l'antécédent est **patients**.

2. **experiments** : *expériences scientifiques*, par rapport à **experience** : *l'expérience*. Ex. : **experience of life** : *l'expérience du monde*.

3. **As to = concerning.**

4. **wires** ['waɪəz] : le bruit du vent est ici suggéré par les allitérations en *w* (**wind, we, wild, wires**), comme le confirme, dans la phrase suivante, l'expression **the wind and the wires**.

5. **within six hours** : au sens temporel (et non spatial), **within** exprime la période à l'expiration de laquelle l'action a été accomplie. Ex. : **he died within a month of his wife's death** : *il mourut dans le mois qui suivit la mort de sa femme*.

6. **the Appearance** : après **someone else** (p. 102) ou **the figure** (p. 104), le signaleur utilise ici un nouveau vocable. La multiplicité des appellations renvoie à l'impossibilité fondamentale de nommer l'inex-

et que certains d'entre eux, ayant appréhendé la nature de leur mal, allaient même jusqu'à vérifier leurs symptômes en se prenant eux-mêmes comme objets d'expérience.

« Quant à ces cris imaginaires », ajoutai-je, « il suffit, tandis que nous causons à voix basse, d'écouter le vent souffler dans cette étrange vallée, et la folle musique qu'il fait jouer, telle une harpe, aux fils télégraphiques. »

Tout cela est bien beau, répondit-il après que nous eûmes prêté l'oreille un moment, mais il savait parfaitement à quoi s'en tenir au sujet du vent et des fils télégraphiques, lui qui si souvent passait de longues nuits d'hiver dans cette cabine, tout seul à monter la garde. Mais il se permit de me faire observer qu'il n'avait point achevé son récit.

Je lui présentai mes excuses, et il ajouta les mots suivants, lentement, en me touchant le bras :

« Six heures après l'Apparition, se produisit sur la même voie cet accident dont tout le monde se souvient, et quatre heures après la catastrophe, morts et blessés furent transportés par le tunnel et passèrent à l'endroit où j'avais vu la silhouette. »

Un frisson désagréable me parcourut de la tête aux pieds, mais je fis de mon mieux pour m'en débarrasser. Il était indéniable, lui dis-je alors, que la coïncidence était remarquable, et propice à laisser en lui une impression profonde. Mais il était indubitable que de telles coïncidences étaient monnaie courante, et qu'il fallait en tenir compte dès qu'on abordait pareil sujet.

---

plicable, tout en créant, par le langage, l'ambiguïté indispensable au fantastique. Ainsi, plus bas, le signaleur utilisera un nouveau terme, **the spectre** (p. 108).

7. **the memorable accident** : voir la Préface, pp. 19-20.

8. **crept** : de **to creep, crept, crept** 1) *ramper, se glisser* 2) **it gives me the creeps** : *cela me donne la chair de poule*.

9. **occur** [ə'kɜ:] = **happen, take place**.

Though to be sure I must admit, I added (for I thought I saw that he was going to bring the objection to bear upon me), men of common sense did not allow much for[1] coincidences in making the ordinary calculations of life.

He again begged to remark that he had not finished.

I again begged his pardon for being betrayed into interruptions.

"This," he said, again laying[2] his hand upon my arm, and glancing over his shoulder with hollow[3] eyes, "was just a year ago. Six or seven months passed, and I had recovered from the surprise and shock, when one morning, as the day was breaking[4], I, standing at the door, looked towards the red light, and saw the spectre again." He stopped, with a fixed look at me.

"Did it cry out[5]?"

"No. It was silent."

"Did it wave its arm?"

"No. It leaned against the shaft[6] of the light, with both hands before the face. Like this."

Once more I followed his action with my eyes. It was an action of mourning[7]. I have seen such an attitude in stone figures on tombs[8].

"Did you go up to it?"

"I came in and sat down, partly to collect my thoughts, partly because it had turned me faint[9].

---

1. **allow...for**: de **to allow for**: *tenir compte de, prendre en compte*. Ex.: **allowing for the circumstances**: *compte tenu des circonstances*, **to allow for all possibilities**: *parer à toute éventualité*.

2. **laying**: de **to lay, laid, laid**: *poser, mettre, étendre*. Au sens figuré, **to lay hands on**: *s'emparer de* (pays, territoire).

3. **hollow**: *creux* (arbre, dent, joue), *cave* (yeux), *caverneux* (voix). **To give a hollow laugh**: *rire jaune*. L'adjectif montre ici l'inquiétude qui ronge le signaleur.

4. **breaking**: voir **daybreak**: *l'aube, le point du jour*.

5. **Did it cry out?**: voir p. 102. Dans les deux cas, la tentative d'élucidation passe par une structure question-réponse, dans laquelle le

Même s'il me faut avouer, lui dis-je (car il me semblait voir poindre son objection suivante), que les personnes sensées font peu de cas des coïncidences dans la routine de leurs prévisions quotidiennes.

Derechef il se permit de me faire observer qu'il n'avait point fini son récit.

Derechef je lui présentai mes excuses pour m'être laissé aller à l'interrompre.

« Cela », dit-il en posant de nouveau la main sur mon bras, et après avoir regardé par-dessus son épaule de ses yeux caves, « se passait il y a tout juste un an. Six ou sept mois passèrent, et j'étais remis de ma surprise et de mon émotion quand un matin, alors que le jour se levait et que j'étais, moi, debout, à la porte, en train de regarder du côté du signal rouge, j'aperçus de nouveau le spectre. »

Il s'arrêta pour me regarder fixement.

« Est-ce qu'il criait ?

— Non. Il était silencieux.

— Remuait-il le bras ?

— Non. Il était appuyé à la colonne du signal, les deux mains recouvrant le visage. Comme ceci. »

Une fois de plus je suivis son geste du regard. C'était une attitude de deuil. J'avais déjà vu pareille attitude dans la pierre des statues funéraires.

« Êtes-vous allé à sa rencontre ?

— Je suis rentré ici et me suis assis, à la fois pour reprendre mes esprits et parce que j'avais failli me trouver mal.

---

narrateur occupe la fonction de l'interrogateur ou de l'investigateur, comme s'il incarnait le monde rationnel.

6. **shaft :** *fût* (colonne), *manche* (outil), *arbre* (automobile), *rayon, trait* (lumière), *flèche* (= **arrow**).

7. **mourning :** *le deuil.* De **to mourn :** *pleurer* (la perte de qqn). **Mourner :** *un parent, un allié, un ami du défunt.*

8. **tombs** [tu:ms] : voir **tombstone :** *pierre tombale.*

9. **faint** [feɪnt] : voir **to feel faint,** *se trouver mal, être pris d'un malaise.* **To faint :** *s'évanouir, défaillir.*

When I went to the door again, daylight was above me, and the ghost was gone."

"But nothing followed? Nothing came of this?"

He touched me on the arm with his forefinger twice or thrice, giving a ghastly[1] nod each time:

"That very day, as a train came out of the tunnel, I noticed, at a carriage[2] window on my side, what looked like a confusion of hands and heads, and something waved. I saw it just in time to signal[3] the driver, Stop! He shut off[4], and put his brake on[5], but the train drifted[6] past here a hundred and fifty yards[7] or more. I ran after it, and, as I went along, heard terrible screams and cries. A beautiful young lady had died instantaneously in one of the compartments, and was brought in here, and laid down on this floor between us."

Involuntarily I pushed my chair back, as I looked from the boards[8] at which he pointed[9] to[10] himself.

"True, sir. True. Precisely as it happened, so I tell it you."

I could think of nothing to say, to any purpose, and my mouth was very dry. The wind and the wires took up the story with a long lamenting wail[11].

He resumed. "Now, sir, mark this, and judge how my mind is troubled. The spectre came back a week ago.

---

1. **ghastly** : *blême, livide* (visage, apparence), *blafard, spectral* (lumière), *horrible, effrayant, affreux, épouvantable.* On remarquera la paronomase avec **ghost** plus haut.
2. **carriage** : *voiture, wagon* (de voyageur).
3. **to signal** : d'où le substantif **signal-man.**
4. **shut off** : *couper, fermer* (gaz), *couper un moteur.*
5. **put his brake** [breɪk] **on** : voir aussi **to apply the brakes** : *freiner.*
6. **drifted** : ici au sens de *fut emporté par son élan.* **To drift** 1) *aller à la dérive, dériver* (bateau) 2) *être poussé, emporté* (courant) 3) *se laisser aller* (moralement). **Past**, qui indique le mouvement, est traduit par *continua*, alors que **drifted**, qui indique la manière, est traduit par *sur sa lancée.* Ex. : **to swim across the river** : *traverser la rivière à la nage.*
7. **yards** : 1 yard = 91,44 cm.
8. **boards** : littéralement, *les planches.* Ex. : les planches au théâtre.

Une fois ressorti, le jour s'était levé, et le fantôme était parti.

— Et c'est tout ? Rien d'autre ? »

Il me toucha le bras de son index à deux ou trois reprises, en hochant à chaque fois la tête d'un air sinistre :

« Le jour même, alors qu'un train sortait du tunnel, je vis à la fenêtre d'un compartiment situé de mon côté comme des mains et des têtes qui s'activaient de manière confuse, et quelque chose qui s'agitait. Il était temps : je fis signe au mécanicien de s'arrêter, il coupa la vapeur, actionna son frein, mais le train continua encore sur sa lancée pendant cent cinquante mètres, peut-être plus. En courant derrière lui, j'entendis des cris et des hurlements terribles. Une très belle jeune femme venait de mourir à l'instant dans l'un des wagons, et c'est ici qu'elle fut transportée, puis étendue sur le plancher, là, entre nous deux. »

Je repoussai ma chaise involontairement et détournai les yeux du plancher en question pour le regarder, lui.

« C'est exact, monsieur. Voilà les faits, exactement comme ils se sont produits. »

J'étais incapable de dire quoi que ce fût de pertinent, et j'avais la gorge sèche. Le vent dans les fils télégraphiques répondit au récit par une longue lamentation funèbre.

Il reprit :

« À présent, monsieur, écoutez bien la suite, et jugez par vous-même à quel point mon esprit a de quoi être perturbé. Le spectre est revenu il y a une semaine.

---

9. **at which he pointed :** *qu'il désignait, qu'il montrait du doigt* **(to point at).**

10. **to :** en corrélation avec **from.** Il faut lire : **as I looked from the boards... to himself.**

11. **wail :** encore une allitération en *w*. Le terme, qui s'applique habituellement à une personne, renforce l'effet fantastique.

Ever since, it has been[1] there, now and again, by fits and starts[2]."

"At the light?"

"At the Danger-light."

"What does it seem to do?"

He repeated, if possible with increased passion and vehemence, that former gesticulation of "For God's sake, clear the way!"

Then he went on. "I have no peace or rest for it[3]. It calls to me, for many minutes together, in an agonized[4] manner, 'Below there! Look out! Look out!' It stands waving to me. It rings my little bell —"

I caught at that[5]. "Did it ring your bell yesterday evening when I was here, and you went to the door?"

"Twice."

"Why, see," said I, "how your imagination misleads[6] you. My eyes were on the bell, and my ears were open to the bell, and if I am a living man, it did NOT ring at those times. No, nor at any other time, except when it was rung[7] in the natural course of physical things[8] by the station communicating with you."

He shook his head. "I have never made a mistake as to that yet, sir. I have never confused the spectre's ring with the man's[9].

---

1. **has been** : après **since**, on utilise le **present perfect** pour exprimer une action qui se prolonge dans le présent (**now and again**).

2. **by fits and starts** : littéralement, *par à-coups*. **A fit** : *un accès, une attaque* (**of coughing** : *une quinte de toux*), *une crise* (**of crying** : *une crise de larmes*). **To fall down in a fit** : *tomber en convulsions.*

3. **for it = because of it.**

4. **agonized** : de **agony** : *angoisse, supplice, douleur atroce.* Ex. : **to suffer agonies** : *souffrir le martyre, mille morts.* Dans la presse britannique, **agony column** : *courrier du cœur.*

5. **I caught at that** : voir **to catch at an opportunity** : *sauter sur une occasion.*

6. **misleads** : de **to mislead (misled, misled)** : *induire en erreur, tromper, égarer.*

Et depuis, je l'ai revu de temps en temps, épisodiquement.

— Près du signal ?

— Près du signal de "Danger".

— Que fait-il, apparemment ? »

Il mima de nouveau, avec — si c'était possible — encore plus de passion et de véhémence, les mêmes gestes qui semblaient dire "Pour l'amour du Ciel, dégagez la voie !"

Puis il poursuivit :

« C'est à cause de lui si je n'ai plus ni répit ni tranquillité. Il m'appelle, pendant plusieurs minutes d'affilée, et me crie, sur un ton angoissé, "Vous, là-bas ! Attention ! Attention !" Il se tient debout, à me faire des signes, il déclenche ma petite sonnerie... »

Je saisis l'occasion.

« A-t-il déclenché votre sonnerie hier soir quand j'étais là, et que vous êtes allé à la porte ?

— Par deux fois.

— Eh bien », lui dis-je, « voyez comme votre imagination vous égare. Je n'ai pas quitté la sonnerie des yeux ni cessé de tendre l'oreille, et si je suis bien ici, en chair et en os, alors je puis vous dire qu'elle n'a PAS retenti ces deux fois-là. Non monsieur, ni les autres fois, sauf quand elle était déclenchée, le plus naturellement du monde, par la gare qui entrait en communication avec vous. »

Il me fit signe que non.

« Jusqu'à présent, monsieur, je n'ai jamais commis d'erreur sur ce point. Je n'ai jamais confondu la sonnerie du spectre avec une sonnerie humaine.

---

7. **when it was rung : to ring, rang, rung.**

8. **in the natural course of physical things :** le narrateur propose encore une interprétation de type rationaliste (voir note 8, p. 105).

9. **the man's = the man's ring.**

The ghost's ring is a strange vibration in the bell that it derives[1] from nothing else, and I have not asserted that the bell stirs[2] to the eye. I don't wonder that you failed to hear it. But *I* heard it."

"And did the spectre seem to be there, when you looked out?"

"It WAS there."

"Both times?"

He repeated firmly: "Both times."

"Will[3] you come to the door with me, and look for it now?"

He bit[4] his under lip as though he were somewhat unwilling, but arose. I opened the door, and stood on the step, while he stood in the doorway. There was the Danger-light. There was the dismal mouth of the tunnel. There were the high, wet stone walls of the cutting. There were the stars above them[5].

"Do you see it?" I asked him, taking particular note[6] of his face. His eyes were prominent and strained[7], but not very much more so, perhaps, than my own had been when I had directed them earnestly towards the same spot.

"No," he answered. "It is not there."

"Agreed," said I.

We went in again, shut the door, and resumed our seats. I was thinking how best to improve[8] this advantage, if it might be called one,

---

1. **derives** [dɪ'raɪvz] = **takes. To derive from**: *dériver de, provenir de, venir de, avoir sa source dans*. Ex.: **it all derives from the fact that**: *tout cela tient au fait que*.

2. **stirs** = **moves.**

3. **Will**: marque la volonté dans la formule de politesse **Will you come**. Par opposition, **unwilling** plus bas indique un manque d'empressement (= **reluctant**).

4. **bit**: de **to bite, bit, bitten**: *mordre*.

5. **the stars above them**: partant du signal de danger pour arriver aux étoiles, le regard du narrateur ne cesse de s'élever, comme si le phénomène devait être replacé dans un contexte spatial plus vaste.

Celle du fantôme consiste en une étrange vibration de la sonnette qui ne provient que d'elle-même, et je n'ai pas dit que cette vibration était perceptible à l'œil nu. Je ne m'étonne pas qu'elle ait échappé à votre ouïe. Mais je l'ai entendue, *moi.*

— Et avez-vous eu l'impression que le spectre était là, quand vous avez regardé au-dehors ?

— Il ÉTAIT là.

— Les deux fois ? »

Il répéta, sans sourciller :

« Les deux fois.

— Voulez-vous m'accompagner jusqu'à la porte pour voir s'il est là en ce moment ? »

Il se mordit la lèvre inférieure et sembla hésiter, mais il se leva. J'ouvris la porte et m'avançai sur le seuil, tandis qu'il demeurait dans l'embrasure de la porte. On voyait le signal rouge de "Danger". On voyait le sinistre orifice du tunnel. On voyait les hautes parois rocheuses et humides de la tranchée. On voyait les étoiles au-dessus.

« Vous l'apercevez ? » lui demandai-je, en observant minutieusement son visage. Ses yeux étaient exorbités et tendus, mais guère plus que les miens, j'imagine, lorsque je les avais dirigés vers le même endroit.

« Non », répondit-il, « Il n'est pas là.

— Nous sommes d'accord », lui dis-je.

Et nous voici rentrés, la porte fermée, à nos places. Je me demandais comment tirer le meilleur parti de cet avantage (si c'en était un),

---

6. **note = notice. To take note of :** *prendre* (bonne) *note de, remarquer, observer.*

7. **strained :** voir **to strain one's eyes :** *se fatiguer, s'abîmer les yeux.* **To strain one's ears :** *tendre l'oreille.*

8. **to improve** [ɪm'pru:v] : *améliorer, tirer parti de, profiter de.*

when he took up[1] the conversation in such a matter-of-course way, so assuming[2] that there could be no serious question of fact[3] between us, that I felt myself placed in the weakest of positions.

"By this time you will fully understand, sir," he said, "that what troubles me so dreadfully is the question: What does the spectre mean?"

I was not sure, I told him, that I did fully understand.

"What is it warning against?" he said, ruminating, with his eyes on the fire, and only by times turning them on me. "What is the danger? Where is the danger? There is danger overhanging[4] somewhere on the Line. Some dreadful calamity will happen. It is not to be doubted this third time, after what has gone before. But surely this is a cruel haunting of *me*. What can *I* do?"

He pulled out his handkerchief, and wiped the drops from his heated forehead.

"If I telegraph Danger, on either side of me[5], or on both, I can give no reason for it," he went on, wiping the palms of his hands. "I should get into trouble, and do no good. They would think I was mad. This is the way it would work: Message: 'Danger! Take care!' Answer: 'What Danger? Where?' Message: 'Don't know. But, for God's sake, take care!' They[6] would displace[7] me. What else could they do?"

---

1. **took up = resumed.** Voir note 1, p. 88.

2. **assuming = supposing. Assuming this to be true :** *en admettant que ceci soit vrai.* **Let us assume that :** *admettons, supposons que.*

3. **no serious question of fact :** à ce stade, la vraie question, pour le signaleur, n'est plus de savoir si l'apparition est "réelle" ou non (ce que le narrateur continue à se demander), mais plutôt de savoir ce qu'elle signifie : "que veut donc dire le spectre ?", et non pas "le spectre existe-t-il ?". On trouve une progression comparable au début d'***Hamlet***, où la question de l'existence même du spectre fait bientôt place à celle du message qu'il veut transmettre. La différence majeure entre les deux spectres est que celui de Dickens annonce l'avenir, alors que celui de Shakespeare raconte le passé.

4. **overhanging :** de **to overhang** 1) *surplomber, faire saillie au-dessus de* (rocher, balcon) 2) *planer sur* (fumée, brume) 3) *menacer* (danger).

lorsqu'il reprit la conversation sur un ton si ordinaire (comme si la question des faits ne se posait pas entre nous) que je me sentis placé dans une position extrêmement fragile.

« À présent, monsieur, vous comprenez », dit-il, « que ce qui me perturbe si affreusement se résume à une question : que veut donc dire le spectre ? »

Je lui avouai que je n'étais pas sûr d'avoir bien compris.

« De quoi cherche-t-il à m'avertir ? » dit-il, le regard égaré sur le feu, et rarement fixé sur ma personne. « Quel est ce danger ? Où est ce danger ? Il y a un danger qui plane quelque part sur la voie ferrée. Une terrible catastrophe va arriver. C'est la troisième fois : comment en douter, après tout ce qui s'est passé ? Mais n'est-ce pas là *me* hanter cruellement ? Que puis-je faire, *moi* ? »

Il sortit son mouchoir pour essuyer son front brûlant.

« Supposons que je déclenche l'alarme d'un côté ou de l'autre, voire des deux, je serais incapable de fournir la moindre explication », poursuivit-il, en s'épongeant les mains. « Je m'attirerais des ennuis, un point c'est tout. On me prendrait pour un fou. Je vois ça d'ici : Message : "Attention ! Danger !" Réponse : "Quel Danger ? Et où ?" Message : "Aucune idée. Mais faites attention, pour l'amour du Ciel !" On me mettrait à la porte. Que pourrait-on faire d'autre ? »

---

5. **on either side of me** : littéralement, *de chaque côté de moi*. Le signaleur s'est pleinement identifié avec la voie ferrée dont il a la charge.

6. **They** : à la fois le *on* français, et, dans cette page, le *ils* opposé au *je*, les autres, la société, incapables de le comprendre.

7. **displace** [dɪs'pleɪs] : 1) *déplacer, changer de place* 2) *destituer, renvoyer, mettre à la porte* (personne). **Displacement** : *déplacement, destitution, remplacement*.

His pain of mind was most pitiable to see. It was the mental torture of a conscientious man, oppressed beyond endurance by an unintelligible responsibility involving life[1].

"When it first stood under the Danger-light," he went on, putting his dark hair back from his head, and drawing his hands outward across and across his temples in an extremity of feverish distress, "why not tell me where that accident was to happen, —if it must happen? Why not tell me how it could be averted[2],— if it could have been averted? When on its second coming[3] it hid its face, why not tell me, instead, 'She is going to die. Let them keep her at home?' If it came, on those two occasions, only to show me that its warnings were true, and so to prepare me for the third, why not warn me plainly[4] now? And I, Lord help me[5]! A mere poor signal-man on this solitary station! Why not go to somebody with credit to be believed, and power to act?"

When I saw him in this state, I saw that for the poor man's sake, as well as for the public safety, what I had to do for the time was to compose his mind. Therefore, setting aside all question of reality or unreality between us, I represented[6] to him that whoever thoroughly discharged[7] his duty must do well, and that at least it was his comfort[8] that he understood his duty,

---

1. **involving life** : littéralement, *impliquant la vie.*

2. **averted = avoided. To avert** [ə'vɜ:t] : *prévenir, éviter* (accident), *détourner, parer* (coup).

3. **second coming** : l'expression utilisée ici pour désigner la deuxième apparition du spectre serait banale si elle ne désignait pas, dans l'anglais du Nouveau Testament, le second avènement du Messie, c'est-à-dire la venue glorieuse du Christ à la fin des temps (voir 1 Thessaloniciens, 4:15 ; 2 Pierre, 3:4 ; 1 Jean, 2:28). Comme Hogg (voir note 3, p. 54), Dickens ne fait cependant que subvertir la référence biblique, puisqu'au lieu du Messie, c'est plutôt un "ange de Satan" dont il s'agit ici : "Et parce que ces révélations étaient extraordinaires, pour m'éviter tout orgueil, il a été mis une écharde dans ma chair, un ange de Satan chargé de me frapper, pour m'éviter tout orgueil. À ce

Le tourment de son esprit faisait peine à voir. C'était une véritable torture mentale pour cet homme consciencieux qui était écrasé de manière insupportable par le poids de ces vies humaines dont il était mystérieusement responsable.

« La première fois que je l'ai vu sous le signal de "Danger", reprit-il en rejetant ses cheveux noirs en arrière et en se passant plusieurs fois les mains sur les tempes dans un accès de fébrilité et d'angoisse, "pourquoi ne m'a-t-il pas indiqué l'endroit où l'accident allait se produire — si tant est qu'il dût se produire ? Pourquoi ne pas me dire comment l'éviter — si tant est qu'on pût l'éviter ? La deuxième fois, pourquoi ne pas me dire, au lieu de rester le visage caché, "Elle va mourir. Surtout, qu'elle reste chez elle" ? À supposer qu'il soit venu, ces deux fois-là, dans le seul but de me prouver la justesse de ses mises en garde, et donc me préparer à la troisième, pourquoi maintenant ne pas m'avertir carrément ? Et pourquoi moi, mon Dieu, un pauvre signaleur affecté à ce poste solitaire ! Pourquoi ne pas s'adresser à quelqu'un de haut placé, qui serait cru sur parole et qui pourrait agir ? »

Quand je le vis dans cet état, mon devoir immédiat m'apparut tout tracé, tant dans l'intérêt du malheureux que dans l'intérêt de tous : il fallait avant tout l'apaiser. C'est pourquoi, en laissant de côté notre divergence sur la réalité ou l'irréalité du phénomène, je lui fis valoir que quiconque accomplissait pleinement son devoir était dans la bonne voie, et qu'il était au moins réconfortant pour lui de comprendre là où était son devoir,

---

sujet, par trois fois, j'ai prié le Seigneur de l'écarter de moi" (2 Corinthiens, 12 :7-8). Le spectre vient trois fois.

4. **plainly** : *clairement, manifestement, sans détour, carrément.*
5. **Lord help me!** : *"j'ai prié le Seigneur..."*
6. **represented = explained, exposed.**
7. **discharged = performed.**
8. **comfort** ['kʌmfət] : ici au sens de *consolation, réconfort,* et non de confort.

though he did not understand these confounding[1] Appearances. In this effort I succeeded far better than in the attempt to reason him out of his conviction[2]. He became calm; the occupations incidental to[3] his post as the night advanced began to make larger demands[4] on his attention: and I left him at two in the morning. I had offered to stay through the night, but he would not[5] hear of it.

That I more than once looked back at the red light as I ascended the pathway, that I did not like the red light, and that I should have slept but poorly if my bed had been under it, I see no reason to conceal[6]. Nor did I like the two sequences of the accident and the dead girl. I see no reason to conceal that either.

But what ran most in my thoughts was the consideration how ought I to act, having become the recipient of this disclosure? I had proved[7] the man to be intelligent, vigilant, painstaking[8], and exact; but how long might he remain so, in his state of mind? Though in a subordinate position, still he held a most important trust, and would I (for instance) like to stake[9] my own life on the chances of his continuing to execute it with precision?

Unable to overcome[10] a feeling that there would be something treacherous[11] in my communicating what he had told me to his superiors in the Company, without first being plain with himself and proposing a middle course to him,

---

1. **confounding = perplexing, puzzling.**
2. **to reason him out of his conviction**: voir **to reason somebody out of his folly**: *ramener qqn à la raison.*
3. **incidental to**: *qui accompagne, qui comporte.* Ex.: **the dangers incidental to such exploration**: *les dangers que comporte une telle exploration.*
4. **demands** [dɪ'mɑːndz]: *exigences.*
5. **would not = refused to.**
6. **to conceal = to hide** (littéraire).
7. **I had proved**: le verbe **to prove** laisse entendre que le narrateur est (ou se prend pour) une sorte de détective qui cherche à accumuler des preuves. Comme dans ***The Strange Case of Dr. Jekyll and Mr. Hyde***

même s'il ne comprenait pas le sens de ces Apparitions déconcertantes. Cette tentative s'avéra plus réussie que mes précédents efforts visant à lui démontrer son aberration. Il se calma. Plus la nuit avançait, plus son attention était requise par les devoirs afférents à sa charge, et je le quittai sur le coup de deux heures du matin. J'avais proposé de rester avec lui toute la nuit, mais il n'avait pas voulu en entendre parler.

Pourquoi le cacher ? À plusieurs reprises, au cours de la montée, je me suis retourné pour regarder ce signal rouge qui ne me disait rien qui vaille, et qui m'aurait fait passer une bien mauvaise nuit s'il avait été placé au-dessus de mon lit. Je ne vois pas non plus l'intérêt qu'il y aurait à cacher le fait que je n'aimais pas mieux cette histoire d'accident suivie par celle de la jeune fille morte.

Mais ce qui occupait le plus mes pensées était la question suivante : comment agir après avoir recueilli ces confidences ? Je savais cet homme intelligent, vigilant, consciencieux et ponctuel ; mais pour combien de temps, vu son état d'esprit actuel ? Certes, sa fonction était subalterne, mais il n'en assumait pas moins de lourdes responsabilités : étais-je par exemple disposé à parier ma propre existence sur les chances qu'il avait de mener à bien sa tâche avec la même précision ?

Incapable de repousser l'idée qu'il y aurait quelque chose de déloyal à communiquer ce qu'il m'avait dit à ses supérieurs hiérarchiques sans lui en parler et lui proposer un compromis,

---

avec le personnage du notaire, l'ironie vient ici du fait que le "détective" à l'esprit positiviste et rationaliste ne peut que passer à côté des phénomènes sur lesquels il enquête, même s'il en ressent l'inquiétante étrangeté.

8. **painstaking** : *assidu, appliqué, soigneux, consciencieux.*

9. **stake** [steɪk] : *jouer, risquer, parier, miser sur.* **A stake** : *un enjeu* (pari). **The stakes** : *course de chevaux.*

10. **to overcome** : *vaincre, triompher de, surmonter, dominer.*

11. **treacherous** ['tretʃərəs] : voir aussi **treachery** ['tretʃərɪ], *traîtrise, déloyauté.*

I ultimately resolved to offer to accompany him (otherwise keeping his secret for the present) to the wisest medical practitioner[1] we could hear of in those parts[2], and to take his opinion. A change in his time of duty would come round[3] next night, he had apprised me[4], and he would be off an hour or two after sunrise, and on again soon after sunset. I had appointed to return accordingly[5].

Next evening was a lovely evening, and I walked out early to enjoy it. The sun was not yet quite down when I traversed the field-path near the top of the deep cutting. I would extend my walk for an hour, I said to myself, half an hour on and half an hour back, and it would then be time to go to my signal-man's box.

Before pursuing my stroll[6], I stepped to the brink[7], and mechanically looked down, from the point from which I had first seen him. I cannot describe the thrill[8] that seized upon me, when, close at the mouth of the tunnel, I saw the appearance of a man, with his left sleeve across his eyes[9], passionately waving his right arm.

The nameless horror that oppressed me passed in a moment, for in a moment I saw that this appearance of a man was a man indeed, and that there was a little group of other men, standing at a short distance[10], to whom he seemed to be rehearsing[11] the gesture he made. The Danger-light was not yet lighted[12].

---

1. **medical practitioner**: *médecin*. Voir aussi **general practitioner**: *médecin généraliste*.

2. **in those parts** = **in that region**. On remarquera que Dickens ne situe jamais le lieu de l'action.

3. **come round** = **take place, happen**.

4. **apprised me** = **told, informed me**.

5. **accordingly**: *en conséquence*.

6. **stroll** [strəʊl]: *petite promenade*. Ex.: **to go for a stroll**: *aller faire un tour*.

7. **the brink**: *le bord*. Voir aussi l'expression **on the brink of**: *à deux doigts de* (**doing something**: *faire qqch.*).

8. **thrill**: *frisson, sensation, émotion*. **A thriller**: *roman* ou *film à suspense*.

je finis par me résoudre à lui proposer de l'accompagner (sans dévoiler son secret pour l'instant) chez le meilleur médecin disponible dans la région, en vue d'une consultation. Ses horaires de service devaient changer le lendemain soir, m'avait-il dit ; il serait libre une heure ou deux après le lever du jour, et reprendrait son travail à la tombée de la nuit, moment convenu pour ma visite.

Le lendemain soir, le temps était très plaisant et je sortis de bonne heure pour en profiter. Le soleil n'avait pas encore tout à fait disparu à l'horizon lorsque j'empruntai, à travers champs, le chemin qui menait à la grande tranchée. Je décidai de prolonger ma promenade d'une heure, une demi-heure aller, une demi-heure retour, après quoi il serait temps de retrouver mon signaleur.

Avant d'aller plus loin dans ma promenade, j'avançai jusqu'au bord et jetai un regard machinal vers le bas, depuis l'endroit où je l'avais vu la première fois. Je ne saurais décrire le frisson qui me saisit lorsque je vis, à l'entrée même du tunnel, une apparition à forme humaine dont le bras gauche cachait le visage et dont le bras droit s'agitait frénétiquement.

L'indicible horreur qui m'avait envahi fut de courte durée, car je m'aperçus au bout d'un instant que cette apparition à forme humaine était bel et bien un homme, et qu'il y avait, non loin de lui, un petit groupe d'autres hommes pour lequel il semblait refaire son geste. Le signal de "Danger" n'était pas encore allumé.

---

9. **with his left sleeve across his eyes**: voir p. 102.

10. **at a short distance ≠ in the distance**: *au loin, dans le lointain.*

11. **rehearsing** [rɪ'hɜ:sɪŋ] : le mot appartient au vocabulaire théâtral (**to rehearse**: *répéter,* **a rehearsal**: *une répétition*). Voir **imitated**, le dernier mot de la nouvelle (p. 126).

12. **The Danger-light was not yet lighted**: dans quel sens faut-il interpréter ce détail ?

Against its shaft, a little low hut, entirely new to me, had been made of some wooden supports and tarpaulin[1]. It looked no bigger than a bed.

With an irresistible sense that something was wrong, — with a flashing self-reproachful fear that fatal mischief had come of my leaving the man there, and causing no one to be sent to overlook[2] or correct what he did, — I descended the notched path with all the speed I could make[3].

"What is the matter?" I asked the men.

"Signal-man killed this morning, sir[4]."

"Not the man belonging to[5] that box?"

"Yes, sir."

"Not the man I know?"

"You will recognise him, sir, if you knew him," said the man who spoke for the others, solemnly uncovering his own head, and raising an end of the tarpaulin, "for his face is quite composed[6]."

"Oh, how did this happen, how did this happen?" I asked, turning from one to another as the hut closed in again.

"He was cut down[7] by an engine[8], sir. No man in England knew his work better. But somehow he was not clear of the outer rail[9]. It was just at broad day[10]. He had struck the light, and had the lamp in his hand.

---

1. **tarpaulin** [tɑ:'pɔ:lɪn] : *toile goudronnée, bâche, prélart.*

2. **to overlook** : ici = **to supervise**. Dans un autre contexte, 1) *donner sur, avoir vue sur* (maison) 2) *oublier, laisser échapper* (fait, détail) 3) *laisser passer, fermer les yeux sur.*

3. **all the speed I could make** : **to make speed** : *aller à toute allure.*

4. La nouvelle est annoncée sur le mode d'une dépêche télégraphique.

5. **belonging to** : littéralement, *appartenant à.*

6. **composed** = **calm, collected**. Le contraste entre le visage hagard du signaleur vivant et la sérénité de son visage une fois mort est ici frappant.

7. **cut down** : de **to cut down** : *couper, abattre* (arbre), *faucher* (blé), *terrasser* (qqn par une maladie).

Adossée à la colonne, une petite tente basse — que je n'avais jamais vue auparavant — avait été dressée à l'aide de piquets et de bâches, apparemment pas plus grande qu'un lit.

Avec le pressentiment irrésistible que quelque chose était arrivé, — et la crainte immédiate que, par ma faute, un incident fatal s'était produit pour l'avoir laissé là, sans appeler quelqu'un capable de surveiller ou de contrôler ses faits et gestes — je descendis les lacets à toutes jambes.

« Que se passe-t-il » ? demandai-je aux hommes en question.

« Signaleur tué ce matin, monsieur.

— Pas l'homme de cette cabine ?

— Si, monsieur.

— Pas celui que je connais ?

— Si vous le connaissez, vous le reconnaîtrez », dit le porte-parole du groupe, en se découvrant avec solennité et en soulevant un coin de la bâche, « car son visage est très serein.

— Oh... Comment est-ce arrivé ? Comment est-ce arrivé ? » demandai-je en les regardant tour à tour, tandis que la tente se refermait.

« Il a été fauché par une locomotive, monsieur. Personne en Angleterre ne connaissait mieux son métier. Mais il semble qu'il soit resté trop près de la voie ferrée. C'était juste au lever du jour. Il venait d'éteindre le signal et il avait sa lanterne à la main.

---

8. **engine** : dans le contexte ferroviaire, *une locomotive*. Ex. : **engine driver** : *mécanicien*.

9. **he was not clear of the outer rail** : littéralement, *il encombrait le rail extérieur*.

10. **just at broad day** : c'est traditionnellement au lever du jour que les vampires (voir ***Dracula***, de Bram Stoker, 1897) et autres créatures maléfiques doivent rentrer dans leur royaume des ténèbres. Le nouvel horaire du signaleur (p. 122) confirme l'association : il disparaît après le lever du soleil, et revient après son coucher.

As the engine came out of the tunnel, his back was towards her[1], and she cut him down. That man drove her, and was showing how it happened. Show the gentleman, Tom."

The man, who wore a rough dark[2] dress, stepped back to his former place at the mouth of the tunnel.

"Coming round the curve in the tunnel, sir," he said, "I saw him at the end, like as if I saw him down a perspective-glass. There was no time to check speed, and I knew him to be very careful. As he didn't seem to take heed of[3] the whistle, I shut it off when we were running down upon him, and called to him as loud as I could call."

"What did you say?"

"I said, 'Below there! Look out! Look out! For God's sake, clear the way!'"

I started.

"Ah! it was a dreadful time, sir. I never left off[4] calling to him. I put this arm before my eyes not to see, and I waved this arm to the last; but it was no use."

Without prolonging the narrative to dwell on[5] any one of its curious circumstances more than on any other, I may, in closing it, point out the coincidence that the warning of the engine-driver included, not only the words[6] which the unfortunate signal-man had repeated to me as haunting him, but also the words[7] which I myself —not he— had attached, and that only in my own mind, to the gesticulation he had imitated[8].

---

1. **his back was towards her** : à comparer avec **"with a very disagreeable sensation of a train coming behind me"** (p. 100). En anglais, locomotives et bateaux sont féminins.

2. **dark** : la couleur est importante. Traditionnellement associée au Mal et au Diable, c'est elle qui prédominait déjà dans la description du signaleur : **"a dark sallow man, with a dark beard"** (p. 88), **"his dark hair"** (p. 118).

3. **take heed of = pay attention to.** Voir **heedless (of)** : *étourdi, insouciant, inattentif à*. **Heedless of danger** : *sans se soucier du danger*.

4. **left off = stopped.**

Quand la machine est sortie du tunnel, il lui tournait le dos, et elle l'a fauché. Tenez, voilà le conducteur du train : c'est lui qui faisait voir comment ça s'était passé. Montre un peu à monsieur, Tom. »

Le mécanicien, qui portait une salopette sombre, reprit sa place à l'entrée du tunnel.

« J'étais sorti de la courbe du tunnel, monsieur, quand je l'ai aperçu à l'autre bout, tenez, comme s'il était au bout d'une lorgnette. C'était trop tard pour ralentir, mais je savais qu'il était très prudent. Comme il n'avait pas l'air de faire attention au sifflet, j'ai arrêté au moment où on arrivait droit sur lui, et j'ai crié autant que j'ai pu.

— Qu'avez-vous dit ?

— J'ai dit "Vous, là-bas ! Attention ! Attention ! Pour l'amour du Ciel, dégagez la voie !" »

J'eus un sursaut.

« Ah ! C'était affreux, monsieur. Je n'ai pas cessé de l'appeler. J'ai mis ce bras-ci devant mes yeux pour ne pas voir la collision, et j'ai fait signe de l'autre jusqu'au bout, mais peine perdue. »

Sans vouloir prolonger ce récit en mettant l'accent sur tel ou tel détail étrange au détriment d'un autre, je me permettrais, en conclusion, de souligner la coïncidence suivante : l'avertissement lancé par le mécanicien comprenait non seulement les paroles qui hantaient le malheureux signaleur et qu'il m'avait rapportées, mais aussi les mots que j'avais, moi — et non lui —, fait correspondre, et dans mon esprit seulement, aux gestes qu'il avait mimés.

---

5. **to dwell on** : *s'arrêter sur, s'étendre sur, s'appesantir sur* (sens figuré). **To dwell (dwelt, dwelt)** : *habiter, demeurer, résider* (sens concret).

6. **the words : "Below there! Look out! Look out!"** (p. 112).

7. **but also the words : "For God's sake, clear the way!"** (p. 102).

8. On pourra comparer la nouvelle de Dickens avec celle de Marcel Schwob intitulée "Le Train 081" (dans *Cœur double*, 1891), avec une même utilisation, à des fins fantastiques, du contexte ferroviaire et du dédoublement.

Robert Louis STEVENSON (1850-1894)

Chassez le naturel, il revient au galop. Lorsque le docteur Wolfe Macfarlane, un riche praticien londonien, arrive dans un hôtel pour soigner un malade par une sombre soirée d'hiver, il ne se doute pas qu'il va se retrouver en face d'une vieille connaissance : « On ne se débarrasse pas comme ça de ses amis. » Pourquoi un tel effroi devant cet homme (aujourd'hui déchu) qu'il n'a pas revu depuis des années ? Une phrase suffira pour que le docteur prenne la fuite. Épousant à son tour le mécanisme de l'éternel retour du refoulé, le conte de Stevenson apparaît comme un "flash-back" qui plonge le lecteur dans le monde interlope des déterreurs de cadavres, avec ces étudiants en médecine prêts à tout pour satisfaire les besoins de leurs supérieurs en "sujets" humains : il faut que les tables à dissection soient toujours abondamment fournies. On se souvient que le docteur Frankenstein hantait lui aussi charniers et cimetières avec un "enthousiasme surnaturel" (*Frankenstein*, chap. 4) afin de découvrir le secret de la vie : « Pour découvrir les causes de la vie, il faut d'abord se tourner vers la mort », disait-il. En cette fin de XIXe siècle positiviste, Stevenson montre à son tour, en s'appuyant cette fois sur un fait divers authentique, qu'un excès de zèle pseudo-scientifique débouche inévitablement sur le surnaturel et l'épouvante : dans le droit fil de *Dr Jekyll et Mr Hyde*, il donne alors au lecteur une véritable leçon sur l'anatomie du remords.

The Body Snatcher

Le Voleur de cadavres

Every night in the year, four of us sat in the small parlour[1] of the George[2] at Debenham —the undertaker[3], and the landlord, and Fettes, and myself. Sometimes there would be more; but blow high, blow low[4], come rain or snow or frost, we four would be each planted in his own particular armchair. Fettes was an old drunken Scotsman, a man of education obviously, and a man of some property, since he lived in idleness[5]. He had come to Debenham years ago, while still young, and by a mere continuance of living had grown to be an adopted townsman. His blue camlet cloak was a local antiquity, like the church-spire. His place in the parlour at the George, his absence from church, his old, crapulous, disreputable vices, were all things of course in Debenham. He had some vague Radical opinions and some fleeting[6] infidelities, which he would now and again set forth and emphasize with tottering[7] slaps upon the table. He drank rum[8] —five glasses regularly every evening; and for the greater portion of his nightly visit to the George sat, with his glass in his right hand, in a state of melancholy alcoholic saturation. We called him the Doctor, for he was supposed to have some special knowledge of medicine and had been known, upon a pinch[9], to set a fracture or reduce a dislocation; but beyond[10] these slight particulars, we had no knowledge of his character and antecedents.

---

1. **parlour** ['pɑ:lə] : *petit salon* (maison), *arrière-salle* (café), *parloir* (couvent).

2. **the George** : vraisemblablement l'un des rois d'Angleterre portant ce prénom, fréquemment repris comme nom d'auberge ou d'hôtel à travers le Royaume-Uni. L'enseigne de l'établissement (**sign**, p. 138) représentait une effigie du Roi.

3. **undertaker** : il n'est pas indifférent que l'entrepreneur de pompes funèbres soit ici placé en tête de l'énumération. Le ton de la nouvelle est déjà donné.

4. **blow high, blow low** : littéralement, *qu'il vente fort, qu'il vente peu.*

5. **in idleness** : R.L. Stevenson a écrit un essai intitulé *"Une Apologie des oisifs"* (***An Apology for Idlers***, 1877).

Chaque soir de l'année nous nous retrouvions tous les quatre dans la petite salle du *George*, à Debenham — l'entrepreneur des pompes funèbres, l'aubergiste, Fettes, et moi-même. Parfois la compagnie était plus nombreuse; mais par tous les temps, qu'il pleuve, qu'il neige ou qu'il gèle, nous étions là tous les quatre, chacun à la place inamovible qui lui était réservée. Fettes était un vieil Écossais ivrogne, incontestablement cultivé, aisé qui plus est, car il vivait dans l'oisiveté. Il s'était installé à Debenham des années auparavant, quand il était encore jeune, et en se contentant d'y résider avait fini par se faire adopter par la communauté. Son manteau de camelot bleu était une antiquité locale au même titre que le clocher de l'église. Sa place dans la petite salle du *George*, son absence à la messe, sa mauvaise réputation, ses vieux vices crapuleux, tout cela allait de soi, à Debenham. Il avait de vagues opinions radicales et des infidélités fugaces dont il faisait état régulièrement en martelant la table de sa main titubante. Il buvait du rhum, au rythme habituel de cinq verres par soirée; et pendant la plus grande partie de sa visite vespérale au *George*, restait assis, le verre dans la main droite, dans un état mélancolique de saturation alcoolique. Nous l'appelions le Docteur, car il était censé posséder des connaissances particulières sur le plan médical: on l'avait vu, au besoin, être capable de réduire une fracture ou une luxation. Mais à part ces menus détails, nous ignorions tout de sa personnalité et de son passé.

---

6. **fleeting**: *fugace, fugitif, passager, éphémère*. Ex.: **a fleeting visit**: *une visite éclair, en coup de vent.*

7. **tottering**: de **to totter**: *chanceler, vaciller, tituber.*

8. **He drank rum**: également la boisson favorite du vieux loup de mer Billy Bones dans les premiers chapitres de *L'Ile au trésor*. Lui aussi a un passé tumultueux qu'il tente de cacher.

9. **upon a pinch**: voir aussi **at a pinch**: *à la limite, à la rigueur.*

10. **beyond**: littéralement, *au-delà de.*

One dark winter night —it had struck nine some time before the landlord[1] joined us— there was a sick man in the George, a great neighbouring proprietor[2] suddenly struck down with apoplexy on his way to Parliament; and the great man's still greater London doctor had been telegraphed to his bedside. It was the first time that such a thing had happened in Debenham, for the railway was but newly open, and we were all proportionately moved by the occurrence[3].

'He's come', said the landlord, after he had filled and lighted his pipe.

'He?' said I. 'Who? —not the doctor?'

'Himself,' replied our host.

'What is his name?'

'Dr. Macfarlane,' said the landlord.

Fettes was far through his third tumbler[4], stupidly fuddled[5], now nodding over, now[6] staring mazily[7] around him; but at the last word he seemed to awaken and repeated the name 'Macfarlane' twice, quietly enough the first time, but with sudden emotion at the second.

'Yes,' said the landlord, 'that's his name, Doctor Wolfe Macfarlane.'

Fettes became instantly sober; his eyes awoke, his voice became clear, loud and steady, his language forcible and earnest. We were all startled by the transformation[8], as if a man had risen from the dead[9].

---

1. **landlord**: propriétaire d'un pub, d'une auberge ou d'un hôtel = *patron, aubergiste.*

2. **proprietor** [prə'praɪətə] = **landed proprietor**, *propriétaire terrien* ou *châtelain* qui, dans l'Angleterre traditionnelle, était aussi membre du Parlement. L'image du **country squire** pris d'apoplexie sur la route de Londres semble tirée d'un roman picaresque du XVIIIe, dont Fielding (***Tom Jones***, 1749) ou Smollett (***Roderick Random***, 1748) sont les meilleurs représentants en Angleterre.

3. **occurrence** = **event**.

4. **tumbler** = **glass**. Également au sens de *gobelet.*

5. **fuddled**: *éméché, gris* (= **tipsy**).

6. **now... now**: *tantôt... tantôt.*

Par une sombre soirée d'hiver — neuf heures avaient déjà sonné un certain temps avant que l'aubergiste ne vienne se joindre à nous —, il y eut au *George* un homme de malade, un gros propriétaire des environs brusquement frappé d'apoplexie tandis qu'il se rendait au Parlement, et l'on avait télégraphié à Londres pour dépêcher au chevet de ce grand homme un médecin encore plus grand. C'était la première fois que pareille chose se produisait à Debenham, car l'inauguration du chemin de fer était encore toute récente, et notre émoi commun était à la mesure de l'événement.

« Il est ici », dit le patron, après avoir bourré et allumé sa pipe.

« Qui, "il"? » demandai-je. « Pas le docteur ?

— En personne », répondit notre hôte.

« Comment s'appelle-t-il ?

— Le docteur Macfarlane », répondit-il.

Fettes avait déjà largement entamé son troisième verre. Il était abruti par l'ivresse, tantôt dodelinant de la tête, tantôt regardant autour de lui l'air hébété. Mais au dernier mot il manifesta des signes de réveil, et répéta deux fois le nom "Macfarlane", assez doucement la première fois, mais avec une brusque émotion la deuxième.

« Oui », dit le patron, « c'est comme ça qu'il s'appelle. Le docteur Wolfe Macfarlane. »

Fettes se dégrisa sur-le-champ. Son regard s'éclaira, sa voix s'éclaircit, se fortifia, s'affermit, son discours gagna en conviction et en sérieux. Nous fûmes tous ébahis par ce changement à vue qui ressemblait à une résurrection.

---

7. **mazily :** de **maze** [meɪz], *dédale, labyrinthe* (ex. : **Hampton Court Maze :** *le labyrinthe du château d'Hampton Court*). **To be in a maze :** *être complètement désorienté.*

8. **transformation :** au sens fort : *changement à vue, métamorphose.*

9. **risen from the dead :** expression biblique utilisée pour la résurrection du Christ (voir en français, "se relever d'entre les morts", Jean, 20 :9), qui annonce le motif du "Résurrectionniste" dans la nouvelle (voir p. 178).

'I beg your pardon,' he said, 'I am afraid I have not been paying much attention to your talk. Who is this Wolfe[1] Macfarlane?' And then, when he had heard the landlord out[2], 'It cannot be, it cannot be,' he added; 'and yet I would like well to see him face to face.'

'Do you know him, Doctor?' asked the undertaker, with a gasp.

'God forbid[3]!' was the reply. 'And yet the name is a strange[4] one; it were too much to fancy two[5]. Tell me, landlord, is he old?'

'Well,' said the host, 'he's not a young man, to be sure, and his hair is white; but he looks younger than you.'

'He is older, though; years older. But,' with a slap upon the table[6], 'it's the rum you see in my face —rum and sin. This man, perhaps, may have an easy conscience and a good digestion. Conscience! Hear me speak. You would think I was some good, old, decent Christian, would you not? But no, not I; I never canted[7]. Voltaire might have canted if he'd stood in my shoes; but the brains' —with a rattling fillip[8] on his bald head— 'the brains were clear and active and I saw and made no deductions.'

'If you know this doctor,' I ventured to remark, after a somewhat awful pause, 'I should gather[9] that you do not share the landlord's good opinion.'

---

1. **Wolfe** : voir Préface, p. 17.
2. **heard... out** : de **to hear out** : *écouter, entendre jusqu'au bout.*
3. **forbid** : **to forbid, forbad(e), forbidden** : *défendre, interdire.*
4. **strange** = **unusual.**
5. **it were too much to fancy two** : littéralement, *ce serait trop d'imaginer qu'il y en ait deux*, c'est-à-dire deux hommes portant ce même nom.
6. **with a slap upon the table** : cf. la description du vieux loup de mer au premier chapitre de *L'Ile au trésor* : **"There were nights when he took a deal more rum and water than his head would carry** (...) ; **he would slap his hand on the table for silence all round"** (***Treasure Island***, Everyman, Dent, 1925, p. 5).
7. **canted** : de **cant** 1) *paroles hypocrites* 2) *phrases toutes faites, clichés* 3) *jargon* (d'une profession, d'une classe sociale). Ex. : **lawyer's cant** : *jargon juridique.*

« Mille excuses », dit-il, « j'ai bien peur de n'avoir pas prêté grande attention à vos paroles. Qui est ce Wolfe Macfarlane ? »

Puis, après avoir écouté toutes les explications de l'aubergiste, il ajouta :

« C'est impossible, c'est impossible. Et pourtant, je donnerais cher pour le voir en face.

— Vous le connaissez, docteur ? » demanda l'entrepreneur des pompes funèbres, avec un haut-le-corps.

« À Dieu ne plaise ! » répondit Fettes. « Et cependant, le nom n'est pas commun ; un homonyme est plus qu'improbable. Dites-moi, patron, il est âgé ?

— Eh bien », dit l'hôte, « ce n'est certes pas un jeune homme, et ses cheveux sont blancs, mais il fait plus jeune que vous.

— Il est plus âgé, pourtant, bien plus âgé. Mais », ajouta-t-il en martelant la table, « c'est ce rhum que vous voyez sur ma figure — le rhum et le péché. Cet homme a peut-être la conscience tranquille et la digestion facile. La conscience ! Écoutez-moi. Selon vous, j'étais un bon vieux chrétien comme tout le monde, n'est-ce pas ? Détrompez-vous. Je n'ai jamais joué les hypocrites. Voltaire, peut-être, s'il avait été à ma place ; mais la cervelle » — et il se donna une chiquenaude sonore sur son crâne chauve — « la cervelle, chez moi, était vive et active, et j'ai tout vu sans faire la moindre déduction.

— Si vous connaissez ce docteur », me risquai-je à remarquer, pour meubler un silence plutôt effrayant, « il y a fort à parier, à vous entendre, que vous ne partagez point la bonne opinion du patron. »

---

8. **fillip :** *chiquenaude, pichenette*. Au sens figuré, *coup de fouet*. Ex. : **our advertisements gave a fillip to our business :** *notre publicité a donné un coup de fouet à nos affaires*.

9. **gather** ['gæðə] : 1) *rassembler, ramasser, réunir, cueillir* 2) *déduire, conclure, comprendre*.

Fettes paid no regard[1] to me.

'Yes,' he said, with sudden decision, 'I must see him face to face.'

There was another pause and then a door was closed rather sharply on the first floor and a step was heard upon the stair.

'That's the doctor,' cried the landlord. 'Look sharp and you can catch[2] him.'

It was but two steps from the small parlour to the door of the old George inn; the wide oak staircase landed[3] almost in the street; there was room for a Turkey rug[4] and nothing more between the threshold and the last round of the descent; but this little space was every evening brilliantly lit up, not only by the light upon the stair and the great signal-lamp below the sign[5], but by the warm radiance of the bar-room window. The George thus brightly advertised itself to passers-by in the cold street. Fettes walked steadily to the spot and we, who were hanging[6] behind, beheld[7] the two men meet, as one of them had phrased[8] it, face to face. Dr. Macfarlane was alert and vigorous. His white hair set off[9] his pale and placid, although energetic, countenance. He was richly dressed in the finest of broadcloth and the whitest of linen[10], with a great gold watch-chain, and studs[11] and spectacles of the same precious material. He wore a broad-folded tie, white and speckled[12] with lilac[13], and he carried on his arm a comfortable driving-coat[14] of fur.

---

1. **regard = attention.**
2. **catch**: voir **to catch a glimpse of**: *entrevoir, entrapercevoir.*
3. **landed**: *arrivait, donnait sur.* Voir **landing**: *palier, étage.*
4. **rug** [rʌg]: *petit tapis, carpette, descente de lit* (**bedside rug**).
5. **below the sign**: voir note 2, p. 132.
6. **hanging = waiting.** Voir **to hang about** ou **to hang around**: *rôder, errer, traîner.*
7. **beheld = saw. To behold, beheld, beheld**: *regarder, contempler* (littéraire).
8. **phrased**: de **to phrase**: *formuler, exprimer.* **A phrase**: *une expression* (**a sentence**: *une phrase*).

Fettes ignora ma remarque.

« Oui », dit-il, l'air soudain décidé, « il faut que je le voie en face. »

Il y eut un nouveau silence, puis une porte claqua au premier, et l'on entendit un pas dans l'escalier.

« C'est le docteur », s'écria l'aubergiste. « Regardez bien, et vous ne le raterez pas. »

La petite salle du *George* jouxtait la porte d'entrée de la vieille auberge. Le grand escalier de chêne donnait presque sur la rue ; entre le seuil et la dernière volée de marches, il y avait place pour un tapis de Turquie, et rien de plus ; mais chaque soir, cet espace réduit brillait de tous ses feux, non seulement grâce à la lumière de l'escalier et à celle de la grande lanterne sous l'enseigne de l'hôtel, mais aussi de par la chaude réverbération qui émanait de la fenêtre du bar. C'est ainsi que le *George* signalait brillamment sa présence à ceux qui passaient dans la rue froide. Fettes s'avança d'un bon pas vers la sortie, et nous autres, qui étions restés en arrière, vîmes les deux hommes se rencontrer « en face ». Le docteur Macfarlane était alerte et vigoureux. Ses cheveux blancs mettaient en valeur un visage à la fois pâle, placide, et décidé. Il était richement vêtu du plus fin des draps et du plus fin des linons, arborait une grosse chaîne de montre qui était en or, tout comme ses boutons de plastron et ses besicles. Il portait une cravate à larges plis, blanche avec des pois lilas, et transportait sur le bras, pour le voyage, une confortable pelisse de fourrure.

---

9. **set off** : *mettre en valeur, faire valoir, rehausser.*
10. **linen** ['lɪnɪn] : 1) *toile de lin, linon* 2) *le linge* en général.
11. **studs** : voir **collar stud** : *bouton de col.*
12. **speckled** : *tacheté, moucheté.* Voir le titre d'une nouvelle de Conan Doyle, *"**The Speckled Band**" :* "Le Ruban moucheté".
13. **lilac** ['laɪlək].
14. **driving-coat** : littéralement, *manteau de voyage.*

There was no doubt but he became his years, breathing, as he did, of wealth and consideration; and it was a surprising contrast to see our parlour sot[1] —bald, dirty, pimpled and robed in his old camlet[2] cloak— confront him at the bottom of the stairs.

'Macfarlane!' he said somewhat loudly, more like a herald[3] than a friend.

The great doctor pulled up[4] short on the fourth step, as though[5] the familiarity of the address surprised and somewhat shocked his dignity.

'Toddy Macfarlane!' repeated Fettes.

The London man almost staggered[6]. He stared for the swiftest of seconds at the man before him, glanced behind him with a sort of scare, and then in a startled whisper[7], 'Fettes!' he said, 'you!'

'Ay,' said the other, 'me! Did you think I was dead too? We are not so easy shut of[8] our acquaintance.'

'Hush[9]!, hush!' exlaimed the doctor. 'Hush, hush! this meeting is so unexpected —I can see you are unmanned. I hardly knew[10] you, I confess, at first, but I am overjoyed— overjoyed to have this opportunity. For the present it must be how-d'ye-do and good-bye in one[11], for my fly is and I must not fail[12] the train; but you shall—let me see— yes — you shall give me your address and you can count on early news of me. We must do something for you, Fettes.

---

1. **sot** : *ivrogne invétéré*. D'où **sottish** : *abruti par l'alcool*.
2. **camlet** : vient du français **camelot** : "étoffe de laine, parfois mêlée de poils de chèvre ou de soie formant la chaîne" (Le Petit Robert). L'expression **robed in** qui précède est bien sûr ironique.
3. **herald** : *héraut, messager*. Ex. : **the herald of spring** : *le messager du printemps*.
4. **pulled up** : se dit souvent d'un véhicule ou d'un cheval.
5. **as though** = **as if**.
6. **staggered** : de **to stagger** : *chanceler, tituber*.
7. **whisper** : on remarquera dans cette phrase les allitérations en *s* (**staggered, stared, swiftest, seconds, glanced, sort of scare, startled whisper**), destinées à suggérer la peur et l'effroi.

C'était incontestablement un beau vieillard qui respirait l'aisance et la considération; et c'était un surprenant contraste de voir notre pilier de comptoir — chauve, crasseux, boutonneux, vêtu de son vieux manteau de camelot — l'interpeller en bas des marches.

« Macfarlane ! » s'écria-t-il, d'une voix qui était plus claironnante qu'amicale.

Le célèbre médecin s'arrêta net à la quatrième marche, comme surpris par la familiarité de l'apostrophe et plutôt choqué dans sa dignité.

« Toddy Macfarlane ! » répéta Fettes.

L'homme de Londres faillit chanceler. Il examina pendant une fraction de seconde l'homme qui lui faisait face, jeta un coup d'œil apparemment épouvanté derrière lui, puis murmura, effrayé :

« Fettes ! C'est toi !

— Mais oui », dit l'autre, « c'est moi ! Tu me croyais mort, moi aussi ? On ne se débarrasse pas comme ça de ses amis.

— Chut ! chut ! » s'exclama le docteur. « Chut ! chut ! Cette rencontre est si inattendue — je vois que tu es tombé bien bas. Je dois avouer que j'ai eu du mal à te reconnaître, de prime abord ; mais je suis enchanté — enchanté de cette occasion. Pour le moment, il faudra se contenter d'un simple bonjour, bonsoir, car mon fiacre m'attend, et pas question de rater mon train ; mais il faut... voyons... oui... il faut que tu me donnes ton adresse, et tu peux être sûr de recevoir bientôt de mes nouvelles. Il faut faire quelque chose pour toi, Fettes.

---

8. **shut of = rid of.**

9. **Hush** [hʌʃ] : *calme, silence.* Voir **to hush up a scandal** : *étouffer un scandale.* **Hush-money** : *pot-de-vin, prix du silence.*

10. **knew** : **to know** est pris ici au sens de *reconnaître* et non de *connaître.*

11. **in one** : littéralement, *en un seul.*

12. **fail = miss.**

I fear you are out at elbows[1]; but we must see to that for auld lang syne[2], as once we sang at suppers.'

'Money!' cried Fettes; 'money from you! The money that I had from you is lying where I cast it in the rain.'

Dr. Macfarlane had talked himself into some measure of superiority and confidence, but the uncommon energy of this refusal cast him back into his first confusion.

A horrible, ugly look[3] came and went across his almost venerable countenance. 'My dear fellow,' he said, 'be it as you please; my last thought is to offend you. I would intrude on none. I will leave you my address, however—'

'I do not wish it —I do not wish to know the roof that shelters you[4],' interrupted the other. 'I heard your name; I feared it might be you; I wished to know if, after all, there were a God; I know now that there is none[5]. Begone!'

He still stood in the middle of the rug, between the stair and the doorway; and the great London physician, in order to escape, would be forced to step to one side. It was plain[6] that he hesitated before the thought of this humiliation. White as he was, there was a dangerous glitter[7] in his spectacles; but while he still paused uncertain, he became aware that the driver of his fly[8] was peering in from the street at this unusual scene

---

1. **out at elbows**: 1) *troué, usé* (vêtement) 2) *pauvre, déguenillé* (personne) 3) *dans la gêne, gêné aux entournures.*

2. **auld lang syne** [saın]: expression écossaise signifiant **"old long since" = the days of long ago**, titre d'une célèbre chanson attribuée au poète écossais Robert Burns (1759-1796), le plus souvent chantée à la fin des repas, banquets, fêtes, etc.. En réalité, Burns ne fit que transcrire les paroles d'une chanson beaucoup plus ancienne. La référence à l'Écosse annonce la deuxième partie de la nouvelle.

3. **A horrible, ugly look**: Stevenson insiste ici sur le contraste entre l'apparence respectable et cossue du praticien londonien et ces symptômes inquiétants d'un passé honteux. Comme le Dr Jekyll, le Dr Macfarlane semble posséder une "double nature", ce que son nom laissait présager.

4. **the roof that shelters you**: littéralement, *le toit qui t'abrite.*

5. **I know now that there is none**: du point de vue de Fettes, s'il y avait un Dieu, Macfarlane aurait dû être puni.

Je crains que tu ne sois gêné aux entournures ; mais il faut y remédier, en souvenir du "bon vieux temps", comme nous chantions jadis au cours de nos soupers.

— De l'argent ! » s'écria Fettes. « De l'argent, de toi ! L'argent que tu m'avais donné est toujours à l'endroit où je l'ai jeté, sous la pluie. »

En parlant, le docteur Macfarlane avait recouvré une certaine forme de supériorité et d'autorité, mais la vigueur singulière du refus qu'il venait d'essuyer le replongea dans sa confusion première.

Un regard horrible, affreux, parcourut son visage presque vénérable.

« Comme il te plaira, cher ami », dit-il. « Loin de moi la pensée de t'offenser. Je ne veux m'imposer à personne. Je vais quand même te laisser mon adresse...

— Je n'en ai aucune envie... je n'ai aucune envie de savoir sous quel toit tu vis », dit l'autre en l'interrompant. « J'ai entendu ton nom. Je craignais que ce ne soit toi. Je voulais savoir s'il y avait un Dieu, après tout : je sais désormais qu'il n'y en a pas. Va-t'en ! »

Il restait planté là, au milieu du tapis, entre l'escalier et la porte d'entrée, aussi le grand médecin londonien, pour s'échapper, allait-il devoir passer sur le côté. Il était clair que la pensée d'une telle humiliation le faisait hésiter. Tout blême qu'il était, il y avait dans ses besicles un dangereux reflet ; mais pendant qu'il restait ainsi, dans l'expectative, il s'aperçut que le cocher du fiacre contemplait depuis la rue ce spectacle inhabituel,

---

6. **plain = obvious, evident.**
7. **glitter :** *scintillement, éclat.*
8. **the driver of his fly :** cf. la nouvelle de Hogg, dans laquelle le fiacre fait partie intégrante du décor fantastique (voir ici, la fin de la nouvelle), et où l'on trouve également un contraste social entre George et le gentleman, comme ici entre Fettes et Macfarlane. Le cocher, ici, ne joue aucun rôle, si ce n'est de constituer un écho à Hogg, que R.L.S. connaissait.

and caught a glimpse at the same time of our little body[1] from the parlour, huddled by the corner of the bar. The presence of so many witnesses decided him at once to flee. He crouched together, brushing on the wainscot[2], and made a dart[3] like a serpent[4], striking for[5] the door. But his tribulation was not yet entirely at an end, for even as he was passing Fettes clutched him by the arm and these words came in a whisper, and yet painfully distinct, 'Have you seen it[6] again?'

The great rich London[7] doctor cried out aloud with a sharp, throttling[8] cry; he dashed his questioner across the open space, and, with his hands over his head, fled out of the door like a detected thief[9]. Before it had occurred to one of us to make a movement, the fly was already rattling towards the station. The scene was over like a dream, but the dream had left proofs and traces of its passage. Next day the servant found the fine gold spectacles broken on the threshold, and that very night[10] we were all standing breathless by the bar-room window, and Fettes at our side, sober, pale, and resolute in look.

'God protect us, Mr. Fettes!' said the landlord, coming first into possession of his customary senses. 'What in the universe is all this? These are strange things you have been saying.'

Fettes turned towards us; he looked us each in succession in the face.

---

1. **body** : *groupe, ensemble.* **The great body of** : *la masse de.*
2. **wainscot** : *lambris, boiserie.*
3. **made a dart** : **to make a dart (at)** : *foncer, se précipiter sur.*
4. **like a serpent** : après le loup, le serpent, tous deux animaux dangereux ou maléfiques.
5. **striking for** = **going to.**
6. **seen it** : on notera ici l'utilisation du pronom neutre. Cf. Roderick Usher au narrateur, dans la nouvelle d'Edgar Poe ("***The Fall of the House of Usher***") : " *'And you have not seen it?'* "
7. **great rich London** : qualificatifs qui l'opposent à Fettes.
8. **throttling** : de **to throttle** : *serrer la gorge, étrangler.*
9. **like a detected thief** : dans ***The Strange Case of Dr. Jekyll and Mr.***

tout en s'avisant de notre petit groupe qui regardait depuis la salle, blotti dans un coin du bar. La présence de tous ces témoins le décida aussitôt à prendre la fuite. Il prit son élan, et frôlant la boiserie, se lança comme un reptile en direction de la porte. Mais sa trajectoire fut interrompue au passage par Fettes qui l'agrippant par le bras, lui dit dans un souffle, mais, hélas pour le docteur, très distinctement : « Tu l'as revu ? »

Le riche et célèbre praticien londonien poussa un cri qui s'étrangla dans sa gorge. Il repoussa son interlocuteur dans l'entrée, et s'enfuit par la porte, les mains sur la tête, comme un voleur pris sur le fait. Avant même qu'il nous vienne à l'esprit d'esquisser un mouvement, le fiacre roulait déjà vers la gare. La scène s'était évanouie tel un rêve, mais un rêve qui aurait laissé des preuves tangibles de son passage. Le lendemain le domestique trouva les belles besicles en or brisées, sur le seuil, et le soir même nous étions tous debout, à reprendre notre souffle devant la fenêtre du bar, avec Fettes à nos côtés. Il était à jeun, blême, et semblait résolu.

« Dieu nous garde, M. Fettes ! » s'exclama le patron, qui fut le premier à reprendre ses esprits. « Que peut bien signifier tout ceci ? Ce sont là paroles étranges que vous avez prononcées. »

Fettes se tourna vers nous ; il nous regarda chacun, tour à tour, droit dans les yeux.

Hyde, le notaire imagine Mr. Hyde comme une "créature en train de se glisser comme un voleur au chevet" de son ami le Dr Jekyll (Le Livre de Poche, Les Langues Modernes/Bilingue, p. 55). Il explique à ce stade la présence de Hyde comme "Le spectre d'un vieux péché, le cancer d'un scandale enfoui, le châtiment qui survient, *pede claudo*, des années après que la faute a été oubliée par la mémoire et pardonnée par l'amour-propre" (p. 53). "The Body Snatcher", publié dans l'hebdomadaire *Pall Mall Gazette* (Noël 1884), précède ***The Strange Case*** (1886).

10. **that very night = the same night**.

'See if you can hold your tongues,' said he. 'That man Macfarlane is not safe to cross[1]; those that have done so already have repented it too late.'

And then, without so much as finishing his third glass, far less waiting for the other two, he bade us good-bye and went forth[2], under the lamp of the hotel, into the black night.

We three turned to our places in the parlour, with the big red fire and four clear candles; and as we recapitulated what had passed the first chill of our surprise soon changed into a glow of curiosity[3]. We sat late; it was the latest session I have known in the old George. Each man, before we parted, had his theory that he was bound to prove; and none of us had any nearer business in this world than to track out[4] the past of our condemned companion, and surprise the secret[5] that he shared with the great London doctor. It was no great boast[6], but I believe I was a better hand at worming out[7] a story than either of my fellows at the George; and perhaps there is now no other man alive who could narrate to you the following foul and unnatural events.

In his young days Fettes studied medicine in the schools[8] of Edinburgh. He had talent of a kind, the talent that picks up swiftly what it hears and readily retails[9] it for its own.

---

1. **to cross**: *contrarier, contrecarrer* (= **to thwart**). Voir **to be cross**: *être de mauvaise humeur, en colère*. Fettes joue aussi sur le sens physique du verbe: *traverser, croiser*.

2. **went forth** = **went out**.

3. **glow of curiosity**: **glow** est ici opposé à **chill**. Le chaud venant après le froid peut être justifié par la présence du feu et des bougies.

4. **to track out**: *suivre à la trace, pister*.

5. **surprise the secret**: voir note 9, p. 144.

6. **boast** [bəʊst]: *rodomontade, fanfaronnade*. **To boast (of)**: *se vanter (de)*.

7. **worming out**: littéralement, *soutirer, tirer les vers du nez*. (**a worm**: *un ver*). On remarque ici que les amis de Fettes (y compris le narrateur) ne sauraient lui soutirer quoi que ce soit, puisque Fettes est parti. Chacun échafaude une version plausible, et l'histoire (**story**) qui suit est

« Tâchez de tenir vos langues », fit-il. « Il vaut mieux ne pas se mettre en travers de ce Macfarlane ; ceux qui s'y sont déjà essayés s'en sont repentis trop tard. »

Là-dessus, sans même vider son troisième verre, et encore moins attendre les deux autres, il nous souhaita le bonsoir, et passant sous la lanterne de l'hôtel, disparut dans la nuit noire.

Nous regagnâmes tous les trois nos places dans la salle, devant un bon feu rougeoyant et à la lumière de quatre bougies ; et tandis que nous passions en revue les événements, notre premier frisson de surprise ne tarda pas à se muer en ardente curiosité. La réunion se prolongea jusqu'à une heure avancée de la nuit, la plus avancée que j'aie connue dans la bonne vieille auberge. Chacun d'entre nous, avant de partir, s'attacha à démontrer le bien-fondé de sa théorie, et toutes affaires cessantes, s'employa à fouiller dans le passé de notre compagnon maudit, et à débusquer le secret qu'il partageait avec le célèbre praticien londonien. Sans me vanter, il me semble avoir été plus apte à construire une histoire qu'aucun autre de mes camarades du *George* ; et à l'heure qu'il est, il n'y a probablement plus une seule personne vivante capable de vous raconter les événements épouvantables et extraordinaires que voici.

Dans sa jeunesse, Fettes était étudiant en médecine à la faculté d'Édimbourg. Il avait un certain don, celui qui permet de saisir au bond les paroles d'autrui et de les faire siennes instantanément.

---

présentée comme le meilleur scénario par rapport à la version de Fettes qui est sans doute venue le corroborer par la suite (voir **when I first heard it**, p. 148). Ce n'est donc pas Fettes qui raconte sa propre histoire, mais un narrateur indirect, image même de l'auteur qui a lui aussi échafaudé le scénario de toute la nouvelle.

8. **schools** : au sens universitaire : *faculté, collège*.

9. **picks up... retails** : images commerciales. Littéralement, *ramasse/vend au détail*.

He worked little at home; but he was civil, attentive, and intelligent in the presence of his masters. They soon picked him out[1] as a lad who listened closely and remembered well; nay, strange as it seemed to me when I first heard it, he was in those days well favoured, and pleased by his exterior. There was, at that period, a certain extramural[2] teacher of anatomy, whom I shall here designate by the letter K. His name was subsequently too well known. The man who bore it skulked through the streets of Edinburgh in disguise, while the mob that applauded at the execution of Burke[3] called loudly for the blood of his employer. But Mr. K— was then at the top of his vogue; he enjoyed a popularity due partly to his own talent and address, partly to the incapacity of his rival, the university professor. The students, at least, swore by his name, and Fettes believed himself, and was believed by others, to have laid the foundations of success when he had acquired the favour of this meteorically famous man. Mr. K— was a *bon vivant* as well as an accomplished teacher; he liked a sly[4] allusion no less than a careful preparation. In both capacities Fettes enjoyed and deserved his notice, and by the second year of his attendance[5] he held the half-regular position of second demonstrator or sub-assistant in his class.

---

1. **picked him out** = **singled him out**.

2. **extramural** : *hors faculté*. Ici, pour un professeur extérieur à la faculté, accrédité par celle-ci pour venir y donner des cours en général ouverts au public. Ex. : **extramural lecture** : *conférence publique*. **Department of Extramural Studies** : *Institut d'éducation permanente*.

3. **Burke** : William Burke et son complice William Hare étouffaient leurs victimes pour vendre ensuite leurs cadavres au Dr Robert Knox, un chirurgien d'Édimbourg, le "M. K." de la nouvelle. Hare témoigna contre son complice et Burke fut pendu en 1829, ce qui permet de situer l'action du texte au début du XIXe siècle. Son nom devait donner naissance au verbe **to burke** : *étouffer, suffoquer* (qqn, ou un scandale). Le vote de l'***Anatomy Act*** en 1832 limita considérablement cette fâcheuse pratique. Dans son essai intitulé *De l'assassinat considéré comme un des beaux-arts*, et notamment son "Mémoire Supplémentaire" de 1839, Thomas de Quincey cite avec humour et ironie "la

Il travaillait peu à la maison ; mais il était courtois, attentif, et intelligent en présence de ses maîtres. Ils eurent tôt fait de repérer ce jeune homme doué de telles facultés d'attention et de mémoire ; bien mieux, aussi étrange que cela ait pu me paraître en l'apprenant, il était, à cette époque, favorisé sur le plan physique, et satisfait de son aspect. Il y avait alors un certain professeur qui venait de l'extérieur donner des cours d'anatomie, que je désignerai dorénavant par la lettre K. Son nom devint tristement célèbre par la suite, lorsque son propriétaire, déguisé, traversait Édimbourg en rasant les murs tandis que la foule qui applaudissait des deux mains à l'exécution de Burke réclamait à cor et à cri le sang de son employeur. Mais M. K., en ce temps-là, était au faîte de sa gloire. Il jouissait d'une popularité due en partie à son talent et à son savoir-faire, en partie à l'incompétence de son rival, le professeur de l'Université. Les étudiants, en tout cas, ne juraient que par lui, et Fettes crut lui-même (opinion partagée par ses condisciples) avoir jeté les bases de son succès après avoir acquis la faveur de cet homme à la célébrité météorique. M. K. était un *bon vivant* autant qu'un professeur accompli ; il n'aimait pas moins une allusion leste qu'une préparation soignée. C'est à ces deux titres que Fettes avait attiré et mérité son attention, et la deuxième année il occupait dans sa classe la fonction officieuse de démonstrateur en second ou de sous-assistant.

---

révolution" apportée par Burke et Hare dans "l'art" de tuer. Dans la même veine, Marcel Schwob — qui entretint une correspondance avec R.L.S. — consacre un chapitre de ses *Vies imaginaires* (1896) à "MM. Burke et Hare, assassins", dans lequel il décrit de manière romancée les agissements des deux hommes en privilégiant "le génie" de Burke. Le poète gallois Dylan Thomas (1914-1953) reprend également ces événements dans ***The Doctor and the Devils***.

4. **sly** [slaɪ] : *rusé, espiègle, malin.* **He's a sly dog** : 1) *c'est une fine mouche* 2) *ce n'est pas un enfant de chœur.*

5. **attendance** : voir **to attend school** : *aller à, fréquenter l'école.* **School attendance** : *l'assiduité.*

In this capacity, the charge of the theatre and lecture room developed in particular upon his shoulders. He had to answer for the cleanliness[1] of the premises[2] and the conduct of the other students, and it was a part of his duty to supply, receive, and divide[3] the various subjects. It was with a view to this last —at that time very delicate— affair that he was lodged by Mr. K— in the same wynd[4], and at last in the same building, with the dissecting rooms. Here, after a night of turbulent pleasures, his hand still tottering, his sight still misty and confused, he would be called out of bed in the black hours before the winter dawn by the unclean and desperate interlopers who supplied the table[5]. He would open the door to these men, since infamous[6] throughout the land. He would help them with their tragic burthen[7], pay them their sordid price, and remain alone, when they were gone, with the unfriendly relics of humanity. From such a scene he would return to snatch[8] another hour or two of slumber, to repair the abuses of the night[9], and refresh himself for the labours of the day.

Few lads could have been more insensible to the impressions of a life thus passed among the ensigns[10] of mortality. His mind was closed against all general considerations. He was incapable of interest in the fate and fortunes of another, the slave of his own desires and low ambitions.

---

1. **cleanliness** ['klenlɪnɪs]: noter la différence de prononciation avec **clean** [klɪːn].
2. **premises** ['premɪsɪz]: *les lieux, les locaux*. Voir note 6, p. 74.
3. **divide** [dɪ'vaɪd]: ici au sens de *répartir, trier*. La répartition des cadavres constituait une phase délicate (**very delicate — affair**), à la fois en raison des soupçons de pratiques illégales et des rivalités entre professeurs d'anatomie pour obtenir les "meilleurs" cadavres ou les membres les plus recherchés (voir infra, p. 168, le cas de l'étudiant Richardson). D'où cette mission difficile confiée à Fettes par K.
4. **wynd**: voir note 4, p. 52.
5. **the table = dissecting-table.**
6. **infamous** ['ɪnfəməs] = **ill-famed, notorious.**
7. **burthen = burden = weight.**

En cette qualité lui incombait notamment la responsabilité de l'amphithéâtre et de la salle de conférences. Il devait répondre de la propreté des locaux et de la conduite des autres étudiants. Entraient également dans ses attributions la fourniture, la réception, et la répartition des divers sujets. C'est en vue de cette dernière fonction (à l'époque très délicate) qu'il fut logé par M. K. dans la même allée, et finalement, dans le même bâtiment que les salles de dissection. C'est là, après une nuit de plaisirs turbulents, la main encore tremblante, le regard encore embrumé et confus, qu'il était régulièrement tiré du lit, aux heures sombres qui précèdent l'aube d'hiver, par l'appel des trafiquants crasseux et prêts à tout qui alimentaient la table à dissection. Il ouvrait à ces individus (dont le pays connaît aujourd'hui la sinistre réputation), les aidait à décharger leur tragique fardeau, leur versait leur sordide salaire, et restait seul, après leur départ, en compagnie de ces tristes reliques d'humanité. Quittant ce tableau, il retournait dans sa chambre pour récupérer furtivement une heure ou deux de sommeil, afin de réparer les abus de la nuit et de se reposer avant d'affronter les tâches de la journée.

Peu de garçons auraient pu montrer plus d'insensibilité face aux impressions produites par une vie ainsi passée parmi les emblèmes de la mortalité. Il avait l'esprit fermé à toute considération d'ordre général. Il était incapable de s'intéresser au destin et au sort d'autrui, esclave qu'il était de ses propres désirs et de ses basses ambitions.

---

8. **to snatch**: ici au sens de *prendre quelques heures de sommeil* (**to snatch some sleep**: *réussir à dormir un peu*), mais l'auteur joue aussi sur le titre même de la nouvelle et la profession louche des individus décrits plus haut.

9. **the abuses of the night**: le caractère dissolu de cette vie nocturne rappelle les "plaisirs peu relevés" de Mr. Hyde, sans que le lecteur en sache beaucoup plus sur les abus ou les plaisirs en question (**turbulent pleasures**).

10. **ensigns** [en'saɪns]: *insignes, emblèmes.* Il s'agit bien sûr des cadavres.

Cold, light and selfish in the last resort, he had that modicum[1] of prudence, miscalled[2] morality, which keeps a man from inconvenient drunkenness or punishable theft[3]. He coveted, besides, a measure of consideration from his masters and his fellow-pupils[4], and he had no desire to fail conspicuously in the external parts of life. Thus he made it his pleasure to gain some distinction in his studies, and day after day rendered unimpeachable[5] eye-service to his employer, Mr. K—. For his day of work he indemnified himself by nights of roaring, blackguardly[6] enjoyment; and when that balance had been struck[7], the organ that he called his conscience declared itself content.

The supply of subjects was a continual trouble to him as well as to his master. In that large and busy class, the raw material of the anatomists kept perpetually running out; and the business thus rendered necessary was not only unpleasant in itself, but threatened dangerous consequences to all who were concerned. It was the policy of Mr. K— to ask no questions in his dealings with the trade[8]. 'They bring the body, and we pay the price,' he used to say, dwelling on the alliteration —'*quid pro quo.*' And again, and somewhat profanely, 'Ask no questions,' he would tell his assistants, 'for conscience' sake[9].' There was no understanding that the subjects were provided by the crime of murder.

---

1. **modicum** ['mɒdɪkəm] : **a modicum of** : *un minimum de.*
2. **miscalled = wrongly called.**
3. **theft** : *vol, larcin.* **A thief** : *un voleur.*
4. Le Dr Jekyll se décrit lui-même comme "enclin par nature au travail et désireux d'obtenir l'estime des plus sages et des plus vertueux de mes contemporains" (**"inclined by nature to industry, fond of the respect of the wise and good among my fellow-men"**, Le Livre de Poche Bilingue, p. 168).
5. **unimpeachable** : *irréprochable, inattaquable, impeccable.* **To impeach** : *mettre en accusation* (en vue de destituer). Aux États-Unis, la procédure d'**impeachment** peut être appliquée en vue de destituer un haut fonctionnaire, voire le Président.

En fin de compte il était froid, superficiel, égoïste, et il possédait ce minimum de prudence appelé à tort moralité, qui tient l'homme à l'écart de l'ivrognerie malséante ou du larcin répréhensible. Il aspirait en outre à une certaine dose de considération de la part de ses maîtres et de ses condisciples, et ne convoitait aucunement un échec retentissant dans les choses extérieures de l'existence. Aussi se faisait-il un plaisir de se distinguer dans ses études, et jour après jour, sous l'œil de son patron, M. K., rendait à ce dernier des services indéniables. Il s'indemnisait lui-même de son travail de jour par des nuits de plaisirs tapageurs et canailles ; et une fois l'équilibre atteint, l'organe qu'il nommait sa conscience se déclarait content.

La fourniture de sujets était source de difficultés permanentes pour lui comme pour son maître. Dans cet amphithéâtre actif et bondé, la matière première des anatomistes ne cessait de faire défaut ; c'est pourquoi le trafic que cette situation rendait nécessaire n'était-il pas seulement désagréable en soi, mais dangereux par les retombées menaçant tous ceux qui s'y trouvaient mêlés. La politique de M. K. consistait à ne jamais poser la moindre question sur les transactions avec les fournisseurs. « Ils apportent le corps, et nous payons le prix », aimait-il à dire en appuyant sur l'allitération "*quid pro quo*". Ou bien encore, dans un langage plutôt impie, il disait à ses assistants : « Ne posez pas de questions, et votre conscience ira en paix. » Rien ne laissait supposer que les sujets aient été obtenus par des moyens criminels.

---

6. **blackguardly** : *infâme, ignoble.* On retrouve, comme chez Jekyll, la même double vie : le jour, Fettes est un étudiant modèle, la nuit, la créature aux plaisirs effrénés.

7. **when the balance had been struck** : de **to strike (struck, struck) a balance** : *trouver un équilibre, trouver le juste milieu.*

8. **the trade** : il s'agit d'une métonymie, *le commerce* (**trade**) étant utilisé au lieu des *commerçants* (**tradesmen**).

9. **sake** [seɪk] : voir **for God's sake,** *pour l'amour de Dieu ;* **for old times' sake,** *en souvenir du passé.*

Had that idea been broached[1] to him in words, he would have recoiled[2] in horror; but the lightness of his speech upon so grave a matter was, in itself, an offence against good manners, and a temptation to the men with whom he dealt. Fettes, for instance, had often remarked to himself upon the singular freshness of the bodies. He had been struck again and again[3] by the hangdog[4], abominable looks of the ruffians who came to him before the dawn; and, putting things together clearly in his private thoughts, he perhaps attributed a meaning too immoral and too categorical to the unguarded counsels of his master. He understood his duty, in short, to have three branches: to take what was brought, to pay the price, and to avert the eye from any evidence[5] of crime.

One November morning this policy of silence was put sharply to the test. He had been awake all night with a racking[6] toothache —pacing his room like a caged beast[7] or throwing himself in fury on his bed— and had fallen at last into that profound, uneasy slumber that so often follows on a night of pain, when he was awakened by the third or fourth angry repetition of the concerted signal. There was a thin, bright moonshine: it was bitter cold, windy, and frosty; the town had not yet awakened, but an indefinable stir already preluded the noise and business of the day. The ghouls[8] had come later than usual, and they seemed more than usually eager[9] to be gone.

---

1. **broached**: de **to broach a subject**: *entamer, aborder un sujet.* **To broach a barrel**: *mettre en perce un tonneau* (du vieux français **brocher**).

2. **recoiled**: voir note 2, p. 86.

3. **again and again** = **repeatedly**.

4. **hangdog**: souvent utilisé dans l'expression **a hangdog look**: *une mine patibulaire.*

5. **evidence**: *preuve, témoignage, trace.* **To give evidence**: *témoigner, déposer* (en justice). **To turn King's/Queen's evidence**: *témoigner contre ses complices* (ce que fit Hare contre Burke, et ce que fait, dans une certaine mesure, Fettes contre Macfarlane au début de la nouvelle).

Cette idée aurait été formulée devant lui qu'il aurait reculé, horrifié; mais la légèreté avec laquelle il parlait d'un sujet si grave était en elle-même une atteinte aux bonnes manières ainsi qu'une tentation pour les individus auxquels il avait affaire. Fettes, par exemple, s'était souvent étonné dans son for intérieur de la singulière fraîcheur des cadavres. Il avait été frappé à maintes reprises par la mine abominable et patibulaire des ruffians qui venaient le trouver avant l'aube; et lorsqu'il mettait de l'ordre dans ses pensées secrètes, il attribuait peut-être une signification trop immorale et trop catégorique aux recommandations inconsidérées de son maître. En un mot, il estimait que son devoir se divisait en trois parties: prendre ce qu'on lui apportait, payer le prix, et fermer les yeux sur toute trace de crime.

Un matin de novembre, cette politique du silence fut durement mise à l'épreuve. Il n'avait pas fermé l'œil de la nuit à cause d'une terrible rage de dents. Il avait arpenté sa chambre tel un fauve en cage ou bien s'était jeté, fou de douleur, sur son lit, et avait fini par sombrer dans ce sommeil lourd et désagréable que produit si souvent une nuit de souffrances, quand il fut réveillé par la troisième ou quatrième réitération rageuse du signal habituel. La nuit était éclairée par une lune diaphane. Dehors il faisait un froid vif, avec du vent et de la gelée blanche. La ville dormait toujours, mais une rumeur indéfinissable préludait déjà au bruit et à l'agitation diurnes. Les goules étaient venues plus tard, et semblaient plus pressées de partir que d'habitude.

---

6. **racking**: de **rack**: *le chevalet* (instrument de torture). **To be on the rack**: *être au supplice*.

7. **like a caged beast**: Jekyll compare souvent Hyde à une bête en cage dans son propre moi.

8. **ghouls** [gu:lz]: de l'arabe **ghoûl**: *démon*.

9. **eager** ['i:gə]: *désireux, avide, impatient, pressé* (**to do smth**: *de faire qqch.*).

Fettes, sick with sleep, lighted them upstairs. He heard their grumbling Irish[1] voices through a dream[2]; and as they stripped the sack from their sad merchandise[3] he leaned dozing with his shoulder propped against[4] the wall; he had to shake himself to find the men their money. As he did so his eyes lighted on the dead face. He started[5]; he took two steps nearer, with the candle raised.

'God Almighty!' he cried. 'That is Jane Galbraith!'

The men answered nothing, but they shuffled[6] nearer the door.

'I know her, I tell you,' he continued. 'She was alive and hearty yesterday. It's impossible she can be dead; it's impossible you should have got[7] this body fairly.'

'Sure, sir, you're mistaken entirely,' asserted one of the men.

But the other looked Fettes darkly in the eyes, and demanded the money on the spot.

It was impossible to misconceive the threat or to exaggerate the danger. The lad's heart failed him. He stammered some excuses, counted out the sum, and saw his hateful visitors depart[8]. No sooner were they gone than he hastened to confirm his doubts. By a dozen unquestionable marks he identified the girl he had jested with the day before. He saw, with horror, marks upon her body that might well betoken[9] violence.

---

1. **Irish** ['aɪərɪʃ] : allusion à Burke, qui était irlandais.

2. **through a dream** : voir p. 144, **"The scene was over like a dream"**. On notera l'importance du rêve et de l'onirisme dans la nouvelle. Stevenson est probablement influencé ici par Hogg.

3. **sad merchandise** ['mɜ:tʃəndaɪz] : **sad** n'est pas ici à prendre au sens habituel de *triste*, mais plutôt dans un sens causal (= *qui donne du chagrin, triste à voir, sinistre*).

4. **propped against** : voir **to prop oneself (up) against** : *se caler contre, s'adosser à.*

5. **started** : **to start** est ici à prendre au sens de *sursauter, avoir un sursaut* Ex. : **to give somebody a start** : *faire sursauter qqn.* Voir p. 126.

6. **shuffled** : de **to shuffle** 1) *traîner les pieds* 2) *battre des cartes.* **A Cabinet reshuffle** : *un remaniement ministériel.*

Fettes, ivre de sommeil, les éclaira dans l'escalier. Il percevait leurs voix grommelantes d'Irlandais comme dans un rêve ; et pendant qu'ils dépouillaient le sac de leur sinistre marchandise, il se cala contre le mur de toute son épaule ; il somnolait tellement qu'il dut se secouer pour mettre la main sur leur argent. Ce faisant son regard tomba sur le visage du cadavre. Il eut un sursaut. Puis il fit deux pas en avant, en levant la bougie.

« Grands dieux ! » s'écria-t-il. « Mais c'est Jane Galbraith ! »

En guise de réponse, les individus traînèrent les pieds en direction de la porte.

« Je vous dis que je la connais », poursuivit-il. « Elle était vivante et vaillante hier encore. Il est impossible qu'elle soit morte, il est impossible que vous ayez pu vous procurer ce corps par des moyens normaux.

— Pour sûr, monsieur, vous vous trompez entièrement », dit l'un des individus.

Mais l'autre lança à Fettes un regard noir, en exigeant l'argent sur-le-champ.

Impossible d'ignorer la menace ou de s'exagérer le danger. Le cœur du jeune homme lui fit défaut. Il bredouilla quelques excuses, compta la somme et raccompagna ses odieux visiteurs. À peine étaient-ils partis qu'il se précipita pour vérifier ses soupçons. Une douzaine de signes distinctifs lui permirent d'identifier la jeune fille avec laquelle il avait plaisanté la veille. Il vit avec horreur que son corps portait des traces qui pouvaient fort bien signifier la violence.

---

7. **got = obtained.**

8. **saw... depart : to see** signifie ici *reconduire, raccompagner*. Ex. : **to see somebody to the station** : *conduire, accompagner qqn à la gare.*

9. **betoken** [bɪ'təʊkən] : 1) *présager, annoncer* 2) *dénoter, être signe de, indiquer*. Il faut remarquer ici l'ambiguïté du mot **marks** utilisé à deux reprises pour le corps de Jane Galbraith, la première fois associé au plaisir (de Fettes ?), la deuxième à la violence, comme si les deux étaient ici rapprochés.

A panic seized him[1], and he took refuge in his room. There he reflected at length over the discovery that he had made; considered soberly[2] the bearing[3] of Mr. K. —'s instructions and the danger to himself of interference in so serious[4] a business, and at last, in sore[5] perplexity, determined to wait for the advice of his immediate superior, the class assistant.

This was a young doctor, Wolfe Macfarlane, a high favourite among all the restless students, clever, dissipated, and unscrupulous to the last degree. He had travelled and studied abroad[6]. His manners were agreeable and a little forward. He was an authority on the stage, skilful on the ice or the links[7] with skate or golf-club; he dressed with nice[8] audacity, and, to put the finishing touch upon his glory, he kept a gig and a strong trotting-horse. With Fettes he was on terms of intimacy; indeed their relative positions called for some community of life; and when subjects were scarce the pair would drive far into the country in Macfarlane's gig, visit and desecrate some lonely graveyard, and return before dawn with their booty to the door of the dissecting room.

On that particular morning Macfarlane arrived somewhat earlier than his wont[9]. Fettes heard him, and met him on the stairs, told him his story, and showed him the cause of his alarm. Macfarlane examined the marks[10] on her body.

---

1. **A panic seized him** : littéralement, *la panique s'empara de lui.*
2. **soberly** : *posément, à tête reposée.*
3. **bearing** ['beərɪŋ] : *relation, rapport, aspect.* Ex. : **to examine a question in all its bearings** : *examiner une question sous tous ses aspects.* Voir p. 152.
4. **serious** : voir **the situation is serious,** *la situation est grave.*
5. **sore** : 1) *douloureux, endolori, sensible* (**a sore leg, foot,** etc.). Ici, au sens de *pénible, aigu.* 2) **to be sore** : *être contrarié, vexé* (personne).
6. **He had travelled and studied abroad** : il ne peut s'agir ici que d'un voyage en Europe. Dans la littérature fantastique britannique, l'Europe apparaît comme le berceau du surnaturel : le Dr Faust est allemand,

Pris de panique, il alla se réfugier dans sa chambre. Une fois là, il médita longuement sur la découverte qu'il avait faite ; il envisagea posément les conséquences des instructions de M. K. et le danger qu'il y avait pour lui à se mêler d'une affaire aussi grave. Très perplexe, il décida finalement d'attendre l'avis de son supérieur immédiat, l'assistant du professeur.

C'était un jeune docteur qui s'appelait Wolfe Macfarlane. Il était très populaire parmi les étudiants aventureux, intelligent, dissipé, et totalement dénué de scrupules. Il avait voyagé et étudié à l'étranger. Ses manières étaient agréables et quelque peu effrontées. C'était un acteur hors pair, et il était aussi adroit avec des patins à glace qu'avec des cannes de golf ; il s'habillait avec goût et audace, et pour parachever ce tableau glorieux, il possédait un cabriolet et un bon trotteur. Il était avec Fettes en relation d'intimité ; il faut dire que leurs positions respectives favorisaient une certaine forme de vie en commun ; et lorsque les sujets se faisaient rares, le duo partait au fin fond de la campagne dans le cabriolet de Macfarlane, visitait et profanait quelque cimetière solitaire, puis ramenait son butin, avant l'aube, à la porte de la salle de dissection.

Ce matin-là, Macfarlane arriva un peu plus tôt que de coutume. L'ayant entendu, Fettes alla au-devant de lui dans l'escalier, lui raconta son histoire et lui montra ce qui causait son inquiétude. Macfarlane examina les marques que portait le cadavre.

Victor Frankenstein va faire ses études à Ingolstadt, et le Comte Dracula est originaire d'Europe centrale. De même, chez Conan Doyle, le professeur Presbury fait un voyage sur le continent qui se révélera désastreux (voir infra, "L'aventure de l'homme qui rampait", p. 232).

7. **links** : *terrain de golf.*
8. **nice** : ici au sens de *fin, raffiné.*
9. **wont** [wəʊnt] = **habit, custom.**
10. **the marks** : voir note 9, p. 157.

'Yes,' he said with a nod, 'it looks fishy[1].'

'Well, what should I do?' asked Fettes.

'Do?' repeated the other. 'Do you want to do anything? Least said soonest mended[2], I should say.'

'Someone else might recognize her,' objected Fettes. 'She was as well known as the Castle Rock[3].'

'We'll hope not,' said Macfarlane, 'and if anybody does — well you didn't, don't you see, and there's an end. The fact is, this has been going on too long. Stir up the mud[4], and you'll get K— into the most unholy[5] trouble; you'll be in a shocking box yourself. So will I, if you come to that. I should like to know how any one of us would look, or what the devil[6] we should have to say for ourselves, in any Christian witness-box. For me, you know there's one thing certain — that, practically speaking, all our subjects have been murdered.'

'Macfarlane!' cried Fettes.

'Come now!' sneered[7] the other. 'As if you hadn't suspected it yourself!'

'Suspecting is one thing —'

'And proof another. Yes, I know; and I'm as sorry as you are this should have come here,' tapping the body with his cane. 'The next best thing for me is not to recognize it; and,' he added coolly, 'I don't. You may, if you please. I don't dictate, but I think a man of the world would do as I do;

---

1. **fishy** : *suspect, douteux, louche.*

2. **Least said soonest mended** : *moins on en dit, mieux on se porte* (**to mend** : *raccommoder, réparer, corriger*).

3. **as well known as the Castle Rock** : littéralement, *aussi connue que le Rocher du Château.* Allusion au Château qui domine la ville d'Édimbourg. Le fait que la jeune femme est connue de la ville entière est à relier aux "plaisirs turbulents" (p. 151) de Fettes.

4. **Stir up the mud** : littéralement, *remuer la boue.*

5. **unholy** : 1) *impie, profane* 2) au sens figuré, *impossible.*

6. **what the devil** : cette invocation du diable par Macfarlane est révélatrice. Macfarlane oppose lui-même ses menées diaboliques à un

« Évidemment », dit-il en opinant, « ça paraît louche.

— Alors, que dois-je faire ? » demanda Fettes.

« Faire ? » reprit l'autre. « Tu veux faire quelque chose ? Le silence est d'or, c'est ma devise.

— Quelqu'un d'autre risque de la reconnaître », objecta Fettes. « Toute la ville la connaissait.

— Espérons que non », dit Macfarlane, « et si quelqu'un la reconnaît... eh bien, pas toi, vois-tu, et point final. Il faut dire que cela dure depuis trop longtemps. Déranger l'eau qui dort, c'est plonger K. dans un embarras épouvantable. Tu seras toi-même sur la sellette, et moi aussi, par la même occasion. J'aimerais savoir quelle tête nous ferions, les uns comme les autres, et que diable nous aurions à dire pour notre défense, à n'importe quelle barre des témoins de la chrétienté. Pour ma part, vois-tu, je suis sûr d'une seule chose — c'est que pratiquement tous nos sujets ont été assassinés.

— Macfarlane ! » s'écria Fettes.

« Allons, allons ! » fit l'autre en ricanant. « Comme si tu ne t'en étais jamais douté toi-même !

— Se douter est une chose...

— ... le prouver est une autre. Je sais, je sais ; et comme toi, je suis désolé que ceci », dit-il en tapotant le corps de sa canne, « ait dû arriver chez nous. La meilleure chose qu'il me reste à faire, c'est de ne pas la reconnaître. D'ailleurs », ajouta-t-il froidement, « je ne la reconnais pas. Tu peux le faire, si cela te chante. Je ne veux rien t'imposer, mais il me semble qu'un homme du monde suivrait mon exemple ;

éventuel jugement chrétien (**in any Christian witness-box**). Macfarlane joue vis-à-vis de Fettes le même rôle que Gil-Martin vis-à-vis de Robert Wringhim dans ***The Private Memoirs and Confessions of a Justified Sinner*** de James Hogg, celui du tentateur diabolique. Ou bien encore le Méphisto de Faust, personnages dont ils reprennent les initiales (Macfarlane/Fettes).

7. **sneered** : le ricanement ou le sarcasme est souvent caractéristique d'une créature diabolique.

and I may add, I fancy that is what K— would look for at our hands. The question is, why did he choose us two for his assistants? And I answer, because he didn't want old wives[1].'

This was the tone of all others[2] to affect the mind of a lad like Fettes. He agreed to imitate Macfarlane. The body of the unfortunate girl was duly dissected, and no one remarked or appeared to recognize her.

One afternoon, when his day's work[3] was over, Fettes dropped into a popular tavern and found Macfarlane sitting with a stranger. This was a small man, very pale and dark, with coal-black[4] eyes. The cut[5] of his features gave a promise of intellect and refinement which was but feebly realized in his manners, for[6] he proved[7], upon a nearer acquaintance, coarse[8], vulgar, and stupid. He exercised, however, a very remarkable control over Macfarlane; issued orders like the Great Bashaw[9]; became inflamed at the least discussion or delay, and commented rudely on the servility with which he was obeyed. This most offensive person took a fancy to[10] Fettes on the spot, plied him with[11] drinks, and honoured him with unusual confidences on his past career. If a tenth part of what he confessed were[12] true, he was a very loathsome[13] rogue; and the lad's vanity was tickled by the attention of so experienced a man.

---

1. **old wives :** *vieilles femmes, bonnes femmes.* Ex. : **old wives' tale :** *conte de bonnes femmes.*

2. **of all others = of all other tones :** *parmi tous les autres tons.*

3. **day's work :** voir par exemple le recueil de nouvelles ***The Day's Work***, de R. Kipling (*La Tâche quotidienne*, 1898).

4. **coal-black :** littéralement, *noir comme du charbon.* La couleur noire est une fois encore associée au Mal (voir note 4, p. 36).

5. **the cut :** *la taille, la coupe, le contour.* Utilisé notamment pour la coupe des vêtements : **the cut of a coat :** *la coupe d'un manteau.*

6. **for = because.**

7. **he proved :** *il s'avérait, se révélait être.*

8. **coarse :** se dit également d'un tissu grossier.

9. **Bashaw** ['bæʃɔ:] : forme archaïque de **Pasha**, mot d'origine turque

et j'ose ajouter qu'à mon avis, c'est ce que K. attendrait de nous. La question est la suivante : pourquoi nous a-t-il choisis tous deux comme assistants ? Et je réponds : parce qu'il ne voulait pas de poules mouillées. »

C'était le ton idéal pour impressionner un jeune garçon comme Fettes. Il fut d'accord pour imiter Macfarlane. Le cadavre de l'infortunée jeune femme fut dûment disséqué et passa inaperçu : personne ne sembla la reconnaître.

Un après-midi, une fois son travail de la journée achevé, Fettes entra au hasard dans une taverne très fréquentée et trouva Macfarlane attablé avec un étranger. C'était un petit homme très pâle aux cheveux très bruns et aux yeux de jais. Les contours de son visage promettaient une intelligence et un raffinement qui étaient vite démentis par ses manières, car en le connaissant mieux, on s'apercevait de sa grossièreté, de sa vulgarité, et de sa stupidité. Il exerçait néanmoins une remarquable influence sur Macfarlane, donnant des ordres tel le Grand Pacha en personne, s'irritant de la moindre contradiction ou du moindre retard, et critiquant sévèrement l'obéissance servile dont il faisait l'objet. Ce personnage des plus déplaisants s'enticha aussitôt de Fettes, lui offrit force verres, et le gratifia de confidences inhabituelles sur sa carrière passée. Si le dixième de ce qu'il confessait était vrai, c'était une fort répugnante crapule. Aussi la vanité du jeune garçon fut-elle chatouillée par les attentions d'un homme aussi expérimenté.

---

désignant un vice-roi ou un gouverneur de province, synonyme d'homme arrogant ou dominateur.

10. **took a fancy to : to take a fancy to somebody :** *se prendre d'affection pour qqn.*

11. **plied him with = supplied him with.**

12. **were :** subjonctif preterite exprimant un irréel du présent, fréquent après **if**. Voir note 8, p. 87.

13. **loathsome :** voir **to loathe** [laʊð], *détester, haïr.* **Loathing :** *dégoût, répugnance.*

'I'm a pretty bad fellow myself,' the stranger remarked, 'but Macfarlane is the boy —Toddy[1] Macfarlane I call him. Toddy, order your friend another glass.' Or it might be, 'Toddy, you jump up and shut the door.' 'Toddy hates me,' he said again. 'Oh, yes, Toddy, you do!'

'Don't call me that confounded[2] name,' growled Macfarlane.

'Hear him! Did you ever see the lads play knife[3]? He would like to do that all over my body,' remarked the stranger.

'We medicals have a better way than that,' said Fettes. 'When we dislike a dead friend of ours, we dissect him.'

Macfarlane looked up sharply, as though this jest[4] was scarcely to his mind[5].

The afternoon passed. Gray, for that was the stranger's name, invited Fettes to join them at dinner, ordered a feast[6] so sumptuous that the tavern was thrown in commotion, and when all was done commanded Macfarlane to settle the bill. It was late before they separated; the man Gray was incapably drunk. Macfarlane, sobered by his fury, chewed the cud[7] of the money he had been forced to squander[8] and the slights[9] he had been obliged to swallow. Fettes, with various liquors singing in his head, returned home with devious footsteps and a mind entirely in abeyance[10].

---

1. **Toddy** : le surnom employé par l'étranger rappelle à la fois **toddler** (un bambin, d'où **Macfarlane is the boy**) et **toddy**, de l'hindou **tadi**, nom d'une boisson exotique alcoolisée (= *arak*), ce qui ajouterait à l'ironie de l'appellation et pourrait laisser entendre que cet étranger aux cheveux sombres qui se comporte comme un Pacha vient d'un pays oriental. Lucifer est aussi appelé "le Prince de l'Est".

2. **confounded = damned**. Voir **confound him!** : *qu'il aille au diable !*

3. **knife** : Gray joue ici sur les deux sens du mot 1) *couteau* 2) **surgeon's knife** : *le bistouri*.

4. **jest = joke**.

5. **to his mind = to his taste**.

6. **feast** : le mot possède une connotation orientale. Voir le festin de Balthazar dans la Bible : **"Belshazzar the king made a great feast to a thousand of his lords..."** (Daniel, 5 :1).

« Je suis moi-même un assez mauvais garçon », fit remarquer l'étranger, « mais Macfarlane, lui, est un petit garçon — Toddy Macfarlane, que je l'appelle. Toddy, commandez un autre verre pour votre ami. »

Autre exemple :

« Toddy, allez fermer la porte, et que ça saute ! »

« Toddy me déteste », dit-il encore. « Oh que si, Toddy !

— Ne vous avisez pas de m'appeler par ce maudit nom », grogna Macfarlane.

« Écoutez-le ! Avez-vous jamais vu des gosses jouer du couteau ? Il aimerait faire ça sur tout mon corps », fit remarquer l'étranger.

« Nous autres, médecins, nous avons mieux », dit Fettes. « Lorsque nous n'aimons point un ami défunt, nous le disséquons. »

Macfarlane releva vivement la tête, comme s'il ne goûtait guère cette plaisanterie.

L'après-midi passa. Gray — c'était en effet le nom de l'étranger — invita Fettes à se joindre à eux pour dîner, commanda un festin si somptueux que la taverne fut mise en émoi, et quand tout fut terminé, donna l'ordre à Macfarlane de régler l'addition. Il était tard lorsqu'ils se séparèrent ; le dénommé Gray était ivre mort. Dégrisé par la rage, Macfarlane ruminait cet argent qu'il avait été obligé de gaspiller et les affronts qu'il avait dû subir. Fettes, avec tout ce mélange de boissons qui lui montaient à la tête, revint chez lui en titubant, le cerveau dans un état de complète hébétude.

---

7. **chewed the cud :** de **to chew the cud :** *remâcher, ruminer.*

8. **squander :** *gaspiller, dissiper, dilapider.*

9. **slights** [slaɪts] : *affronts, humiliations, offenses.* **To feel slighted :** *se sentir blessé, offensé.*

10. **in abeyance :** 1) *en désuétude* (terme juridique). 2) ici, *en suspens, hébété.*

Next day Macfarlane was absent from the class, and Fettes smiled to himself as he imagined him still squiring[1] the intolerable Gray from tavern to tavern. As soon as the hour of liberty had struck he posted[2] from place to place in quest of[3] his last night's companions. He could find them, however, nowhere; so returned early to his rooms, went early to bed, and slept the sleep of the just.

At four in the morning he was awakened by the well-known signal[4]. Descending to the door, he was filled with astonishment to find Macfarlane with his gig, and in the gig one of those long and ghastly packages with which he was so well acquainted.

'What?' he cried. 'Have you been out alone? How did you manage?'

But Macfarlane silenced him roughly, bidding[5] him turn to business. When they had got the body upstairs and laid it on the table, Macfarlane made at first as if[6] he were[7] going away. Then he paused and seemed to hesitate; and then, 'You had better[8] look at the face,' said he, in tones of some constraint[9]. 'You had better,' he repeated, as Fettes[10] only stared at him in wonder.

'But where, and how, and when did you come by[11] it?' cried the other.

'Look at the face,' was the only answer[12].

---

1. **squiring**: de **squire**: *propriétaire terrien, châtelain.* **To squire**: *escorter, servir de cavalier à* (ex.: **a lady**).

2. **posted** = **hastened**.

3. **in quest of** = **in search of**.

4. **well-known signal**: voir pp. 150 et 154. On remarquera ici la progression ; cette fois, c'est Macfarlane qui vient lui apporter le "sujet" en personne. Le fait qu'il connaisse le signal démontre qu'il est très proche des "goules" qui frappent d'habitude à la porte de Fettes.

5. **bidding** = **ordering**.

6. **made... as if**: de **to make as if** = **to pretend**.

7. **were**: voir note 12, p. 163.

8. **You had better**: souvent contracté aujourd'hui en **you'd better**. Littéralement, *tu ferais mieux, tu ferais bien de...*

9. **constraint**: *contrainte, retenue, gêne.*

Le lendemain Macfarlane n'apparut point au cours, et Fettes rit intérieurement en l'imaginant en train d'escorter l'insupportable Gray de taverne en taverne. Dès que sonna son heure de liberté, il fit aussitôt la tournée des tripots en quête de ses compagnons de la nuit précédente. Mais ils demeurèrent introuvables. C'est pourquoi il ne tarda pas à regagner sa chambre, se coucha de bonne heure, et dormit du sommeil du juste.

À quatre heures du matin il fut réveillé par le signal habituel. Une fois descendu jusqu'à la porte, il fut stupéfait de trouver Macfarlane avec son cabriolet, et dans ce dernier l'un de ces longs paquets sinistres auxquels il était si bien accoutumé.

« Quoi ? » s'écria-t-il. « Tu es sorti seul ? Comment as-tu fait ? »

Mais Macfarlane le fit taire sans ménagement, en lui conseillant de se mettre à l'ouvrage. Lorsqu'ils eurent monté le cadavre et l'eurent étendu sur la table, Macfarlane commença par faire semblant de partir. Puis il se ravisa et parut hésiter, avant de déclarer, d'un ton plutôt embarrassé :

« À ta place, je jetterais un coup d'œil sur son visage. »

Et comme Fettes se contentait de le contempler, ébahi, il répéta :

« À ta place...

— Mais où, comment, et quand l'as-tu trouvé ? » s'écria l'autre.

« Regarde le visage », dit le premier en guise de réponse.

---

10. **as Fettes** : littéralement, *tandis que Fettes...*

11. **come by** : de **to come by** : *obtenir, se procurer qqch.* Ex. : **how did you come by that book?** *comment avez-vous déniché ce livre ?*

12. **was the only answer** : on remarque dans ce dialogue un effacement des personnes et des noms que sont Fettes et Macfarlane, au profit de "the other" ou "the only answer", ce qui accentue l'inquiétante étrangeté. De même, le Dr Jekyll se décrira de moins en moins comme une personne, et de plus en plus comme un "il" qui lui échappe.

Fettes was staggered[1]; strange doubts assailed him. He looked from the young doctor to the body, and then back again. At last, with a start, he did as he was bidden. He had almost expected the sight that met his eyes, and yet the shock was cruel. To see, fixed in the rigidity of death and naked on that coarse layer[2] of sack-cloth[3], the man whom he had left well-clad[4] and full of meat and sin upon the threshold of a tavern, awoke, even in the thoughtless Fettes, some of the terrors of the conscience. It was a *cras tibi*[5] which re-echoed in his soul, that two whom he had known should have come to lie upon these icy tables. Yet these were only secondary thoughts. His first concern regarded Wolfe. Unprepared for a challenge so momentous[6], he knew not how to look his comrade in the face. He durst[7] not meet his eye, and he had neither words nor voice at his command.

It was Macfarlane himself who made the first advance. He came up quietly behind and laid his hand gently but firmly on the other's shoulder.

'Richardson[8],' said he, 'may have the head.'

Now[9] Richardson was a student who had long been anxious for that portion of the human subject to dissect. There was no answer, and the murderer resumed: 'Talking of business, you must pay me; your accounts, you see, must tally[10].'

Fettes found a voice, the ghost of his own:

---

1. **staggered** = **amazed, upset**.
2. **layer** [leɪə] : littéralement, *couche*. En géologie, *une strate*.
3. **sackcloth** : *grosse toile d'emballage, toile à sac*. Dans le vocabulaire religieux, **sackcloth and ashes** : *la toile et la cendre*.
4. **well-clad** = **well-clothed** (archaïque ou littéraire).
5. **cras tibi** : expression latine qui signifie littéralement *demain à toi* = *demain, ce sera ton tour*.
6. **momentous** = **important, formidable**.
7. **durst** : prétérit archaïque de **dare** (= **dared**). Littéralement, *il n'osait pas rencontrer son regard*. Cette allusion au regard (ou à l'œil, eye) de Macfarlane fait penser au ***"Tell-Tale Heart"*** de Poe ; Macfarlane est ici une personne dont il ne fait pas bon croiser le regard, sans doute parce qu'il est "mauvais" (voir note 5, p. 64).

Fettes était frappé de stupeur; des doutes étranges l'assaillaient. Son regard se portait du jeune docteur vers le cadavre, et inversement. Finalement, dans un sursaut, il s'exécuta. Il s'était pour ainsi dire attendu à voir ce spectacle, mais malgré tout le choc fut cruel. Voir ainsi, figé dans la rigidité de la mort et nu sur cette grossière toile à sac, l'homme qu'il avait quitté convenablement habillé, la panse garnie de viande et de péchés, sur le seuil d'une taverne, réveillait, même chez Fettes le frivole, comme des terreurs de conscience. C'était un *cras tibi* qui se réverbérait dans son âme: deux êtres qu'il avait connus avaient fini par se retrouver étendus sur ces tables glacées. Mais ces pensées-là passaient au second plan. Son souci premier concernait Wolfe. N'étant pas préparé à un défi aussi important, il ne savait pas comment regarder son camarade en face. Il fuyait son regard, il ne savait que dire, et il restait sans voix.

C'est Macfarlane lui-même qui prit les devants. Il vint derrière lui à pas feutrés et posa la main doucement, mais fermement, sur son épaule.

« Richardson », dit-il, « pourra avoir la tête. »

Il faut dire que Richardson était un étudiant qui, depuis longtemps, était impatient d'avoir cette partie du sujet humain à disséquer. N'obtenant pas de réponse, le meurtrier poursuivit:

« À propos d'affaires, il faut que tu me payes; tes comptes, vois-tu, doivent être équilibrés. »

Fettes retrouva sa voix, mais c'était l'ombre d'elle-même:

8. **Richardson**: le nom de l'étudiant rappelle celui du célèbre écrivain britannique du XVIIIe Samuel Richardson (1689-1761), auteur de ***Pamela*** (1740) et de ***Clarissa Harlowe*** (1748), sans doute utilisé ici à des fins ironiques. R.L.S. reprend souvent des noms d'écrivains pour les personnages de ses romans.

9. **now**: valeur explicative (= *or, il faut dire*).

10. **tally**: *s'accorder avec, correspondre à* (**with**). Ici, *être en ordre, en règle.*

'Pay you!' he cried. 'Pay you for that?'

'Why, yes, of course you must. By all means and on every possible account[1], you must,' returned the other. 'I dare not give it for nothing, you dare not take it for nothing; it would compromise us both. This is another case like Jane Galbraith's. The more things are wrong the more we must act as if all were right[2]. Where does old K— keep his money—'

'There,' answered Fettes hoarsely, pointing to a cupboard in the corner.

'Give me the key, then,' said the other, holding out his hand.

There was an instant's hesitation, and the die was cast[3]. Macfarlane could not suppress a nervous twitch[4], the infinitesimal mark of an immense relief, as he felt the key turn between his fingers. He opened the cupboard, brought out pen and ink and a paper-book[5] that stood in one compartment, and separated from the funds in a drawer a sum suitable to the occasion.

'Now, look here,' he said, 'there is the payment made — first proof of your good faith: first step to your security. You have now to clinch[6] it by a second. Enter the payment in your book, and then you for your part may defy the devil[7].'

The next few seconds were for Fettes an agony[8] of thought; but in balancing his terrors it was the most immediate that triumphed.

---

1. **on every possible account**: voir **on this account**: *pour cette raison.* L'ironie de Macfarlane repose ici sur l'autre sens concret du mot **account**: *compte* (bancaire) qu'on retrouve dans **account book** (= *livre de comptes*) ou dans **accounts** (p. 168).

2. Cette maxime qui fait écho au "*quid pro quo*" de K. (p. 152) suffit à montrer le cynisme et la transgression morale de Macfarlane.

3. **the die was cast**: littéralement, *le dé fut jeté.* **Die** [daɪ]: *le dé,* pluriel **dice**. En latin, *alea jacta est.*

4. **twitch**: *coup sec, mouvement convulsif, tic.*

5. **paper-book**: à comparer avec le livre de comptes du vieux loup de mer au chapitre 6 de *L'Ile au trésor* intitulé "Les Papiers du Capitaine",

« Te payer ! » s'écria-t-il. « Te payer pour ça ?

— Mais si, il le faut. À tout point de vue et tout compte fait, il le faut », rétorqua l'autre. « Je ne me risquerais pas à te le donner gratis, ni toi à le prendre gratis, ce serait nous compromettre tous les deux. C'est un cas analogue à celui de Jane Galbraith. Plus les choses sont irrégulières, et plus nous devons faire comme si elles ne l'étaient pas. Où est le magot du vieux K. ?

— Là-dedans », répondit Fettes d'une voix rauque, en désignant un placard dans un coin.

« Alors donne-moi la clef », dit l'autre posément, en tendant la main.

Il y eut un instant d'hésitation, et les dés furent jetés. Macfarlane ne put retenir une crispation nerveuse, marque infime d'un soulagement infini, en sentant la clef entre ses doigts. Il ouvrit le placard, extirpa d'un compartiment une plume, de l'encre et un cahier, puis préleva sur les fonds contenus dans un tiroir la somme voulue.

« Maintenant, regarde », dit-il, « voilà le paiement effectué — première preuve de ta bonne foi : premier pas, pour toi, vers la sécurité. Il te reste à la garantir par un second. Inscris le versement dans ton livre de comptes, et en ce qui te concerne, tu pourras défier le diable en personne. »

Les quelques secondes qui suivirent furent un terrible dilemme pour Fettes ; mais parmi ses terreurs, ce fut la plus immédiate qui fit pencher la balance.

---

sur lequel il a consigné tous les naufrages et pillages de sa carrière. Voir aussi *Dr. Jekyll and Mr. Hyde*, lorsque Lanyon découvre le registre du Dr Jekyll (*op. cit.*, p. 168).

6. **clinch** : *consolider, confirmer, conclure* (un marché, une transaction). Ex. : **to clinch a deal** : *conclure une affaire.*

7. **defy the devil** : la proposition de Macfarlane confirme qu'il est bien le Méphisto de Fettes (= Faust). En échange de son âme, Faust sera, d'après Méphisto, "aussi grand que Lucifer" (Marlowe, ***Doctor Faustus***, II, 1, 52).

8. **agony** : au sens étymologique de *combat.* Ici, le combat intérieur, le dilemme.

Any future difficulty seemed almost welcome if he could avoid a present quarrel with Macfarlane. He set down the candle which he had been carrying all the time, and with a steady hand entered[1] the date, the nature, and the amount of the transaction[2].

'And now,' said Macfarlane, 'it's only fair that you should pocket the lucre[3]. I've had my share already. By-the-by, when a man of the world falls into a bit of luck, he has a few shillings extra in his pocket — I'm ashamed to speak of it, but there's a rule of conduct in the case. No treating[4], no purchase of expensive class-books, no squaring[5] of old debts; borrow, don't lend.'

'Macfarlane,' began Fettes, still somewhat hoarsely. 'I have put my neck in a halter[6] to oblige you.'

'To oblige me?' cried Wolfe. 'Oh, come! You did, as near as I can see the matter, what you downright[7] had to do in self defence. Suppose I got into trouble, where would you be? This second little matter flows clearly from the first. Mr. Gray is the continuation of Miss Galbraith. You can't begin and then stop[8]. If you begin, you must keep on beginning; that's the truth. No rest for the wicked[9].'

A horrible sense of blackness and the treachery of fate seized hold upon the soul of the unhappy student.

'My God!' he cried, 'but what have I done? and when did I begin?

---

1. **entered**: de **to enter**: *inscrire, noter*. En informatique, *introduire, entrer*. D'où **an entry**: *entrée* (dictionnaire), *article* (encyclopédie).

2. De même Faust, de sa propre main (et de son propre sang) rédige-t-il le contrat par lequel il donne son âme. Voir aussi la nouvelle de Hogg, p. 44, note 3.

3. **lucre** ['lu:kə]; terme péjoratif pour **money**, comme dans **filthy lucre**: *gain honteux* (voir Tite, 1:11).

4. **treating**: de **to treat (somebody to something)**: *payer, offrir qqch. à qqn*. Ex.: **this is to be my treat**: *c'est moi qui paye, qui régale*.

5. **squaring** = **settling**.

6. **halter** ['hɔ:ltə]: *licou, collier, corde* (de pendaison). Fettes fait allusion à son écriture, qui consigne désormais, sur le livre de comptes du professeur, cette transaction pour le moins équivoque.

Toute difficulté future semblait presque la bienvenue comparée à une querelle immédiate avec Macfarlane. Il posa la bougie qu'il avait gardée à la main jusque-là, et d'une écriture posée inscrivit la date, la nature et le montant de la transaction.

« Et maintenant », dit Macfarlane, « il est normal que tu empoches des dividendes. J'ai déjà eu ma part. À propos, lorsqu'un homme du monde a un coup de chance et qu'il se promène avec quelques shillings de plus dans sa poche, il faut, dans son cas — j'ai honte de le dire — qu'il suive une certaine ligne de conduite. Pas d'invitations, pas d'achats de manuels coûteux, pas de vieilles dettes à régler ; des emprunts, pas de prêts.

— Macfarlane », commença à dire Fettes, d'une voix encore un peu rauque, « je me suis mis la corde au cou pour t'obliger.

— M'obliger ? » s'écria Wolfe. « Allons, allons ! Pour autant que je sache, tu n'as fait que le strict nécessaire à ta propre sécurité. Suppose que j'aie eu des ennuis, où en serais-tu à présent ? Cette deuxième affaire découle clairement de la précédente. M. Gray est la suite de Mlle Galbraith. Impossible de s'arrêter en cours de route. Une fois qu'on a commencé, il faut toujours continuer, c'est la vérité. Pas de repos pour les méchants. »

Une horrible sensation de noirceur et de trahison fatale étreignit l'âme du malheureux étudiant.

« Mon Dieu ! » s'écria-t-il. « Qu'ai-je donc fait ? Et quand ai-je commencé ?

---

7. **downright = definitely.**

8. **You can't begin and then stop :** voir ***Doctor Faustus :*** *"Consummatum est"* (II, 1, 74).

9. **No rest for the wicked :** écho d'Isaïe, 48 : 22, *"There is no peace, saith the Lord, unto the wicked"* (King James Version). Voir également l'évocation des âmes en peine dans ***Hamlet*** (I, 5), reprise dans ***Dr Jekyll and Mr Hyde :*** " '*Ah, it's an ill conscience that's such an enemy to rest* !' " (p. 132), s'exclame Poole devant le notaire.

To be made a class assistant —in the name of reason, where's the harm in that? Service[1] wanted the position; Service might have got it. Would *he* have been where *I* am now?'

'My dear fellow,' said Macfarlane, 'what a boy you are! What harm[2] *has* come to you? What harm *can* come to you if you hold your tongue? Why, man, do you know what this life is? There are two squads[3] of us —the lions and the lambs. If you're a lamb, you'll come to lie upon these tables like Gray or Jane Galbraith; if you're a lion[4], you'll live and drive a horse like me, like K—, like all the world with any wit or courage. You're staggered at the first. But look at K—! My dear fellow, you're clever, you have pluck[5]. I like you, and K— likes you. You were born to lead the hunt: and I tell you, on my honour and my experience of life, three days from now you'll laugh at all these scarecrows like a high school[6] boy at a farce.'

And with that Macfarlane took his departure and drove off up the wynd in his gig to get under cover before daylight[7]. Fettes was thus left alone with his regrets. He saw the miserable peril in which he stood involved. He saw, with inexpressible dismay, that there was no limit to his weakness, and that, from concession to concession, he had fallen from the arbiter[8] of Macfarlane's destiny to[9] his paid and helpless accomplice.

---

1. **Service**: le nom même de l'étudiant suggère le contraire de l'ambition (voir p. 150, "**the slave of his own desires and low ambitions**").

2. **harm = damage. Harmless**: *inoffensif.*

3. **squads = groups. Firing squad**: *le peloton d'exécution.* **Flying Squad**: *la brigade volante* (de la police judiciaire).

4. **lion**: la Bible mentionne "le diable, comme un lion rugissant" (1 Pierre, 5:8). Stevenson cite explicitement ce passage au début de sa nouvelle écossaise "Thrawn Janet". L'agneau, au contraire, est traditionnellement associé à Jésus; "comme d'un agneau sans défaut et sans tache, celui du Christ..." (1 Pierre, 1:19).

5. **pluck** [plʌk]: *courage, cran.*

6. **high school**: *le lycée.*

Être nommé assistant — en toute objectivité, quel mal y a-t-il à cela ? L'étudiant Service voulait la place, il aurait pu l'avoir. Se trouverait-il, *lui*, dans la situation où *moi* je suis aujourd'hui ?

— Mon ami », dit Macfarlane, « quel gamin tu fais ! Que t'est-il arrivé *jusqu'à présent* ? Que *peut-il* t'arriver si tu tiens ta langue ? Sais-tu, mon vieux, ce qu'est la vie ici-bas ? Nous sommes répartis en deux camps : les lions et les agneaux. Si tu es un agneau, tu échoueras tôt ou tard sur l'une de ces tables comme Gray ou Jane Galbraith ; si tu es un lion, tu vivras et tu auras ton cabriolet comme moi, comme K., comme tout ce que le monde compte de gens d'esprit et de courage. Tu es stupéfait, dans un premier temps. Mais regarde K. ! Mon ami, tu es malin, tu as du cran. Je t'aime bien, et K. t'aime bien, lui aussi. Tu es né pour mener la meute ; et je te parie sur mon honneur et mon expérience de la vie que dans trois jours tu riras de ces épouvantails comme d'une farce de collégien. »

Là-dessus, Macfarlane s'en alla et remonta l'allée dans son cabriolet pour se mettre à l'abri avant l'aube. Fettes resta ainsi seul avec ses regrets. Il voyait le péril épouvantable auquel il était exposé. Il voyait, avec un désarroi indicible, que sa faiblesse était sans limite et que, de concession en concession, il n'était plus en mesure d'arbitrer la destinée de Macfarlane, et qu'il s'était abaissé à devenir son complice corrompu et impuissant.

---

7. **to get under cover before daylight** : la hâte de Macfarlane peut s'expliquer par des raisons évidentes de sécurité, mais on ne peut manquer de faire le rapprochement avec les vampires, qui regagnent traditionnellement leur repaire avant le lever du jour, sous peine de mourir (voir note 10, p. 125). Devenu Hyde, Jekyll envisage également de "fuir avant le lever du jour" (**flee before daylight**, p. 182).

8. **arbiter** ['ɑ:bɪtə] = **judge, arbitrator**.

9. **to** : en corrélation avec **fallen from... to**.

He would have given the world to have been a little braver[1] at the time, but it did not occur[2] to him that he might still be brave. The secret of Jane Galbraith and the cursed entry[3] in the daybook closed his mouth.

Hours passed; the class began to arrive; the members of the unhappy Gray were dealt out[4] to one and to another, and received without remark. Richardson was made happy with the head; and before the hour of freedom rang Fettes trembled with exultation to perceive how far they had already gone towards safety.

For two days he continued to watch, with increasing joy, the dreadful process of disguise.

On the third day[5] Macfarlane made his appearance. He had been ill, he said; but he made up for[6] lost time by the energy with which he directed the students. To Richardson in particular he extended the most valuable assistance and advice, and that student, encouraged by the praise of the demonstrator, burned high with ambitious hopes[7], and saw the medal already in his grasp.

Before the week was out Macfarlane's prophecy had been fulfilled. Fettes had outlived his terrors and had forgotten his baseness. He began to plume himself upon[8] his courage, and had so arranged the story in his mind that[9] he could look back[10] on these events with an unhealthy pride. Of his accomplice he saw but[11] little. They met, of course, in the business of the class;

1. **braver** [breɪvə] : comparatif de **brave** : *courageux, brave, vaillant.*

2. **occur** [ə'kɜ:] = **come to his mind. To occur = to happen, to take place.**

3. **cursed entry** : voir note 1, p. 172. L'objectif de Macfarlane était à la fois concret et symbolique : empêcher Fettes de parler, et lui faire conclure un pacte de type faustien avec K.

4. **dealt out** : participe passé de **to deal out** : *distribuer, répartir, partager* (**between,** *entre*).

5. **third day** : la réapparition de Macfarlane le troisième jour n'est autre que la parodie de la résurrection du Christ (voir par exemple Matthieu, 17 :22). Comme chez Hogg, la parodie de la Bible est ici au cœur de la transgression diabolique.

Il aurait tout donné pour s'être montré un peu plus courageux alors, mais il ne lui vint pas à l'esprit qu'il pouvait l'être encore. Le secret de Jane Galbraith et la maudite inscription sur l'agenda le réduisaient au silence.

Les heures passèrent. Les étudiants commençaient à arriver. Les membres du pauvre Gray furent distribués de gauche à droite, sans susciter le moindre commentaire. Richardson fut ravi d'avoir la tête ; et avant que l'heure de la délivrance ait sonné, Fettes tremblait d'exultation en constatant l'étendue du chemin qu'ils avaient déjà parcouru sur la voie de la sécurité.

Deux jours durant, il continua à surveiller, avec une joie grandissante, le mécanisme horrible du secret.

Le troisième jour, Macfarlane fit son apparition. Il avait été malade, déclara-t-il ; mais il rattrapa le temps perdu grâce à l'énergie qu'il déploya pour diriger les étudiants dans leur travail. Richardson, notamment, bénéficia de ses avis et de ses soins les plus précieux, de sorte que l'étudiant en question, encouragé par les éloges du démonstrateur, se mit à brûler d'ambition et d'espérance et s'imagina déjà dans la peau d'un lauréat.

Avant la fin de la semaine, la prophétie de Macfarlane était devenue réalité. Fettes avait surmonté ses terreurs et oublié sa lâcheté. Il commença à s'enorgueillir de son courage, et avait arrangé l'histoire dans son esprit malsain de telle sorte qu'il pouvait, avec le recul, envisager ces événements avec fierté. Quant à son complice, il ne le voyait guère. Ils se rencontraient, cela va de soi, pour la bonne marche de la classe,

---

6. **made up for = compensated for.**
7. **high with ambitious hopes :** Richardson apparaît ici comme le double de Fettes.
8. **to plume himself upon :** *se targuer de, s'enorgueillir.*
9. **so... that :** *de telle sorte que.*
10. **look back :** littéralement, *regarder derrière soi, se retourner.*
11. **but : = only.**

they received their orders together from Mr. K—. At times they had a word or two in private, and Macfarlane was from first to last particularly kind and jovial. But it was plain[1] that he avoided any reference to their common secret; and even when Fettes whispered to him that he had cast in his lot[2] with the lions and forsworn[3] the lambs, he only signed to him smilingly to hold his peace.

At length an occasion arose which drew the pair once more into a closer union. Mr. K— was again short of subjects; pupils were eager, and it was a part of this teacher's pretensions to be always well supplied. At the same time there came the news of a burial in the rustic graveyard of Glencorse[4]. Time has little changed the place in question. It stood then, as now, upon the crossroad, out of call of[5] human habitations, and buried[6] fathom[7] deep in the foliage of six cedar trees. The cries of the sheep upon the neighbouring hills, the streamlets upon either hand, one loudly singing among pebbles, the other dripping furtively from pond to pond, the stir of the wind in mountainous old flowering chestnuts, and once in seven days the voice of the bell and the old tunes of the precentor[8], were the only sounds that disturbed the silence around the rural church. The Resurrection Man — to use a by-name[9] of the period — was not to be deterred[10] by any of the sanctities of customary piety[11].

---

1. **plain = obvious.**
2. **lot :** *sort, destinée* (**= fate). To cast lots :** *tirer au sort.*
3. **forsworn :** participe passé de **to forswear (forswore, forsworn) :** *renoncer à, abjurer.*
4. **Glencorse :** le nom du village n'est sans doute pas un hasard ici. **Glen**, en écossais, signifie *vallon*, et **corse**, en vieil anglais, signifie **corpse :** *cadavre.*
5. **out of call of ≠ within call of,** *à proximité de.*
6. **buried** ['berɪd] : littéralement, *enterré.* On notera l'ironie de ce terme, employé pour un cimetière.
7. **fathom** ['fæðəm] : *une brasse nautique* (1,83 m). **To fathom :** *sonder.* **Fathomless :** *insondable.* **Fathom deep** suggère ici une grande profondeur.

et c'est ensemble qu'ils recevaient leurs ordres de M. K. S'ils venaient à échanger un mot ou deux en privé, Macfarlane se montrait d'un bout à l'autre particulièrement affable et jovial, même s'il était clair qu'il se gardait de faire la moindre allusion à leur secret commun. Et même lorsque Fettes lui dit à voix basse qu'il s'était rallié aux lions et avait répudié les agneaux, il se contenta de sourire en lui faisant signe de se taire.

Au bout d'un certain temps se présenta une occasion qui permit au duo de resserrer à nouveau ses liens. M. K., une fois de plus, était à court de sujets, et les élèves rongeaient leur frein. Or ce professeur avait, entre autres prétentions, celle d'être toujours excellemment pourvu. Au même moment arriva la nouvelle d'un enterrement dans le cimetière rustique de Glencorse. L'endroit en question n'a guère changé depuis ce temps. Il se trouvait alors, comme aujourd'hui, sur une route transversale, loin de toute habitation humaine, et profondément enfoui sous le feuillage de six cèdres. Le bêlement des moutons sur les collines environnantes, les deux ruisseaux de chaque côté (l'un qui chantait à tue-tête sur les cailloux, l'autre qui s'égouttait discrètement de mare en mare), le bruissement du vent dans les branches fleuries des gigantesques châtaigniers centenaires, et une fois par semaine le son des cloches et les vieux cantiques du maître de chapelle, constituaient les seuls bruits qui venaient troubler le silence régnant autour de cette église de campagne. Le Résurrectionniste — pour utiliser un surnom de l'époque — refusait de se laisser décourager par ce que la piété la plus élémentaire tenait pour sacré.

---

8. **precentor** [ˌprɪːˈsentə] : *premier chantre, maître de chapelle* (du latin **prae** : *devant*, et **canere** : *chanter*).

9. **by-name = nickname**. Voir note 9, p. 135.

10. **deterred = discouraged, dissuaded.**

11. **piety** [ˈpaɪətɪ].

It was part of his trade to despise and desecrate the scrolls[1] and trumpets[2] of old tombs, the paths worn by the feet of worshippers and mourners, and the offerings and the inscriptions of bereaved affection[3]. To rustic neighbourhoods, where love is more than commonly tenacious, and where some bonds of blood or fellowship unite the entire society of a parish, the body snatcher, far from being repelled by natural respect, was attracted by the ease and safety of the task. To bodies that had been laid in earth, in joyful expectation of a far different awakening[4], there came that hasty, lamp-lit, terror-haunted resurrection of the spade and mattock. The coffin was forced, the cerements[5] torn, and the melancholy relics, clad in sackcloth, after being rattled for hours on moonless by-ways, were at length exposed to uttermost indignities before a class of gaping boys.

Somewhat as two vultures[6] may swoop[7] upon a dying lamb[8], Fettes and Macfarlane were to be let loose upon a grave in that green and quiet resting place. The wife of a farmer, a woman who had lived for sixty years, and been known for nothing but good butter and a godly conversation, was to be rooted from her grave at midnight and carried, dead and naked[9], to that far away city that she had always honoured with her Sunday best;

---

1. **scrolls** [skrəulz] : **a scroll** 1) *rouleau* (parchemin), *manuscrit* (livre ancien) 2) *volute, spirale* (architecture).

2. **trumpets** : éléments d'architecture en forme de trompette.

3. **bereaved affection** : littéralement, *l'affection affligée, endeuillée.* Il y a ici un hypallage, avec transfert de l'adjectif **bereaved** des personnes sur leur affection. Cf. *ibant obscuri sub nocte* (Virgile) = *ils allaient obscurs sous la nuit*, alors que c'est la nuit qui est obscure (transfert de la nuit aux personnes).

4. **a far different awakening** : il s'agit ici de la résurrection chrétienne, par opposition à cette parodie de résurrection que pratiquent les "Résurrectionnistes", adeptes qu'ils sont de la bêche et de la pioche (**spade and mattock**).

5. **cerements** = **grave-clothes, shroud** : *suaire, linceul.* Le mot a été forgé par Shakespeare dans ***Hamlet*** (I, 4, 48), lorsque Hamlet s'adresse

Cela faisait partie de son métier que de mépriser et de profaner les banderoles et les corniches des vieilles tombes, les sentiers usés par le passage des fidèles et des cortèges funèbres, sans compter les offrandes et les épitaphes commémorant l'affection des parents endeuillés. C'est vers les campagnes, où l'amour est plus tenace qu'ailleurs et où les liens de parenté et de communauté unissent tous les membres d'une paroisse, que le voleur de cadavres, loin d'être détourné par le respect de la nature, était porté par la facilité et la sécurité du travail. Des corps qui avaient été mis en terre dans la joyeuse attente d'un tout autre réveil connaissaient alors, à la lueur des lanternes hantées par la terreur, cette résurrection hâtive de la bêche et de la pioche. Le cercueil était forcé, le linceul éventré, et les funèbres reliques, une fois habillées de toile à sac, étaient bringuebalées des heures durant en fiacre, sur des sentiers sans lune, avant de finir par être exposées aux pires indignités devant un parterre d'étudiants bouche bée.

Pareils à deux vautours fondant sur un agneau agonisant, Fettes et Macfarlane devaient être lâchés sur une tombe dans ce havre verdoyant de repos et de paix. La femme d'un fermier, une femme qui avait vécu soixante années durant lesquelles elle s'était distinguée par l'excellence de son beurre et la piété de sa conversation, devait être arrachée à la tombe sur le coup de minuit et transportée, morte et nue, vers cette lointaine cité qu'elle avait toujours honorée de ses habits du dimanche ;

---

au spectre de son père : "...**but tell/Why thy canoniz'd bones, hearsed in death,/Have burst their cerements**" = "mais dis/Pourquoi tes os sanctifiés, ensevelis dans la mort,/Ont déchiré leur linceul" (trad. J.-M. Déprats). Voir la fin de la nouvelle.

6. **vultures** : après le loup, le serpent et le lion, encore un animal dangereux ou prédateur, par opposition à l'agneau.

7. **swoop** [swu:p] : 1) *fondre, piquer* (oiseau). 2) *descendre en piqué* (avion). 3) *faire une descente* (police).

8. **lamb** : voir p. 174.

9. voir Jane Galbraith plus haut. On remarquera l'absence de femmes dans la nouvelle, si ce n'est sous la forme de cadavres nus.

the place beside her family was to be empty till the crack of doom[1]; her innocent and almost venerable members to be exposed to that last curiosity[2] of the anatomist.

Late one afternoon the pair set forth, well wrapped in cloaks and furnished with a formidable bottle. It rained without remission — a cold, dense, lashing rain. Now and again there blew a puff of wind, but these sheets[3] of falling water kept it down. Bottle and all, it was a sad and silent drive as far as Penicuik, where they were to spend the evening. They stopped once, to hide their implements[4] in a thick bush not far from the churchyard, and once again at the Fisher's Tryst[5], to have a toast before the kitchen fire and vary their nips[6] of whisky with a glass of ale. When they reached their journey's end[7] the gig was housed, the horse was fed and comforted, and the two young doctors in a private room sat down to the best dinner and the best wine the house afforded[8]. The lights, the fire, the beating rain upon the window, the cold, incongruous work that lay before them, added zest to their enjoyment of the meal. With every glass their cordiality increased. Soon Macfarlane handed a little pile of gold to his companion.

'A compliment,' he said. 'Between friends these little damned accommodations ought to fly like pipe-lights[9].'

---

1. **crack of doom**: *la trompette du Jugement dernier*. Voir encore ***Hamlet: "sick almost to doomsday with eclipse"*** (I, 1, 123), "Malade presque comme au Jour du Jugement" (trad. J.-M. Déprats).

2. **that last curiosity**: après avoir évoqué plus haut la nudité de ce corps féminin (p. 180), Stevenson insiste ici sur le caractère indécent de cette curiosité morbide.

3. **sheets**: voir **the rain came down in sheets**: *il pleuvait à torrents*.

4. **implements = tools, instruments, equipment**.

5. **Tryst** [trɪst] = **meeting, appointment**. En poésie ou dans la langue archaïque, *un rendez-vous d'amour* (du vieux français *triste*: place fixe à la chasse). Après la description des ruisseaux (p. 178) et de la pluie, le nom de l'auberge confirme que la fin de la nouvelle est placée sous le signe de l'eau.

6. **nips**: voir **a nip of whisky**: *une goutte, un petit verre de whisky*.

sa place, dans le caveau de famille, devait rester inoccupée jusqu'au jugement dernier; ses membres innocents et presque vénérables exposés à l'ultime curiosité de l'anatomiste.

En fin d'après-midi le duo se mit en route. Ils étaient bien enveloppés dans leur manteau et munis d'une solide bouteille. Il pleuvait sans discontinuer — une pluie froide, drue, battante. De temps à autre il y avait une bouffée de vent, mais elle était aussitôt plaquée au sol par cette pluie torrentielle. Malgré la bouteille et tout le reste, ce fut un trajet triste et silencieux jusqu'à Penicuik, où ils devaient passer la soirée. Ils s'arrêtèrent une fois en route pour dissimuler leur attirail dans un épais fourré, non loin du cimetière, et une seconde fois au *Rendez-vous du Pêcheur*, pour manger un morceau devant la cheminée de la cuisine et couper leurs lampées de whisky par des rasades de bière. Une fois à l'auberge le cabriolet fut remisé, le cheval nourri et bouchonné, tandis que les deux jeunes médecins, installés dans un salon privé, s'attablaient autour du meilleur dîner et des meilleurs crus que la maison pouvait leur proposer. Les bougies, le feu, la pluie qui battait sur le carreau, le travail incongru qui les attendait dans le froid, tout cela ajoutait du piquant à la joie qu'ils prenaient au repas. Chaque verre nouveau augmentait leur bonne humeur. Bientôt Macfarlane présenta quelques pièces d'or à son compagnon.

« Avec mes compliments », dit-il. « Entre amis, toutes ces f... babioles devraient être monnaie courante. »

---

7. **journey's end**: après Hogg, Stevenson reprend ici le motif du voyage et de la chevauchée fantastique, avec le même déplacement d'Edimbourg vers la campagne. Cf. *Othello* V, 2, 266: "Here is my journey's end."

8. **afforded**: voir **I can't afford it**: *je n'en ai pas les moyens.* On trouve dans ***Dr Jekyll and Mr Hyde*** le même contraste entre l'intérieur et l'extérieur, entre la chaleur, le feu, le vin, et la ville sombre et froide dans laquelle rôde M. Hyde.

9. **to fly like pipe-lights**: littéralement, *voler comme des allumettes* (**pipe-light**: longue allumette pour allumer une pipe).

Fettes pocketed the money, and applauded the sentiment to the echo[1]. 'You are a philosopher,' he cried. 'I was an ass till I knew you. You and K— between you, by the Lord Harry[2]! but you'll make a man of me.'

'Of course we shall,' applauded Macfarlane. 'A man? I tell you, it required a man to back me up the other morning. There are some big, brawling, forty-year-old cowards who would have turned sick at the look of the damned[3] thing; but not you — you kept your head[4]. I watched you.'

'Well, and why not?' Fettes thus vaunted[5] himself. 'It was no affair of mine. There was nothing to gain on the one side but disturbance, and on the other[6] I could count on your gratitude, don't you see?' And he slapped his pocket till the gold pieces rang.

Macfarlane somehow felt a certain touch of alarm at these unpleasant words. He may have regretted that he had taught his young companion so successfully, but he had no time to interfere, for the other noisily continued in this boastful strain[7]:

'The great thing is not to be afraid. Now, between you and me, I don't want to hang — that's practical; but for all cant[8], Macfarlane, I was born with a contempt[9]. Hell, God, Devil, right, wrong, sin, crime, and all the old gallery of curiosities[10] — they may frighten boys,

---

1. **to the echo** = **loudly**. Ex. : **to cheer to the echo** : *applaudir à tout rompre*.

2. **the Lord Harry** : surnom donné au Diable. On remarquera, par rapport à la page 170, que c'est Fettes, ici, qui invoque le Diable.

3. **damned** : la dégradation morale de Macfarlane passe par une dégradation de son vocabulaire.

4. **you kept your head** : littéralement, *tu as gardé ta tête*. Macfarlane joue sur les mots, en faisant allusion, par contraste, à la tête que Gray n'a pas gardée.

5. **vaunted** : vient du français *se vanter* (= **to brag, to boast of**).

6. **on the other** = **on the other side**.

7. **in this boastful strain** : littéralement, *sur ce ton fanfaron*. Le péché d'orgueil est l'un des défauts majeurs de Fettes, mais l'ironie est que ce

Fettes empocha les pièces, et fit chorus à ce qui venait d'être exprimé.

« Tu es un philosophe », s'écria-t-il. « Je n'étais qu'un âne avant de faire ta connaissance. Par le Diable, à vous deux, toi et K., vous ferez de moi un homme !

— Mais bien sûr ! » dit Macfarlane en applaudissant des deux mains. « Un homme ? Vois-tu, j'avais bien besoin d'un homme à mes côtés l'autre matin. Je connais de gros quadragénaires braillards et poltrons qui auraient tourné de l'œil à la vue de cette f... chose ; mais pas toi — tu n'as pas perdu la tête. Je t'avais à l'œil.

— Et alors, pourquoi pas ? » dit Fettes en faisant le fanfaron. « Cette affaire ne me concernait pas. D'un côté il n'y avait que des ennuis à glaner, et de l'autre je pouvais compter sur ta gratitude, comme tu vois ! »

Et il secoua sa poche en faisant tinter les pièces d'or.

Macfarlane sentit poindre en lui une certaine inquiétude en entendant ces propos désagréables. Il commençait peut-êre à regretter d'avoir si bien réussi l'éducation de son compagnon, mais il n'eut point le temps d'intervenir, car l'autre continuait de déverser bruyamment un flot de vantardises :

« Ce qui compte avant tout, c'est de ne pas avoir peur. Entre nous soit dit, je n'ai aucune envie de me retrouver pendu — c'est le bon sens même ; mais blague à part, Macfarlane, dès ma naissance, je n'avais peur de rien ni personne. L'Enfer, Dieu, le Diable, le bien, le mal, le péché, le crime, et toute cette vieille galerie d'antiquités — tout cela est juste bon à faire peur aux enfants,

---

soit Macfarlane qui le condamne. Tout le passage est ici raconté du point de vue de ce dernier.

8. **for all cant = cant excepted**. Sur **cant**, voir note 7, p. 136.

9. **I was born with a contempt** : littéralement, *je suis né avec du mépris.*

10. **curiosities** : *antiquités.* Voir le roman de Dickens, ***The Old Curiosity Shop*** (*Le Magasin d'antiquités*, 1840).

but men of the world, like you and me, despise them. Here's to the memory of Gray!'

It was by this time growing somewhat late. The gig, according to order, was brought round to the door with both lamps brightly shining, and the young men had to pay their bill and take the road. They announced that they were bound for[1] Peebles[2], and drove in that direction till they were clear of[3] the last houses of the town; then, extinguishing the lamps, returned upon their course, and followed a by-road[4] towards Glencorse. There was no sound but that of their own passage, and the incessant, strident pouring of the rain. It was pitch dark[5]; here and there a white gate or a white stone in the wall guided them for a short space across the night; but for the most part it was at a foot pace, and almost groping, that they picked their way through that resonant blackness to their solemn and isolated destination. In the sunken[6] woods that traverse the neighbourhood of the burying ground the last glimmer failed them, and it became necessary to kindle a match and re-illumine one of the lanterns of the gig. Thus, under the dripping trees, and environed by huge and moving shadows, they reached the scene of their unhallowed[7] labours.

They were both experienced in such affairs, and powerful with the spade; and they had scarce been twenty minutes at their task before they were rewarded by a dull rattle on the coffin lid[8].

---

1. **bound for = going to.** Ex. : **where are you bound for?** *Où allez-vous ?* Se dit également d'un colis, d'un train, d'un bateau, d'un avion (= à destination de, en route pour, en partance pour).

2. **Peebles :** petite ville des Borders (région frontalière entre l'Écosse et l'Angleterre), située au confluent de la Tweed et de l'Eddleston Water, au sud-ouest d'Édimbourg.

3. **clear of :** littéralement, *à l'écart de, à distance de.*

4. **by-road :** à rapprocher de la *ruelle* **(by-street)** dans ***Dr. Jekyll and Mr. Hyde.*** Le dédoublement fantastique passe par un dédoublement du paysage : les transgressions ne peuvent s'effectuer qu'à l'écart, en cachette, en retrait des grands axes.

mais des hommes du monde comme toi et moi n'avons que mépris pour elles. À la mémoire de Gray ! »

Il commençait à se faire tard. Conformément aux instructions, le cabriolet fut amené devant la porte avec ses deux lanternes brillant de tous leurs feux, et les deux jeunes gens durent payer leur note avant de prendre la route. Ils dirent tout haut qu'ils allaient vers Peebles, ce qu'ils firent en effet jusqu'à ce qu'ils aient dépassé les dernières maisons de la ville ; puis, tous feux éteints, ils rebroussèrent chemin et suivirent une petite route en direction de Glencorse. Tout était silencieux, hormis le bruit de l'attelage et celui de la pluie qui ruisselait sans discontinuer. Il faisait noir comme dans un four ; çà et là, un portail blanc ou une pierre blanche éclairait bien, pour quelques mètres, leur progression nocturne ; mais la plupart du temps c'était au pas, et presque à l'aveuglette qu'ils se frayaient un chemin à travers ces ténèbres sonores pour rallier leur destination sinistre et solitaire. Dans la profondeur des bois qui s'étendent au voisinage du cimetière la lumière leur fit complètement défaut, et ils durent frotter une allumette pour qu'une des lanternes du cabriolet fonctionne à nouveau. C'est ainsi, sous les arbres ruisselants, entourés par d'énormes ombres mouvantes, qu'ils atteignirent la scène de leurs labeurs impies.

Ils étaient tous deux experts en la matière, et vigoureux manieurs de bêches, aussi avaient-ils à peine travaillé depuis vingt minutes qu'ils furent récompensés par un choc sourd sur le couvercle du cercueil.

---

5. **pitch dark :** de **pitch :** *la poix*. Utilisée dans ce contexte, l'expression rappelle les feux de l'Enfer.

6. **sunken :** littéralement, *submergés*. L'image liquide confirme la prédominance de l'eau et annonce les "arbres ruisselants" plus bas.

7. **unhallowed ≠ hallowed :** *sacré, sanctifié*. Ex. : **hallowed be Thy name :** *que ton nom soit sanctifié*.

8. **a dull rattle on the coffin lid :** cf. E. Brontë, *Les Hauts de Hurle-Vent* (voir note 9. p. 189).

At the same moment Macfarlane, having hurt his hand upon a stone, flung[1] it carelessly above his head. The grave, in which they now stood almost to the shoulders, was close to the edge of the plateau of the graveyard; and the gig lamp had been propped, the better to illuminate their labours, against a tree, and on the immediate verge[2] of the steep bank descending to the stream. Chance had taken a sure aim with the stone[3]. Then came a clang of broken glass; night fell upon them; sounds alternately dull and ringing announced the bounding of the lantern down the bank, and its occasional collision with the trees. A stone or two, which it had dislodged in its descent rattled[4] behind it into the profundities[5] of the glen; and then silence, like night, resumed its sway[6]; and they might bend their hearing to its utmost pitch[7], but naught[8] was to be heard except the rain, now marching to the wind, now steadily falling over miles of open country.

They were so nearly at an end of their abhorred task that they judged it wisest to complete it in the dark. The coffin was exhumed and broken open[9]; the body inserted in the dripping sack and carried between them to the gig; one mounted to keep it in its place, and the other, taking the horse by the mouth, groped along by the wall and bush until they reached the wider road by the Fisher's Tryst.

---

1. **flung** : prétérit de **to fling (flung, flung) = to throw (threw, thrown)** : *jeter, lancer.*

2. **verge** [vɜ:dʒ] : *bas-côté, accotement, bord.* Voir aussi **on the verge of doing something** : *sur le point de faire qqch.*

3. **Chance had taken a sure aim with the stone** : littéralement, *le hasard avait bien visé avec la pierre.*

4. **rattled** : rappelle **a dull rattle** plus haut (p. 186). Tout le passage est fondé sur une série d'effets sonores créés par des mots comme **flung, clang, broken, ringing, bounding**, etc.

5. **profundities** : comme dans la nouvelle de Hogg, la profondeur est signe d'une activité infernale, sinon de l'Enfer lui-même.

6. **sway** : *emprise, empire* (**over**, *sur*).

7. **its utmost pitch** : littéralement, *son degré le plus haut.*

8. **naught** [nɔ:t] = **nothing**.

Au même instant, Macfarlane, qui s'était blessé la main sur une pierre, la jeta sans prendre garde par-dessus sa tête. La tombe — dans laquelle ils se trouvaient maintenant enfouis pour ainsi dire jusqu'aux épaules — jouxtait le rebord du plateau que formait le cimetière, et l'une des lanternes du cabriolet avait été calée, pour mieux les éclairer dans leurs labeurs, contre un arbre situé en bordure immédiate de la rive escarpée qui descendait jusqu'à la rivière. La pierre n'était pas retombée au hasard. On entendit un bruit de verre brisé ; la nuit s'abattit sur eux ; des échos tantôt sourds, tantôt sonores leur annoncèrent que la lanterne était en train de dévaler la pente en heurtant de temps en temps un arbre. Une ou deux pierres qu'elle avait délogées dans sa descente la suivaient avec fracas jusqu'au fond du vallon ; après la nuit, le silence régna de nouveau en maître ; ils avaient beau tendre l'oreille, ils ne percevaient rien d'autre que la pluie qui tantôt luttait contre le vent, tantôt recouvrait consciencieusement des hectares de campagne ininterrompue.

Ils étaient si près d'en avoir terminé avec leur horrible besogne qu'ils jugèrent plus prudent de l'achever dans l'obscurité. Le cercueil fut exhumé et fracturé, le cadavre introduit dans le sac dégoulinant, puis transporté par les deux compères jusqu'au cabriolet. L'un d'eux monta pour le maintenir en place, tandis que l'autre, prenant le cheval par la bride, longea à tâtons le mur et les buissons jusqu'à ce qu'ils débouchent sur la grand-route, non loin du *Rendez-vous du Pêcheur.*

---

9. **The coffin was exhumed and broken open** : comparer avec ***Wuthering Heights***, d'Emily Brontë (*Les Hauts de Hurle-Vent*, 1847), et notamment l'aveu de Heathcliff au chapitre XXIX : "Je vais vous dire ce que j'ai fait hier. J'ai fait enlever (...) la terre sur son cercueil, à elle, et je l'ai ouvert (...). Le jour de son enterrement, il y eut une chute de neige. Le soir, j'allai au cimetière (...). Je pris une bêche dans ce hangar aux outils et me mis à creuser de toutes mes forces. La bêche racla le cercueil..." (trad. Delebecque, Le Livre de Poche, 1984, pp. 385-386).

Here was a faint disused radiancy, which they hailed[1] like daylight; by that they pushed the horse to a good pace and began to rattle along merrily in the direction of the town.

They had both been wetted to the skin during their operations, and now, as the gig jumped among the deep ruts, the thing[2] that stood propped between them fell now upon one and now[3] upon the other. At every repetition of the horrid contact each instinctively repelled it with greater haste; and the process, natural although it was, began to tell[4] upon the nerves of the companions. Macfarlane made some ill-favoured jest about the farmer's wife, but it came hollowly from his lips, and was allowed to drop in silence. Still their unnatural[5] burthen bumped from side to side; and now the head would[6] be laid, as if in confidence, upon their shoulders, and now the drenching sackcloth would flap icily about their faces. A creeping chill[7] began to possess the soul of Fettes. He peered at the bundle, and it seemed somehow larger than at first. All over the country-side, and from every degree of distance, the farm dogs accompanied their passage with tragic ululations; and it grew and grew upon his mind that some unnatural miracle[8] had been achieved, that some nameless change[9] had befallen the dead body, and that it was in fear of their unholy burthen that the dogs[10] were howling.

---

1. **hailed**: de **to hail**, *accueillir, saluer, acclamer* (voir l'allemand **Heil**).
2. **the thing**: l'expression est à noter. Stevenson ne dit plus **the body**.
3. **now...now**: *tantôt...tantôt*.
4. **to tell**: ici au sens de *se faire sentir*.
5. **unnatural**: en l'espace de deux phrases, le lecteur passe d'un phénomène naturel (**natural although it was**) à un phénomène étrange et inquiétant.
6. **would**: exprime ici la répétition fréquente d'une action dans le passé, en liaison avec **now...now**.
7. **A creeping chill**: littéralement, *un froid rampant*. Voir l'expression **it gives me the creeps** = *cela me donne la chair de poule*. La référence à l'âme de Fettes renvoie ici au motif du pacte faustien.

Il y avait maintenant une légère luminosité diffuse qu'ils saluèrent comme si c'était la lumière du jour. C'est grâce à elle qu'ils imprimèrent une vive allure à leur attelage et qu'ils partirent gaiement en direction d'Édimbourg.

Tous deux avaient été trempés jusqu'aux os pendant l'opération, et à présent que le cabriolet sautait dans les profondes ornières, la chose qui se tenait bien calée entre eux avait tendance à retomber sur l'un ou sur l'autre en alternance. À chaque fois que se répétait cet horrible contact, chacun la repoussait instinctivement avec un empressement accru. Tout naturel qu'était le phénomène, cela finit par agir sur les nerfs des deux compères. Macfarlane fit une plaisanterie de mauvais goût sur la femme du fermier, mais elle sonna creux sur ses lèvres et retomba dans le silence. Et toujours ce fardeau étrange qui roulait de part et d'autre : tantôt la tête venait s'appuyer sur leur épaule comme pour leur faire des confidences, tantôt la toile à sac trempée et glaciale venait leur fouetter le visage. Peu à peu l'âme de Fettes fut envahie et transie d'effroi. Il risqua un coup d'œil vers le sac, et celui-ci lui parut comme qui dirait plus grand qu'au départ. Partout, dans la campagne, et de tous les côtés, les chiens de ferme saluaient leur passage en hurlant à mort, et peu à peu s'imposa dans son esprit l'idée qu'un miracle étrange venait de s'accomplir, qu'une innommable métamorphose s'était produite chez le cadavre, et que c'était la peur de ce fardeau sacrilège qui faisait hurler les chiens.

---

8. **miracle** : le mot appartient au registre religieux et rappelle le thème de la "résurrection".

9. **change** : ici au sens fort : *transformation, métamorphose*.

10. **the dogs** : voir la nouvelle de Conan Doyle plus bas. Dans *Dracula* de Bram Stoker, ou dans "Lokis" de Mérimée, ce sont également les chevaux qui sentent la métamorphose ou le surnaturel.

'For God's sake,' said he, making a great effort to arrive at speech, 'for God's sake[1], let's have a light!'

Seemingly Macfarlane was affected in the same direction[2]; for though he made no reply, he stopped the horse, passed the reins to his companion, got down, and proceeded to kindle the remaining lamp. They had by that time got no farther than the crossroad down to Auchendinny. The rain still poured as though the deluge[3] were returning, and it was no easy matter to make a light in such a world of wet and darkness[4]. When at last the flickering[5] blue flame had been transferred to the wick and began to expand and clarify, and shed a wide circle of misty brightness round the gig, it became possible for the two young men to see each other and the thing they had along with them. The rain had moulded the rough sacking to the outlines of the body underneath; the head was distinct from the trunk, the shoulders, plainly modelled; something at once spectral and human riveted their eyes upon the ghastly comrade of their drive.

For some time Macfarlane stood motionless, holding up the lamp. A nameless dread was swathed[6], like a wet sheet, above the body, and tightened the white skin[7] upon the face of Fettes; a fear that was meaningless, a horror of what could not be, kept mounting to his brain. Another beat of the watch, and he had spoken. But his comrade forestalled[8] him.

1. **For God's sake**: on remarquera le paradoxe et l'ironie dans cette invocation de Dieu par les deux "Résurrectionnistes" à cet instant.

2. **in the same direction = in the same way**.

3. **the deluge**: la référence au Déluge biblique (Genèse, 6-7) annonce le thème de la punition divine. Le motif de la pluie est également présent dans l'épisode biblique, où Dieu annonce à Noé qu'il pleuvra "quarante jours et quarante nuits".

4. **a world of wet and darkness**: cette expression à consonance biblique semble renvoyer encore à la Genèse, mais cette fois au chaos originel, lorsque régnaient les ténèbres avant la création du monde (1 :2), c'est-à-dire avant que Dieu n'apporte la lumière (1 :3).

« Pour l'amour de Dieu ! » s'écria-t-il en faisant un énorme effort pour trouver ses mots, « pour l'amour de Dieu, il faut faire de la lumière ! »

Visiblement, Macfarlane réclamait la même chose, car s'il ne répondit point, il arrêta le cheval, passa les rênes à son compagnon, descendit, et s'occupa d'allumer la lanterne qui restait. À cet instant, ils n'avaient pas dépassé la route transversale menant à Auchendinny. La pluie continuait de tomber à verse tel un nouveau déluge, et il n'était guère facile de faire de la lumière dans un tel univers d'humidité et d'obscurité. Lorsque la fragile flamme bleue fut transmise à la mèche et commença à se propager, à s'intensifier et à répandre un vaste cercle de lumière embrumée autour du cabriolet, les deux jeunes gens furent en mesure de se voir et de distinguer la chose qu'ils avaient avec eux. La pluie avait moulé la toile grossière en lui faisant épouser les contours du cadavre à l'intérieur ; la tête se distinguait du tronc, les épaules étaient nettement modelées ; quelque chose d'à la fois spectral et humain maintenait leurs yeux rivés sur leur affreux compagnon d'excursion.

Macfarlane resta quelque temps sans bouger, en tenant la lampe à bout de bras. Une terreur sans nom enveloppait ce corps tel un suaire mouillé, et crispait la peau blême du visage de Fettes ; une peur déraisonnée, une horreur de l'impossible continuaient d'affluer à son cerveau. Une seconde de plus, et il aurait parlé. Mais son camarade le devança.

---

5. **flickering :** *vacillante. Fragile* rend ici l'allitération **flickering/flame**.

6. **swathed :** de **to swathe** [sweɪð] : *emmailloter, envelopper.*

7. **white skin :** on remarquera ici le parallèle entre **wet sheet** et **white skin**.

8. **forestalled :** de **to forestall :** *anticiper, prévenir, devancer.*

'That is not a woman,' said Macfarlane, in a hushed voice.

'It was a woman when we put her in,' whispered Fettes.

'Hold that lamp,' said the other. 'I must see her face.'

And as Fettes took the lamp his companion untied the fastenings[1] of the sack and drew down the cover from the head. The light fell very clear upon the dark, well-moulded features and smooth-shaven[2] cheeks of a too familiar countenance, often beheld[3] in dreams[4] of both of these young men. A wild yell rang up into the night; each leaped from his own side into the roadway; the lamp fell, broke, and was extinguished; and the horse, terrified by this unusual commotion, bounded and went off towards Edinburgh at a gallop, bearing along with it, sole occupant of the gig, the body of the dead and long-dissected Gray[5].

---

1. **fastenings**: pluriel de **fastening**: *attache, fermeture, fermoir, bouton, agrafe.* **To fasten**: *fermer, attacher.*

2. **smooth-shaven** = **clean-shaven**, *rasé de près, glabre.* Ce détail constitue un indice important, avant même la révélation finale.

3. **beheld** = **seen, contemplated.**

4. **in dreams**: cf. les cauchemars de Jim Hawkins après l'évocation de l'ujijambiste par le vieux loup de mer au premier chapitre de *L'Ile au trésor:* "Combien ce personnage hantait mes songes, à peine est-il besoin de le dire. Les nuits de tempête, quand le vent s'acharnait aux quatre coins de la maison, et que les vagues mugissaient dans la crique

« Ce n'est pas une femme », dit Macfarlane, d'une voix étouffée.

« C'était une femme lorsque nous l'y avons mise », murmura Fettes.

« Tiens cette lanterne », fit l'autre. « Il faut que je voie sa figure. »

Et tandis que Fettes prenait la lanterne, son compagnon défit les cordons du sac et découvrit la tête. La lumière tomba très distinctement sur les traits sombres et bien modelés, ainsi que sur les joues glabres d'une physionomie trop familière que les deux jeunes gens avaient souvent contemplée en rêve. Un cri sauvage retentit dans la nuit ; chacun sauta de son côté sur la route : la lanterne tomba, se brisa et s'éteignit ; et le cheval, terrifié par ce choc inhabituel, bondit en avant et partit au galop en direction d'Édimbourg, emportant avec lui, comme seul et unique passager, le corps de quelqu'un qui était mort et avait été depuis longtemps disséqué, celui de Gray.

---

et battaient les falaises, je le voyais sous mille formes, avec mille expressions diaboliques" (trad. Théo Varlet). À la différence de *L'Ile au trésor*, le rêve devient cependant réalité : comme dans la nouvelle de Hogg, l'histoire de "The Body Snatcher" est un cauchemar vrai.

5. **Gray** : d'où la question de Fettes à Macfarlane, au début de la nouvelle ("Tu l'as revu ?", p. 145). Comme dans la nouvelle de Bierce, la fin fantastique du texte repose sur un effet de chute, le nom de Gray, que la traduction se doit de faire figurer à la même place que dans le texte anglais, c'est-à-dire la dernière.

Ambrose BIERCE (1842-1914?)

Après une vie mouvementée de soldat pendant la Guerre de Sécession, de journaliste à San Francisco et de chercheur d'or dans le Dakota, Ambrose Bierce, à l'âge de soixante et onze ans, part pour le Mexique afin de rallier les troupes de Pancho Villa. Puis il disparaît sans laisser d'autres traces qu'une série de nouvelles et de contes (*Tales of Soldiers and Civilians*, 1891 ; *Can such things be?*, 1893 ; *Negligible Tales*, 1893), ainsi qu'un *Dictionnaire du Diable*[1], dont Cocteau devait faire la préface en 1955. Bierce se situe dans la lignée de Stephen Crane, de Mark Twain et d'Edgar Poe : comme le premier, il décrit sans fard les horreurs de la Guerre de Sécession ; comme le second, il possède un humour on ne peut plus corrosif ; comme le troisième, il a une prédilection pour le grotesque et le macabre. À partir de ce triple héritage, celui que ses contemporains appelaient « Bitter Bierce » ("Bierce l'amer") développe à sa manière des thèmes qui participent à la fois de l'espace et de l'intériorité, de la nature sauvage et des angoisses fondamentales de l'homme face à la mort, de la « frontière » géographique de l'Amérique et des zones d'ombre de la conscience universelle. En cela, Bierce annonce Faulkner. Avec un art consommé de la concision et de l'ellipse, il fait alors surgir des forêts profondes cette nature sauvage que l'homme américain n'a jamais tout à fait fini de refouler à la lisière de sa conscience et dans les taillis touffus de son âme.

---

1. Récemment réédité dans une traduction de Bernard Sallé, Rivages, Bibliothèque étrangère, Paris, 1989.

The Boarded Window

La Fenêtre aveugle

In 1830, only a few miles away from what is now the great city of Cincinnati[1], lay an immense and almost unbroken forest. The whole region was sparsely settled[2] by people of the frontier[3] — restless souls who no sooner had hewn[4] fairly habitable homes out of the wilderness[5] and attained to that degree of prosperity which today we should call indigence than[6], impelled by one mysterious impulse of their nature, they abandoned all and pushed farther westward, to encounter new perils and privations in the effort to regain the meagre comforts which they had voluntarily renounced. Many of them had already forsaken[7] that region for the remoter settlements, but among those remaining was one who had been of those first arriving. He lived alone in a house of logs[8] surrounded on all sides by the great forest, of whose gloom and silence he seemed a part, for no one had ever known him to smile nor speak a needless word. His simple wants[9] were supplied by the sale or barter of skins of wild animals in the river town, for not a thing did he grow upon the land which, if needful, he might have claimed by right of undisturbed possession. There were evidences of 'improvement' — a few acres of ground immediately about the house had once been cleared of its trees, the decayed stumps of which were half concealed by the new growth that had been suffered to repair the ravage wrought[10] by the axe.

---

1. **Cincinnati** [,sɪnsɪ'nætɪ] : ville située au sud-ouest de l'État d'Ohio, près du Kentucky, sur la rive droite du fleuve Ohio. La comparaison temporelle effectuée par Bierce (1830/aujourd'hui) représente un écart de soixante années environ, puisque Bierce écrit dans les années 1890.

2. **sparsely settled** : *faiblement habitée/colonisée.* **A settler** : *un colon.* **A settlement** : *une colonie.*

3. **the frontier** : dans l'histoire américaine, la *frontière* représente la limite toujours mouvante des terres colonisées, qui se déplaça d'Est en Ouest jusqu'à cette fin du XIXe siècle qui marque, selon l'historien F. J. Turner (1892), "la fin de la frontière".

4. **hewn** : participe passé de **to hew** : *couper, tailler* (ici, à la hache).

5. **wilderness** ['wɪldənɪs] : 1) *région sauvage ou reculée.* 2) *désert*

En 1830, à une lieue seulement du site qu'occupe aujourd'hui la grande cité de Cincinnati, s'étendait une forêt immense et très dense. Seuls de rares colons peuplaient cette région de la frontière. À peine ces esprits aventureux s'étaient-ils taillé dans la forêt sauvage des demeures à peu près habitables et atteint ce niveau de prospérité qu'on appellerait de nos jours indigence que, poussés par un élan mystérieux de leur nature, ils laissaient tout derrière eux et reprenaient leur progression vers l'ouest, pour affronter des périls et des sacrifices nouveaux afin de reconquérir le maigre confort auquel ils avaient renoncé de leur plein gré. Nombre d'entre eux avaient déjà abandonné la région au profit d'établissements plus lointains, mais parmi ceux qui étaient restés figurait l'un des tout premiers arrivés. Il vivait seul dans une cabane en rondins au beau milieu de la grande forêt dont il semblait partager intégralement le silence et la mélancolie, car jamais personne ne l'avait vu sourire ni proférer une parole inutile. Ses besoins modestes étaient pourvus par la vente ou le troc de pelleteries qu'il effectuait au comptoir du fleuve, car il ne cultivait rien sur cette terre qu'il aurait pu, au besoin, appeler sienne par droit de première occupation. Il y avait bien des traces de "mise en valeur", quelques acres de terre ayant jadis été déboisées autour de la maison, mais les souches pourries des arbres étaient à demi recouvertes à présent par la végétation nouvelle à laquelle on avait permis de réparer les ravages causés par la hache.

(Bible). Ex : **to preach in the wilderness,** *prêcher dans le désert.* 3) dans le contexte américain, *l'espace sauvage* avant la colonisation.

6. **than : no sooner...than :** *à peine...que.*

7. **forsaken :** de **to forsake, forsook, forsaken = to leave, to abandon.**

8. **logs :** *rondins.* **Log :** également *une bûche.* **A log fire :** *un feu de bois.*

9. **wants = needs.**

10. **wrought** [rɔ:t] : participe passé archaïque de **to work** (ici au sens de *créer, causer, provoquer*). Ex. : **wrought iron,** *le fer forgé.*

Apparently the man's zeal for agriculture had burned with a failing flame, expiring in penitential ashes.

The little log house, with its chimney of sticks, its roof of warping[1] clapboards[2] weighted with[3] traversing poles and its 'chinking[4]' of clay[5], had a single door and, directly opposite, a window. The latter, however, was boarded up[6] — nobody could remember a time when it was not. And none knew why it was so closed; certainly not because of the occupant's dislike of light and air, for on those rare occasions[7] when a hunter had passed that lonely spot the recluse had commonly been seen sunning himself on his doorstep if heaven had provided sunshine for his need. I fancy there are few persons living today who ever knew the secret of that window, but I am one, as you shall see.

The man's name was said to be Murlock. He was apparently seventy years old, actually about fifty. Something besides years had had a hand in[8] his aging. His hair and long, full beard were white, his grey, lustreless eyes sunken, his face singularly seamed with[9] wrinkles which appeared to belong to two intersecting systems. In figure he was tall and spare, with a stoop of the shoulders — a burden bearer[10]. I never saw him; these particulars[11] I learned from my grandfather, from whom also I got the man's story when I was a lad[12]. He had known him when living near by in that early day.

---

1. **warping**: de **to warp** 1) *gauchir, voiler* (bois, métal, etc.) 2) *fausser, pervertir* (jugement, esprit). Ex.: **he has a warped mind**: *il a l'esprit tordu.*
2. **clapboards**: *bardeaux.*
3. **weighted with**: de **to weight**: *lester* (avec un poids).
4. **'chinking'**: de **chink**: *une fente, une fissure*. **To chink**: *reboucher les fissures* (= **to fill up**).
5. **clay** [kleɪ]: *l'argile, la glaise.*
6. **boarded up**: *obturée, bouchée* (par une *planche*, **board**). D'où le titre de la nouvelle.
7. **on those rare occasions**: à noter la construction avec **on** (*à, aux* en français).
8. **had had a hand in** = **had contributed to.**

Apparemment, son zèle agricole avait brûlé d'un feu éphémère, avant d'expirer dans le remords des cendres.

Avec sa cheminée de piquets, ses bardeaux irréguliers armés d'échalas et ses murs rebouchés à la terre glaise, la petite cabane en rondins ne possédait qu'une seule porte et une fenêtre, diamétralement opposée. Et encore, cette dernière était obturée — depuis toujours, de mémoire d'homme, sans que l'on sache pourquoi on l'avait ainsi condamnée. Ce ne pouvait être, de la part du propriétaire, par crainte des courants d'air ou de la lumière, car aux rares occasions où un chasseur était passé devant ce lieu solitaire il avait vu le plus souvent le reclus en train de se chauffer au soleil sur le pas de sa porte lorsque le ciel lui en dispensait les rayons. J'imagine que rares sont les personnes encore vivantes aujourd'hui qui savent le secret de cette fenêtre. Mais j'en suis, comme vous le verrez.

On disait que l'homme s'appelait Murlock. À le voir, on lui donnait soixante-dix ans, mais en réalité il n'en avait que cinquante. Quelque chose d'autre que les années l'avait prématurément vieilli. Ses cheveux étaient chenus, comme sa longue barbe touffue; ses yeux enfoncés étaient d'un gris délustré, et son visage étrangement couturé de rides qui semblaient appartenir à deux réseaux enchevêtrés. Grand de taille et décharné, il avait les épaules voûtées — on aurait dit un portefaix. Je ne l'ai jamais vu en ce qui me concerne; ces détails, je les ai appris par mon grand-père, duquel je tiens aussi cette histoire, que tout enfant il m'avait racontée. Il l'avait connu lorsqu'il vivait dans les parages, en ces temps reculés.

---

9. **seamed with**: de **seam** [siːm] : *une couture, un joint.*

10. **a burden bearer**: littéralement, *un porteur de fardeaux.*

11. **particulars** [pə'tɪkjʊləz] = **details**.

12. **when I was a lad**: même si Bierce, né dans l'Ohio, a pu entendre lui-même l'histoire par son grand-père, le recours à la première personne peut également servir à accréditer un récit fictif, et lui conférer une certaine forme d'authenticité, puisque le narrateur se situe lui-même dans la lignée de la tradition orale.

One day Murlock was found in his cabin, dead. It was not a time and place for coroners[1] and newspapers, and I suppose it was agreed that he had died from natural causes or I should have been told[2], and should remember. I know only that with what was probably a sense of the fitness of things the body was buried near the cabin, alongside the grave of his wife, who had preceded him by so many years that local tradition had retained hardly a hint[3] of her existence. That closes the final chapter[4] of this true story — excepting, indeed, the circumstances that many years afterwards, in company with an equally intrepid spirit, I penetrated to the place and ventured near enough to the ruined cabin to throw a stone against it, and ran away to avoid the ghost which every well-informed boy[5] thereabout knew haunted the spot. But there is an earlier chapter — that supplied by my grandfather.

When Murlock built his cabin and began laying sturdily about[6] with his axe to hew out a farm — the rifle, meanwhile, his means of support — he was young, strong and full of hope. In that eastern country whence[7] he came he had married, as was the fashion, a young woman in all ways worthy of his honest devotion, who shared the dangers and privations of his lot with a willing spirit and light heart. There is no known record[8] of her name;

---

1. **coroners** : voir **coroner's inquest** : *enquête judiciaire.*

2. **or I should have been told** : de nouveau, le narrateur semble se porter garant de l'authenticité des faits, procédé narratif constamment utilisé par la littérature fantastique. Quelques lignes plus bas, le narrateur parlera de "cette histoire véridique" (**"this true story"**).

3. **a hint** : 1) *allusion, insinuation* 2) ici, *trace, ombre, soupçon.* Ex. : **not the slightest hint of** : *pas la moindre trace de, pas l'ombre de.* **To hint at smth.** : *faire une allusion à qqch.*

4. **the final chapter** : entendu ici au sens de *dénouement*. On remarquera ici la mise en abyme qui consiste à raconter une histoire déjà "écrite" à l'avance par la tradition locale ou le grand-père.

5. **every well-informed boy** : le motif des jeunes garçons allant explorer une maison hantée dans la forêt est récurrent dans la fiction américaine. Voir par exemple *Les aventures de Tom Sawyer* de Mark Twain (1876), au chapitre XXVI intitulé "Dans la maison hantée" :

Un jour on trouva Murlock dans sa cabane: il était mort. À l'époque on ne faisait pas d'enquêtes judiciaires ni d'articles de journaux, et de l'avis général, je présume, le décès fut attribué à des causes naturelles. Autrement on m'en aurait parlé, et je m'en serais souvenu. Je sais seulement qu'avec un certain sens des convenances on enterra le corps près de la cabane, à côté de la tombe de son épouse, qui l'avait précédé depuis si longtemps que la tradition locale n'avait conservé d'elle qu'un pâle souvenir de son existence. Voilà qui clôt le dernier chapitre de cette histoire véridique — à ceci près que bien des années plus tard, accompagné d'un camarade à l'esprit aussi intrépide que le mien, je me suis approché et aventuré suffisamment près de la cabane en ruine pour y lancer une pierre, avant de prendre mes jambes à mon cou afin d'échapper au fantôme qui hantait l'endroit, comme le savaient tous les gamins bien informés du voisinage. Mais il existe un chapitre plus ancien — celui conté par mon grand-père.

Au temps où Murlock construisit sa cabane et commença à manier la hache comme un bûcheron pour se tailler une ferme dans la forêt — se servant de sa carabine, en attendant, pour subvenir à son existence, — il était jeune, costaud et plein d'espoir. Dans son Est natal il avait épousé, suivant la coutume, une jeune femme en tous points digne de son honnête dévotion et qui partageait les dangers et les privations de sa condition présente avec la bonne volonté d'un cœur joyeux. Personne ne sait son nom.

"Lorsque, sous un soleil de plomb, ils atteignirent la maison hantée, le silence qui y régnait était tellement profond, l'impression de solitude et de désolation qui s'en dégageait était si démoralisante, que tout d'abord ils hésitèrent à s'aventurer à l'intérieur (...) ils entrèrent, prêts à battre en retraite à la première alerte" (trad. F. de Gaïl, Folio junior, 1981, pp. 188-189).

6. **laying about**: de **to lay about**: *distribuer des coups* (ici, de hache).

7. **whence = from which.**

8. **record** ['rekɔ:d]: *récit, rapport, document, archive.*

of her charms of mind and person tradition is silent and the doubter is at liberty to entertain his doubt; but God forbid[1] that I should share it! Of their affection and happiness there is abundant assurance in every added day of the man's widowed life[2]; for what but the magnetism of a blessed memory could have chained that venturesome spirit[3] to a lot[4] like that?

One day Murlock returned from gunning in a distant part of the forest to find his wife prostrate with fever, and delirious. There was no physician within miles, no neighbour; nor was she in a condition to be left, to summon help. So he set about the task of nursing her back to health[5], but at the end of the third day she fell into unconsciousness and so passed away[6], apparently, with never a gleam[7] of returning reason.

From what we know of a nature like his we may venture to sketch in[8] some of the details of the outline picture drawn by my grandfather. When convinced that she was dead, Murlock had sense enough to remember that the dead must be prepared for burial[9]. In performance of this sacred duty he blundered[10] now and again, did certain things incorrectly, and others which he did correctly were done over and over. His occasional failures[11] to accomplish some simple and ordinary act filled him with astonishment, like that of a drunken man who wonders at the suspension of familiar natural laws.

---

1. **God forbid**: on remarquera l'intervention véhémente du narrateur, qui prend ici parti par rapport à la tradition orale.

2. **widowed life**: de **to be widowed**: *devenir veuf/veuve*. **A widow**: *une veuve*, **a widower**: *un veuf*.

3. **that venturesome spirit**: voir le début de la nouvelle, p. 200.

4. **lot = fortune, condition, destiny**. Le narrateur fait ici allusion au contraste entre la vie aventureuse des pionniers et le fait que Murlock reste attaché à sa terre.

5. **nursing her back to health**: littéralement, *de la soigner pour qu'elle recouvre la santé*.

6. **passed away = died.**

7. **a gleam** [gli:m]: *lueur, rayon, reflet*. **A gleam of hope**: *une lueur d'espoir*.

Sur les charmes de son esprit et de sa personne la tradition est muette, et les sceptiques sont libres de le rester ; mais Dieu me garde de les rejoindre ! De leur affection mutuelle et de leur bonheur on trouve ample témoignage dans chacun des jours de son veuvage à lui ; quoi d'autre en effet que le magnétisme d'un souvenir chéri aurait pu enchaîner un esprit aussi aventureux à un destin semblable ?

Un jour qu'il revenait de chasser dans un coin reculé de la forêt, Murlock trouva sa femme clouée au lit par la fièvre : elle délirait. Aucun médecin à plusieurs lieues à la ronde, aucun voisin ; pas question d'ailleurs de la laisser dans cet état pour aller chercher du secours. C'est pourquoi il entreprit de lui faire recouvrer la santé. Mais au bout du troisième jour elle perdit connaissance et expira sans avoir jamais, semble-t-il, repris un seul instant ses sens.

Ce que nous savons d'une nature comme celle de Murlock nous permet d'ajouter certains détails au tableau d'ensemble brossé par mon grand-père. Une fois convaincu de sa mort, il eut suffisamment de présence d'esprit pour se rappeler que les morts doivent être préparés au tombeau. Dans l'accomplissement de ce devoir sacré il commit un certain nombre de bévues, effectua certaines choses de manière incorrecte, et refit certaines qui avaient été exécutées convenablement. Lorsqu'il venait à se tromper dans l'exécution d'une action simple et ordinaire, il était envahi par l'étonnement, tel un homme ivre ébahi de trouver suspendues les lois du monde familier et naturel.

---

8. **to sketch in** : *ajouter, dessiner* (détails d'un tableau), *indiquer* (faits). Le narrateur s'arroge une certaine liberté d'invention.

9. **burial** ['berɪəl] : *l'enterrement.* **To bury** ['berɪ] : *enterrer.*

10. **blundered** : de **to blunder** : *faire une bévue, une gaffe.*

11. **failures** : Bierce introduit ici le motif du non-respect des rites funéraires, qui est essentiel dans la nouvelle.

He was surprised, too, that he did not weep — surprised and a little ashamed; surely it is unkind not to weep for the dead[1]. 'Tomorrow,' he said aloud, 'I shall have to make the coffin and dig the grave; and then I shall miss her, when she is no longer in sight; but now — she is dead, of course, but it is all right — it *must* be all right, somehow. Things cannot be so bad as they seem.'

He stood over the body in the fading light, adjusting the hair and putting the finishing touches to the simple toilet[2], doing all mechanically, with soulless care. And still through his consciousness ran an undersense of conviction that all was right — that he should have her again as before, and everything explained. He had had no experience in grief[3]; his capacity had not been enlarged by use. His heart could not contain it all, nor his imagination rightly conceive it. He did not know he was so hard struck; *that* knowledge would come later, and never go. Grief is an artist of powers as various as the instruments upon which he plays his dirges[4] for the dead, evoking from some[5] the sharpest, shrillest notes, from others the low, grave chords that throb[6] recurrent like the slow beating of a distant drum. Some natures it startles; some it stupefies[7]. To one it comes like the stroke of an arrow, stinging all the sensibilities to a keener life; to another as the blow of a bludgeon[8] which, in crushing, benumbs[9].

---

1. **it is unkind not to weep for the dead**: si Murlock ne pleure pas sa femme défunte, ce n'est pas par manque d'amour, mais au contraire parce qu'il se refuse à admettre sa mort. Pour lui, "tout est au mieux", puisqu'elle n'est pas encore enterrée. Le double motif des funérailles retardées et du non-respect des rites funéraires sera repris par Faulkner dans son roman ***As I Lay Dying*** (*Tandis que j'agonise,* 1930).
2. **simple toilet**: par opposition à une véritable toilette funéraire.
3. **He had had no experience in grief**: l'omniscience du narrateur rejoint ici celle de l'auteur. Il s'agit ici bien plus que d'ajouter de simples "détails" au tableau brossé par son grand-père, Murlock étant décrit de l'intérieur.
4. **dirges** [dɜ:dʒɪz]: pluriel de **dirge**: *hymne, chant funèbre.*
5. **from some**: sous-entendu **instruments**.

De même était-il surpris de ne point pleurer — surprise à laquelle se mêlait quelque honte, car à coup sûr ce n'est pas bien de ne point pleurer les morts. « Demain, disait-il à voix haute, il faudra que je fasse le cercueil et que je creuse la tombe ; alors seulement elle me manquera, quand je ne la verrai plus. Mais pour l'instant, même si, bien sûr, elle est morte, tout est au mieux, tout *doit* être au mieux, malgré tout. Les choses ne peuvent aller aussi mal qu'elles le paraissent. »

À la nuit tombante, il était là, penché sur le corps, en train d'arranger les cheveux, mettant la dernière main à cette toilette élémentaire, avec des gestes mécaniques et détachés. Et toujours, à sa conscience, cette sensation sous-jacente que tout était pour le mieux — qu'il l'aurait à lui comme avant, que tout finirait par trouver une explication. Il n'avait pas eu la moindre expérience de la douleur : sa capacité à souffrir n'avait pas été développée par la pratique. Son cœur débordait littéralement, et son imagination était dépassée. Il ne savait pas à quel point la blessure était profonde ; *cela* viendrait plus tard, pour ne plus jamais le quitter. Le chagrin est un artiste dont la puissance est aussi diversifiée que les instruments sur lesquels il joue ses chants funèbres, tirant des uns les notes les plus aiguës, les plus vibrantes, des autres ces accords sourds et lourds dont les lentes pulsations se répètent comme des roulements de tambour dans le lointain. Il affole certains ; d'autres, les hébète. Chez l'un il arrive telle une flèche dont la pointe aviverait tous les nerfs ; chez l'autre tel un coup de massue dont le choc engourdirait.

6. **throb** : *palpiter* (cœur), *vibrer* (voix), *battre en rythme* (tambour), *lanciner* (douleur).

7. **stupefies** : de **to stupefy** : *étourdir* (coup), *abrutir* (drogue, etc.), *abasourdir*. Voir aussi **benumbs** plus bas.

8. **bludgeon** ['blʌdʒən] : *gourdin, matraque, massue.*

9. **benumbs** [bɪ'nʌms] : de **to benumb,** *engourdir, endormir.* **Numb** [nʌm] : *engourdi, gourd, paralysé.*

We may conceive Murlock to have been that way affected, for (and here we are upon surer ground[1] than that of conjecture) no sooner had he finished his pious work than, sinking into a chair by the side of the table upon which the body lay[2], and noting how white the profile showed[3] in the deepening gloom, he laid[4] his arms upon the table's edge, and dropped his face into them, tearless yet and unutterably weary. At that moment came in through the open window a long, wailing sound like the cry of a lost child in the far deeps of the darkening wood! But the man did not move. Again, and nearer than before, sounded that unearthly[5] cry upon his failing sense. Perhaps it was a wild beast; perhaps[6] it was a dream. For Murlock was asleep.

Some hours later, as it afterwards appeared, this unfaithful watcher[7] awoke, and lifting his head from his arms intently listened — he knew not why. There in the black darkness by the side of the dead, recalling all without a shock, he strained his eyes to see — he knew not what. His senses were all alert, his breath was suspended, his blood had stilled its tides as if to assist the silence. Who — what had waked him, and where[8] was it?

Suddenly the table shook beneath his arms, and at the same moment he heard, or fancied that he heard, a light, soft step[9] — another— sounds[10] as of bare feet upon the floor!

---

1. **upon surer ground** : littéralement, *sur un terrain plus sûr*. Une fois encore, le narrateur de Bierce revendique une omniscience qui ne peut être que fictive. Le récit fantastique a ici besoin de s'ancrer dans la vraisemblance, même si celle-ci est impossible.

2. **lay** : prétérit de **to lie (lay, lain)** : *être couché, être allongé, gésir*. On pense encore à Faulkner.

3. **showed** : **to show** est utilisé ici au sens d'*apparaître, ressortir, se voir*. Ex. : **it doesn't show** : *cela ne se voit pas*.

4. **laid** : prétérit de **to lay (laid, laid)** : *poser, mettre*. Ne pas confondre avec **to lie** (voir note 2).

5. **unearthly** : littéralement, *qui n'est pas* (**un**) *de cette terre* (**earthly**), d'où *surnaturel, mystérieux, sinistre*.

On peut, sans trop s'avancer, imaginer que Murlock fut touché de cette dernière manière, car (et nous quittons ici le terrain mouvant des conjectures) à peine avait-il achevé sa pieuse besogne que s'affalant sur une chaise placée à côté de la table où reposait le corps, et remarquant à quel point la blancheur du profil ressortait dans les ténèbres envahissantes, il mit les bras sur le bord de la table et s'y enfouit le visage, toujours sans pleurer, infiniment las. À cet instant entra par la fenêtre ouverte un son prolongé et plaintif, pareil au cri d'un enfant perdu au fin fond de la forêt obscure : mais l'homme ne bougea pas. De nouveau, et de plus près cette fois, résonna ce cri surnaturel dans sa conscience assoupie. Peut-être était-ce une bête sauvage ; peut-être était-ce un rêve. Car Murlock s'était endormi.

Plusieurs heures s'écoulèrent (comme il apparut par la suite) avant que l'infidèle veilleur ne se réveille, et qu'il ne relève la tête de ses bras pour écouter attentivement — sans savoir pourquoi. Dans les ténèbres épaisses, à côté de la morte, se souvenant de tout sans éprouver de choc, il s'efforçait de voir — il ne savait quoi. Tous ses sens étaient en alerte, son souffle était suspendu, son sang avait fait taire ses élans comme pour ajouter au silence. Qui... qu'est-ce qui l'avait réveillé, et où était la créature ?

Soudain la table se mit à trembler sous ses bras, et au même moment il entendit, ou crut entendre, un pas souple et léger... puis un autre... comme des pieds nus marchant sur le plancher !

---

6. **Perhaps... perhaps** : on retrouve ici cette incertitude fondamentale qui est pour Todorov l'essence même du fantastique.

7. **unfaithful watcher** : encore un rite funéraire que Murlock n'a pas respecté, celui de la veille des morts.

8. **Who... what... where** : cette série d'interrogations confirme que la nouvelle a basculé dans le fantastique.

9. **soft step** : on remarquera dans ce paragraphe les allitérations en *s*.

10. **sounds** : comme dans la nouvelle de Poe, l'inquiétante étrangeté est introduite par la perception de bruits et de sons exacerbés (voir **wailing sound** plus haut).

He was terrified beyond the power to cry out or move. Perforce he waited — waited there in the darkness through seeming centuries of such dread[1] as one may know, yet live to tell. He tried vainly to speak[2] the dead woman's name, vainly to stretch forth his hand across the table to learn if she were there. His throat was powerless, his arms and hands were like lead[3]. Then occurred something most frightful. Some heavy body seemed hurled against the table with an impetus[4] that pushed it[5] against his breast so sharply as nearly to overthrow[6] him, and at the same instant he heard and felt the fall of something upon the floor with so violent a thump[7] that the whole house was shaken by the impact. A scuffling[8] ensued[9], and a confusion of sounds impossible to describe. Murlock had risen to his feet. Fear had by excess forfeited[10] control of his faculties. He flung his hands upon the table. Nothing was there!

There is a point at which terror may turn to madness; and madness incites to action. With no definite intent, from no motive but the wayward[11] impulse of a madman, Murlock sprang to the wall, with a little groping seized his loaded rifle[12], and without aim discharged it. By the flash which lit up the room with a vivid illumination, he saw an enormous panther dragging the dead woman towards the window, its teeth fixed in her throat! Then there were[13] darkness blacker than before, and silence; and when he returned to consciousness the sun was high and the wood vocal with songs of birds.

---

1. **dread** [dred] = **terror, fright, apprehension.**
2. **to speak** = **pronounce, utter.**
3. **lead** [led] : *le plomb*. Ne pas confondre avec **to lead** [lɪ:d] : *mener, conduire* (**led, led**).
4. **impetus** ['ɪmpɪtəs] ; *force, impulsion, élan.*
5. **it** = **table.**
6. **to overthrow** : *renverser*, également au sens figuré (renverser un régime, un dictateur).
7. **thump** [θʌmp] : *bruit lourd et sourd.*
8. **scuffling** = **scuffle** : *bagarre, échauffourée, rixe.*

La terreur qui s'empara de lui l'empêcha de crier ou d'esquisser un geste. Et par la force des choses, il attendit — attendit là, dans le noir, pendant ce qui lui parut des siècles, en proie à tout l'effroi du monde. Il essaya en vain de prononcer le nom de son épouse défunte, en vain il essaya d'avancer la main sur la table pour voir si elle était bien là. Sa gorge était impuissante, ses bras et ses mains étaient comme du plomb. Alors se produisit quelque chose d'affreux. Un corps lourd vint apparemment heurter la table avec une force telle qu'elle vint s'écraser violemment contre sa poitrine et qu'il manqua d'être renversé. Au même moment il entendit et sentit la chute de quelque chose qui rebondit si lourdement sur le plancher que la maison entière en trembla sous le choc. Une mêlée s'ensuivit, dans un tohu-bohu indescriptible. Murlock s'était redressé. Une peur extrême lui avait fait perdre l'empire de ses facultés. Il se rua sur la table. Le corps avait disparu !

Il y a un moment donné où la terreur peut se transformer en folie ; et la folie pousse à l'action. Sans but précis, sans autre motivation que l'impulsivité fantasque du dément, Murlock bondit vers la cloison, saisit sa carabine en tâtonnant, et la déchargea au jugé. Dans l'éclair qui illumina toute la pièce comme en plein jour, il vit une énorme panthère qui traînait la morte vers la fenêtre, les crocs fichés dans sa gorge ! Puis le noir, plus profond que jamais, et le silence ; et lorsqu'il revint à lui le soleil était haut dans le ciel et les bois résonnaient du chant des oiseaux.

---

9. **ensued** = **followed**.

10. **forfeited** : de **to forfeit** ['fɔ:fɪt] : *perdre* (par confiscation), *payer de* (sa vie, sa santé). **Forfeits** : *des gages* (jeu de société) ; **to pay a forfeit** : *avoir un gage*. Littéralement ici, *la peur lui avait confisqué le contrôle de ses facultés*.

11. **wayward** : *capricieux, fantasque*.

12. **his loaded rifle** : littéralement, *sa cabine chargée*. **To load** s'utilise également dans ce sens pour un appareil photographique.

13. **were** : le pluriel se justifie ici par la coordination de **darkness** et de **silence**.

The body lay[1] near the window, where the beast had left it when frightened away by the flash and report of the rifle. The clothing was deranged, the long hair in disorder, the limbs lay anyhow[2]. From the throat, dreadfully lacerated, had issued a pool of blood not yet entirely coagulated. The ribbon with which he had bound[3] the wrists was broken; the hands were tightly clenched. Between the teeth was a fragment of the animal's ear.

---

1. **the body lay :** on remarquera, par rapport à la page précédente, le passage de **woman** à **body**, et l'apparition du **it** neutre, qui est souvent utilisé dans la littérature fantastique pour marquer l'apparition d'un phénomène inexplicable. Voir par exemple **"Who — what had waked him, and where was it?"** (p. 210).

Le corps gisait près de la fenêtre, là où la bête l'avait laissé lorsque la lueur et la détonation du coup de feu l'avaient effrayée. Les vêtements étaient sens dessus dessous, les longs cheveux en désordre, et les membres dans tous les sens. De la gorge, horriblement lacérée, s'était formée une flaque de sang pas encore tout à fait coagulé. Le ruban avec lequel il avait lié les poignets était rompu ; les poings étaient crispés. Entre les dents il y avait un lambeau d'oreille velue.

---

2. **anyhow :** *n'importe comment, en désordre* (= **carelessly**). Ex. : **the books were all anyhow on the floor :** *les livres étaient tous en désordre par terre.*

3. **bound :** participe passé de **to bind** [baɪnd], **bound, bound :** *attacher, lier, ligoter.*

Sir Arthur CONAN DOYLE (1859-1930)

Du docteur Faust au docteur Folamour en passant par les docteurs Frankenstein, Jekyll ou Moreau, la culture britannique aime à mettre en scène le personnage de l'apprenti sorcier qui devient incapable de contrôler sa création — ou sa créature. La science n'est souvent que l'antichambre du surnaturel, et le savant, l'image du dédoublement : on sait que le professeur Moriarty, l'ennemi juré de Sherlock Holmes, est à la fois « le Napoléon du crime » et l'auteur génial d'un traité mathématique. La première tendance l'emportant, il dut quitter sa chaire à l'Université à la suite d'un scandale, raconte Holmes dans « Le Dernier Problème ». Conan Doyle reprend ici le motif du scandale et du savant double, mais il ne s'agit plus pour le célèbre détective de traquer un criminel malfaisant : l'enquête n'est plus seulement policière, elle devient psychologique, analytique. Il s'agit avant tout de comprendre ce que Stevenson aurait appelé « Le Cas étrange du professeur Presbury ». D'où le paradoxe de cette investigation qui échappe aux règles du genre pour faire basculer détective et lecteurs dans un univers qui n'obéit plus aux lois de la rationalité, ce qui n'est guère étonnant de la part d'un écrivain qui devait consacrer la fin de sa vie aux questions du spiritisme et de l'occultisme. Sherlock Holmes n'en abandonne pas pour autant son humour légendaire, et résume l'énigme à Watson par la question suivante : « Pourquoi Roy, le chien-loup du professeur Presbury, cherche-t-il à le mordre ? »

The Adventure of the Creeping Man

L'Aventure de l'homme qui rampait

Mr. Sherlock Holmes was always of opinion that I should publish the singular facts connected with Professor Presbury, if only to dispel[1] once for all the ugly rumours which some twenty years ago agitated the university[2] and were echoed in the learned societies of London. There were, however, certain obstacles in the way, and the true history of this curious case remained entombed[3] in the tin box which contains so many records of my friend's adventures. Now we have at last obtained permission to ventilate the facts which formed one of the very last cases[4] handled by Holmes before his retirement from practice. Even now a certain reticence and discretion have to be observed in laying the matter before the public.

It was one Sunday evening early in September of the year 1903[5] that I received one of Holmes's laconic messages:

Come at once if convenient — if inconvenient come all the same.

S. H.

The relations between us in those latter days were peculiar. He was a man of habits, narrow and concentrated habits, and I had become one of them. As an institution I was like the violin, the shag tobacco[6], the old black pipe, the index books, and others perhaps less excusable[7].

1. **to dispel** [dɪ'spel] = **dissipate, disperse, scatter.**

2. **the university** : outre "Le Dernier Problème", où il fait allusion au scandale qui obligea le professeur Moriarty à quitter l'Université, Conan Doyle évoque encore un scandale en milieu universitaire dans "L'Aventure des Trois Étudiants" (*Le Retour de Sherlock Holmes*).

3. **entombed** [ɪn'tu:md] : littéralement, *enterré* (de **tomb** : *tombeau*).

4. **one of the very last cases** : "L'aventure de l'homme qui rampait" est extraite du dernier recueil de nouvelles écrit par Conan Doyle, ***The Case Book of Sherlock Holmes*** (*Archives sur Sherlock Holmes*). La nouvelle fut d'abord publiée dans le ***Strand Magazine*** en 1923, et le recueil en 1927 (Londres, John Murray).

5. **1903** : vu la date d'écriture de la nouvelle, la date ici mentionnée coïncide avec les "vingt ans" cités plus haut par Watson.

M. Sherlock Holmes m'avait toujours incité à rendre publique la singulière affaire à laquelle le professeur Presbury avait été mêlé, ne serait-ce que pour faire un sort une fois pour toutes à tous les mauvais bruits qui, voici vingt ans, secouèrent le milieu universitaire et furent répercutés dans les sociétés savantes londoniennes. Une telle publication s'étant cependant heurtée à certains obstacles, le récit véridique de cette étrange histoire resta enfoui au fond de la malle en fer-blanc qui renferme un si grand nombre d'archives sur les aventures de mon ami. Aujourd'hui, nous avons enfin obtenu l'autorisation d'ouvrir ce dossier qui constitue l'une des dernières affaires traitées par Holmes avant qu'il ne prenne sa retraite. Même à l'heure actuelle je suis tenu à une certaine réserve et à une certaine discrétion dans l'exposition des faits au public.

C'est un dimanche soir du début de septembre 1903 que je reçus de Holmes l'un de ses messages laconiques :

« Venez sur-le-champ si pas inconvénients — si inconvénients venez quand même.

S.H. »

Nos relations, dans les derniers temps, étaient peu ordinaires. Il avait ses habitudes et ses manies, et j'étais devenu l'une d'entre elles, une institution au même titre que le violon, le tabac fort, la vieille pipe noire, les livres de références, et d'autres manies peut-être moins avouables.

---

6. **shag tobacco** : *tabac très fort* dont Holmes est particulièrement amateur.

7. **others perhaps less excusable** : allusion à la drogue, et notamment la cocaïne, à laquelle Holmes s'adonne lorsqu'il s'ennuie et qu'aucun cas digne d'intérêt ne se présente : Holmes s'injecte alors une solution à sept pour cent, à raison de trois injections par jour. Dans *La Solution à sept pour cent* (1974), Nicholas Meyer imagine que Watson et Holmes partent à Vienne consulter le Dr Freud à ce sujet.

When it was a case of active work and a comrade was needed upon whose nerve[1] he could place some reliance[2], my rôle was obvious. But apart from this I had uses. I was a whetstone[3] for his mind. I stimulated him[4]. He liked to think aloud in my presence. His remarks could hardly be said to be made to me — many of them would have been as appropriately addressed to his bedstead[5]— but none the less, having formed the habit, it had become in some way helpful that I should register and interject. If I irritated him by a certain methodical slowness in my mentality, that irritation served only to make his own flame-like intuitions and impressions flash up the more vividly and swiftly. Such was my humble rôle in our alliance.

When I arrived at Baker Street[6] I found him huddled up[7] in his armchair with updrawn knees, his pipe in his mouth and his brow furrowed[8] with thought. It was clear that he was in the throes[9] of some vexatious problem. With a wave[10] of his hand he indicated my old armchair, but otherwise for half an hour he gave no sign that he was aware of my presence. Then with a start he seemed to come from his reverie, and with his usual whimsical smile he greeted me back to what had once been my home[11].

"You will excuse a certain abstraction of mind, my dear Watson," said he.

---

1. **nerve** : ici au sens de *courage, assurance, sang-froid.*

2. **reliance** [rɪ'laɪəns] : *confiance, fiabilité.* De **to rely on/upon** : *compter sur* (qqn/qqch.). D'où la construction **upon whose nerve...**

3. **whetstone** : de **to whet** : *aiguiser, affûter, stimuler.*

4. **I stimulated him** : il faut rapprocher cette affirmation — qui pourrait sembler gratuite — du début du *Chien des Baskerville* (1902), où Holmes fait un éloge inhabituel (et donc remarqué) de Watson : **"It may be that you are not yourself luminous, but you are a conductor of light. Some people without possessing genius have a remarkable power of stimulating it."**

5. **bedstead** ['bedsted] : littéralement, *bois de lit, châlit.*

6. **Baker Street** : le célèbre détective habite au n° 221 B de cette artère de Londres située au sud de Regent's Park et perpendiculaire à Oxford Street.

Lorsque l'affaire en question exigeait une enquête active et la présence d'un camarade aux nerfs solides et fiables, mon rôle était tout tracé. Mais j'avais aussi d'autres fonctions. Je servais à son esprit de pierre à aiguiser. J'étais son stimulant. Il aimait penser tout haut en ma présence. On ne pouvait pas dire que ses remarques s'adressaient à moi en particulier — la plupart auraient pu tout aussi bien s'adresser à son matelas —, mais néanmoins, le pli étant pris, j'étais devenu utile à ses yeux par le simple fait de l'écouter ou de l'interrompre. Si je l'irritais par une certaine lenteur méthodique de mon intellect, cette irritation ne servait qu'à illuminer ses propres impressions et intuitions fulgurantes d'un éclair plus vif et plus éblouissant. Tel était mon humble rôle dans notre association.

Quand j'arrivai à Baker Street, je le trouvai roulé en boule dans son fauteuil, les genoux remontés, la pipe aux lèvres, le front soucieux et méditatif. Il se débattait à l'évidence avec un problème qui le contrariait. D'un geste de la main il m'indiqua mon vieux fauteuil, après quoi, pendant la demi-heure qui suivit, il ne sembla pas se soucier le moins du monde de ma présence. Puis un sursaut sembla le sortir de sa rêverie, et de son habituel sourire ironique il me souhaita la bienvenue dans cet appartement où j'avais habité jadis.

« Vous me pardonnerez, mon cher Watson, si j'ai l'air quelque peu absent », dit-il.

---

7. **huddled up** : de **to huddle up** : *se blottir, se pelotonner.*
8. **furrowed** ; *plissé, ridé* (de **furrow** : *le sillon*).
9. **in the throes** : littéralement, *dans les affres.*
10. **wave** : *geste, signe de la main.*
11. **my home** : voir *Une étude en rouge* (***A Study in Scarlet***, 1887), où Watson décrit comment il rencontra Holmes et fut amené à partager cet appartement avec lui. À partir du *Signe des Quatre* (1890), Watson se marie et quitte définitivement l'appartement. D'où ce dialogue final : " 'A moi, il échoit une épouse ; à Jones, les honneurs... Que vous reste-t-il donc, s'il vous plaît ? — A moi ? répéta Sherlock Holmes. Mais il me reste la cocaïne, docteur !' " (*Le Signe des Quatre*).

"Some curious facts have been submitted to me within the last twenty-four hours, and they in turn have given rise to some speculations of a more general character. I have serious thoughts of writing a small monograph[1] upon the uses of dogs in the work of the detective."

"But surely, Holmes, this has been explored," said I. "Bloodhounds—sleuth-hounds[2] —"

"No, no. Watson, that side of the matter is, of course, obvious. But there is another which is far more subtle. You may recollect that in the case which you, in your sensational way, coupled with the Copper Beeches[3], I was able, by watching the mind of the child, to form a deduction as to the criminal habits of the very smug[4] and respectable father."

"Yes, I remember it well."

"My line of thoughts about dogs is analogous. A dog reflects the family life. Whoever saw a frisky[5] dog in a gloomy family, or a sad dog in a happy one? Snarling[6] people have snarling dogs, dangerous people have dangerous ones. And their passing moods may reflect the passing moods of others."

I shook[7] my head. "Surely, Holmes, this is a little far-fetched[8]," said I.

He had refilled his pipe and resumed his seat, taking no notice of my comment.

---

1. **a small monograph**: on sait par exemple, dans "Le Mystère du Val Boscombe" (*Les Aventures de Sherlock Holmes*), que le détective a écrit "une petite monographie sur les cendres de cent quarante variétés de cigares, cigarettes et tabac à pipe". Mais il est aussi l'auteur d'une monographie sur les *Motets polyphoniques de Lassus* ou d'un *Manuel pratique d'apiculture*, avec des observations sur la ségrégation de la reine.

2. **sleuth-hounds**: de **sleuth** [slu:θ]: *un limier* (voir le film de Mankiewicz du même nom, 1972) et **hound**: *chien courant, chien de meute* (voir **The Hound of the Baskervilles**). À peu près l'équivalent de **bloodhounds**.

3. **the Copper Beeches**: titre d'une histoire ("Les Hêtres Rouges", 1892) appartenant aux *Aventures de Sherlock Holmes*, où Holmes

« Des faits curieux m'ont été soumis au cours des dernières vingt-quatre heures, qui à leur tour ont engendré des spéculations d'un caractère plus général. Je songe sérieusement à écrire une petite monographie sur l'utilisation des chiens dans le travail de détective.

— Pourtant, Holmes, le sujet a été exploré. Les chiens policiers, les limiers...

— Non, non, Watson ! Cet aspect-là des choses va de soi, bien entendu. Mais il en est un autre qui est bien plus subtil. Vous vous souvenez peut-être de cette affaire que vous aviez baptisée "Les Hêtres rouges", avec le goût du sensationnel qui vous caractérise. J'avais pu, rien qu'en observant le caractère de l'enfant, en déduire les manières criminelles d'un père aussi respectable que suffisant.

— Oui, je m'en souviens parfaitement.

— Mon raisonnement au sujet des chiens est analogue. Un chien est le reflet de la famille où il vit. A-t-on jamais vu un chien folâtre dans une famille lugubre, ou un chien triste dans une famille heureuse ? Les gens hargneux ont des chiens hargneux, les gens dangereux ont des chiens dangereux. Et les chiens lunatiques peuvent être le reflet de leurs maîtres lunatiques.

— Voyons, Holmes, c'est un peu tiré par les cheveux », lui dis-je d'un air peu convaincu.

Il avait bourré une nouvelle pipe et réintégré son fauteuil, sans prêter la moindre attention à ma remarque.

---

déclare : "J'ai fréquemment été éclairé sur les parents par l'étude de leur progéniture."

4. **smug** [smʌg] : *suffisant, béat, supérieur*. **Smugness :** *la suffisance*.

5. **frisky** : *vif, sémillant, fringant*.

6. **snarling** : de **to snarl** : *gronder férocement* (chien), *répondre d'une voix hargneuse* (personne). On remarquera que le même mot est utilisé ici pour les personnes et l'animal.

7. **shook** : de **to shake (shook, shaken)** : *faire non de la tête* **(one's head)**.

8. **far-fetched** : littéralement, *cherché loin*.

"The practical application of what I have said is very close to the problem which I am investigating. It is a tangled skein[1], you understand, and I am looking for a loose end[2]. One possible loose end lies in the question: Why does Professor Presbury's wolfhound, Roy[3], endeavour to bite him?"

I sank back in my chair in some disappointment. Was it for so trivial a question as this that I had been summoned[4] from my work? Holmes glanced across at me.

"The same old Watson!" said he. "You never learn that the gravest issues may depend upon the smallest things. But is it not on the face of it strange that a staid, elderly philosopher — you've heard of Presbury, of course, the famous Camford[5] physiologist?— that such a man, whose friend has been his devoted wolfhound, should now have been twice attacked by his own dog? What do you make of it[6]?"

"The dog is ill."

"Well, that has to be considered. But he attacks no one else, nor does he apparently molest his master, save on very special occasions. Curious, Watson — very curious. But young Mr. Bennett is before his time[7] if that is his ring. I had hoped to have a longer chat with you before he came."

There was a quick step on the stairs, a sharp tap at the door, and a moment later the new client[8] presented himself.

---

1. **a tangled skein**: l'expression apparaît déjà en sous-titre d'*Une étude en rouge*.

2. **a loose end**: littéralement, *un bout libre* (voir la métaphore de l'écheveau, **skein**).

3. **Roy**: on remarquera que le nom du chien rappelle un prénom humain.

4. **summoned**: *appelé, convoqué*. **To summon**: *citer, assigner, appeler* (en justice). Watson fait allusion au message laconique et pressant envoyé par Holmes.

5. **Camford**: mot-valise formé à partir de Cambridge et Oxford, les deux plus célèbres et anciennes universités anglaises. **Oxbridge**

« Mes propos s'appliquent très concrètement et très directement au problème sur lequel j'enquête en ce moment. C'est un écheveau embrouillé, vous comprenez, et je cherche un fil conducteur. L'un de ces fils réside peut-être dans la question suivante : Pourquoi Roy, le chien-loup du professeur Presbury, cherche-t-il à le mordre ? »

Je m'enfonçai dans mon fauteuil. J'étais déçu. Était-ce pour une question aussi banale qu'on m'avait arraché à ma clientèle ? Holmes me lança une œillade.

« Ce vieux Watson, toujours le même ! » s'écria-t-il. « Vous ne comprenez donc jamais que les conséquences les plus graves peuvent dépendre des choses les plus infimes. N'est-ce pas pourtant étrange à première vue que quelqu'un de posé, un savant d'âge respectable — car vous avez bien sûr entendu parler de Presbury, le célèbre physiologiste de Camford ? — qu'un homme comme lui, dont le chien-loup a été jusqu'ici son meilleur ami, ait été récemment attaqué deux fois par son propre animal ? Qu'en pensez-vous ?

— Le chien est malade.

— Certes, c'est à envisager. Mais il n'attaque personne d'autre, et il ne semble s'en prendre à son maître qu'en des occasions très particulières. Curieux, Watson — très curieux. Mais le jeune M. Bennett est en avance, si c'est bien lui qui sonne en bas. J'avais espéré bavarder plus longuement avec vous avant son arrivée. »

On entendit un pas vif dans l'escalier, un coup sec à la porte, et un instant plus tard le nouveau client fit son entrée.

(Oxford/Cambridge) est toutefois plus souvent utilisé, et désigne l'élite de l'institution universitaire, alors que Conan Doyle fait ici de **Camford** une ville à part entière, et donc imaginaire.

6. **What do you make of it? = What do you think of it?**
7. **before his time = early.**
8. **client** ['klaɪənt] : référence à la profession de détective qu'exerce Holmes.

He was a tall, handsome youth about thirty, well dressed and elegant, but with something in his bearing[1] which suggested the shyness[2] of the student rather than the self-possession[3] of the man of the world. He shook hands with Holmes, and then looked with some surprise at me.

"This matter is very delicate, Mr. Holmes," he said. "Consider the relation in which I stand to Professor Presbury both privately and publicly. I really can hardly justify myself if I speak before any third person."

"Have no fear, Mr. Bennett. Dr. Watson is the very soul of discretion, and I can assure you that this is a matter in which I am very likely to need an assistant[4]."

"As you like, Mr. Holmes. You will, I am sure, understand my having some reserves in the matter."

"You will appreciate it, Watson, when I tell you that this gentleman, Mr. Trevor Bennett, is professional assistant[5] to the great scientist, lives under his roof, and is engaged to his only daughter. Certainly we must agree that the professor has every claim[6] upon his loyalty and devotion. But it may best be shown by taking the necessary steps[7] to clear up his strange mystery."

"I hope so, Mr. Holmes. That is my one[8] object. Does Dr. Watson know the situation[9]?"

---

1. **bearing**: *maintien, port, allure*. Ex.: **soldierly bearing**: *allure martiale,* **noble bearing**: *maintien noble.*

2. **shyness** [ʃaɪnɪs] = **timidity**.

3. **self-possession** = **self-control**.

4. **to need an assistant**: ce n'est pas la première fois que se pose la question de la présence de Watson lors des consultations de Holmes. Parfois, c'est Watson lui-même qui offre de quitter la pièce, comme au début d'"Un Scandale en Bohème" (*Les Aventures de Sherlock Holmes*). Outre la justification fournie par Holmes, Watson est surtout indispensable dans sa fonction de narrateur-témoin: sans lui, Holmes serait obligé de raconter une histoire qui perdrait du même coup tout son mystère. Sur cette question, voir J.-P. Naugrette, "Énigme et Spectacle chez Conan Doyle", *Études anglaises*, n° 4, octobre-décembre 1981.

5. **professional assistant**: par opposition à **assistant** utilisé plus haut pour qualifier le rôle de Watson auprès de Holmes, d'où une traduction différente.

C'était un jeune homme d'une trentaine d'années, grand et bien de sa personne, à la mise élégante et soignée, mais avec un je ne sais quoi dans son allure qui suggérait plutôt la timidité de l'étudiant que l'assurance de l'homme du monde. Il serra la main à Holmes, puis me contempla avec étonnement.

« Cette affaire est très délicate », dit-il à Holmes. « Songez aux liens à la fois privés et publics qui m'unissent au professeur Presbury. Il m'est pour ainsi dire impossible de m'expliquer en présence d'un tiers.

— N'ayez crainte, monsieur Bennett. Le docteur Watson est la discrétion incarnée, et je puis vous assurer que dans cette affaire j'aurai très certainement besoin de quelqu'un pour me seconder.

— Comme il vous plaira, monsieur Holmes. Vous comprendrez, j'en suis sûr, mes réticences en la matière.

— Vous vous ferez une meilleure idée de la situation, Watson, quand je vous aurai dit que ce gentleman, M. Trevor Bennett, n'est autre que l'assistant du célèbre savant, qu'il vit sous son toit, et qu'il est fiancé à sa fille unique. Il est donc parfaitement compréhensible que le professeur puisse compter sur toute sa loyauté et sur son dévouement. Mais la meilleure démonstration de ce que j'avance consiste sans doute à faire le nécessaire pour élucider cet étrange mystère.

— Je l'espère, monsieur Holmes. C'est mon seul objectif. Le docteur Watson connaît-il tous les détails ?

---

6. **claim :** 1) *revendication, réclamation* 2) *droit, titre.* Également la *concession* d'une mine.

7. **the necessary steps :** *les mesures, les dispositions nécessaires.*

8. **one = only.**

9. À travers Watson, c'est le lecteur qu'il s'agit ici d'informer, sous peine de rendre l'enquête incompréhensible. Le récit dans le récit qui va suivre est traditionnel chez Doyle, à ceci près 1) que c'est Holmes, et non le témoin, qui va prendre en premier la parole 2) que Holmes ne partira sur les lieux que très tardivement, à la moitié de la nouvelle (p. 250), autant d'écarts par rapport au schéma habituel.

"I have not had time to explain it."

"Then perhaps I had better go over the ground again before explaining some fresh[1] developments."

"I will do so myself," said Holmes, "in order to show that I have the events in their due order. The professor, Watson, is a man of European reputation. His life has been academic[2]. There has never been a breath[3] of scandal. He is a widower with one daughter, Edith. He is, I gather[4], a man of very virile and positive, one might almost say combative, character. So the matter stood[5] until a very few months ago.

"Then the current of his life was broken. He is sixty-one years of age, but he became engaged to the daughter of Professor Morphy, his colleague in the chair of comparative anatomy[6]. It was not, as I understand, the reasoned courting of an elderly man but rather the passionate frenzy of youth, for no one could have shown himself a more devoted lover. The lady, Alice Morphy, was a very perfect girl both in mind and body, so that there was every excuse for the professor's infatuation[7]. None the less, it did not meet with[8] full[9] approval in his own family."

"We thought it rather excessive," said our visitor.

"Exactly. Excessive and a little violent and unnatural[10]. Professor Presbury was rich, however, and there was no objection upon the part[11] of the father.

---

1. **fresh : new, recent.**
2. **academic :** *universitaire, scolaire.* Ex. : **the academic year :** *l'année universitaire.*
3. **a breath** [breθ] : littéralement, *un souffle.*
4. **I gather = I understand. To gather :** *ramasser, rassembler, réunir, grouper.* **A gathering :** *un rassemblement, une assemblée, une réunion.*
5. **stood = was.**
6. **comparative anatomy :** le détail ne manque pas d'une certaine ironie par rapport au choix du professeur Presbury.
7. **infatuation :** *engouement, toquade, béguin.* **To be infatuated with :** *être entiché de, avoir le béguin pour.*
8. **meet with :** *rencontrer, susciter* (**approval :** *l'approbation*).
9. **full = complete.**

— Je n'ai pas eu le temps de les lui donner.

— Alors il vaudrait mieux, j'imagine, que je commence par le commencement, avant d'aborder les derniers développements.

— Je m'en charge », fit Holmes, « ne serait-ce que pour voir si je maîtrise le fil des événements. Le professeur, Watson, est quelqu'un de réputation européenne. Il mène une existence d'universitaire. Jamais l'ombre d'un scandale. Il est veuf et père d'une fille unique, Édith. D'après ce que j'en sais, c'est un homme au caractère énergique et viril, voire combatif. Voilà où en étaient les choses il y a encore quelques mois.

» C'est alors que le cours de sa vie se désunit. Malgré ses soixante et un ans, il se fiance à la fille du professeur Morphy, son collègue à la chaire d'anatomie comparée. Il ne s'agissait pas, d'après mes informations, des assiduités mesurées d'un homme âgé, mais plutôt de la passion frénétique d'un adolescent : personne n'aurait pu se montrer amoureux plus fervent. La jeune fille, Alice Morphy, était la perfection incarnée, tant sur le plan intellectuel que physique, ce qui pouvait parfaitement justifier la flamme du professeur. Néanmoins celle-ci ne rencontra point une entière approbation dans sa famille à lui.

— Nous trouvions cette passion un peu exagérée », précisa notre visiteur.

« Exactement. Exagérée, un rien violente et anormale. Le professeur Presbury était cependant riche, et le père de la jeune fille ne souleva aucune objection.

---

10. **unnatural**: Conan Doyle joue ici sur une pluralité de sens. **Unnatural** renvoie à la fois 1) au caractère contre-nature de cette passion pour un homme d'un tel âge 2) à son caractère violent 3) à son caractère potentiellement surnaturel (**un/natural**).

11. **upon the part = on the part**. Littéralement, *du côté du père, en ce qui concerne le père.*

The daughter, however, had other views, and there were already several candidates for her hand, who, if they were less eligible[1] from a worldly point of view, were at least more of an age. The girl seemed to like the professor in spite of his eccentricities. It was only age which stood in the way[2].

"About this time a little mystery suddenly clouded[3] the normal routine of the professor's life. He did what he had never done before. He left home and gave no indication where he was going. He was away a fortnight and returned looking rather travel-worn[4]. He made no allusion to where he had been, although he was usually the frankest of men. It chanced, however, that our client here, Mr. Bennett, received a letter from a fellow-student[5] in Prague, who said that he was glad to have seen Professor Presbury there, although he had not been able to talk to him. Only in this way did his own household[6] learn where he had been.

"Now comes the point. From that time onward a curious change came over the professor. He became furtive and sly[7]. Those around him had always the feeling that he was not the man that they had known, but that he was under some shadow[8] which had darkened his higher qualities. His intellect was not affected. His lectures[9] were as brilliant as ever. But always there was something new, something sinister and unexpected[10].

---

1. **eligible** : du latin **eligere** : *choisir* (d'où **to elect, election**). **An eligible young man** : *un beau, un bon parti*. Également au sens d'*être admissible à, avoir droit à* : **to be eligible for a pension** : *avoir droit à la retraite*.
2. **stood in the way** : de **to stand in the way** : *gêner, faire obstacle à*.
3. **clouded** : de **to cloud** : 1) *se couvrir de nuages* (suivi de **over**) 2) *s'assombrir, se rembrunir*.
4. **travel-worn** : **worn** (part. passé de **to wear**) a ici le sens de *fourbu, éreinté*. Voir par exemple **careworn** : *rongé par les soucis*.
5. **fellow-student** : voir aussi **fellow citizen** (*concitoyen*), **fellow creature** (*un semblable*), **fellow traveller** (*compagnon de voyage*), etc.
6. **household** : *maisonnée, gens de la maison, famille*.
7. **sly** [slaɪ] : voir **on the sly** : *en cachette, en secret*.
8. **under some shadow** : littéralement *sous une ombre*. L'image de

Sa fille, quant à elle, nourrissait d'autres desseins. Elle avait déjà plusieurs prétendants, qui étaient certes d'un parti moins avantageux sur le plan mondain, mais n'en étaient pas moins favorisés sur celui de l'âge. La jeune fille semblait apprécier le professeur malgré ses excentricités. Seule la question de l'âge faisait obstacle à l'union.

» C'est à cette époque qu'un petit mystère vint assombrir le train-train quotidien du professeur. Il fit quelque chose d'inédit. Il partit de chez lui sans dire où il allait. Il demeura absent pendant quinze jours, et revint apparemment plutôt fatigué par son voyage. Il ne fit aucune allusion quant au lieu de son séjour, bien qu'étant d'ordinaire le plus franc des hommes. Le hasard voulut pourtant que M. Bennett, notre client ici présent, reçoive une lettre d'un camarade étudiant à Prague, qui l'informait du plaisir qu'il avait eu en apercevant le professeur Presbury là-bas, bien qu'il n'eût pas été en mesure de lui parler. C'est par ce seul biais que sa famille apprit où il était allé.

» Abordons maintenant le point délicat. À partir de là, un curieux changement s'empara du professeur. Il devint fuyant et sournois. Ses proches avaient constamment l'impression qu'il n'était plus le même homme, mais qu'il vivait sous une emprise qui avait obscurci ses plus hautes facultés. Son intelligence était intacte. Ses cours étaient toujours aussi brillants. Mais il y avait toujours quelque chose d'inédit, d'inquiétant et d'imprévu.

---

l'ombre est souvent associée dans la littérature fantastique à celle du double inquiétant.

9. **lectures**: *cours magistraux, conférences* (**to lecture on**: *faire un cours sur qqch./qqn*). **Lecture** a également le sens de *réprimande* ou *sermon*. **A lecturer**: *un assistant,* **a senior lecturer**: *un maître-assistant* (G. B.).

10. **something new, something sinister and unexpected**: on remarquera à la fois le caractère vague de la formulation (**something...**) qui permet l'ambiguïté fantastique, et la définition que propose Doyle de l'inquiétante étrangeté, quelques années seulement après l'essai de Freud (1919).

His daughter, who was devoted to him, tried again and again to resume the old relations and to penetrate this mask[1] which her father seemed to have put on. You, sir, as I understand, did the same — but all was in vain. And now, Mr. Bennett, tell in your own words the incident of the letters."

"You must understand, Dr. Watson, that the professor had no secrets from[2] me. If I were[3] his son or his younger brother I could not have more completely enjoyed his confidence. As his secretary I handled every paper which came to him, and I opened and subdivided his letters. Shortly after his return all this was changed. He told me that certain letters might come to him from London which would be marked by a cross under the stamp[4]. These were to be set aside for his own eyes only. I may say that several of these did pass through my hands, that they had the E. C[5]. mark, and were in an illiterate handwriting. If he answered them at all the answers did not pass through my hands nor into the letter-basket in which our correspondence was collected."

"And the box," said Holmes.

"Ah, yes, the box. The professor brought back a little wooden box from his travels. It was the one thing which suggested a Continental tour, for it was one of those quaint[6] carved things which one associates with Germany. This he placed in his instrument cupboard. One day, in looking for a canula, I took up the box.

---

1. **this mask**: la métaphore du masque apparaît déjà dans la bouche de Poole, le domestique du Dr Jekyll, pour qualifier la créature aperçue dans l'amphithéâtre: "M. Utterson, si c'était là mon maître, pourquoi portait-il un masque sur le visage?" (Le Livre de Poche Bilingue, p. 123).

2. **from**: on remarquera ici l'emploi de **from**, littéralement *de moi*. Voir par exemple **to keep a piece of news from somebody**: *cacher une nouvelle à quelqu'un*.

3. **If I were**: il s'agit ici d'un subjonctif preterite (ou preterite modal): voir note 8, p. 87. Utilisé notamment après **if, suppose, as if,**

Sa fille, qui lui était très attachée, essaya à maintes reprises de renouer le fil de leur intimité passée et de percer le masque que son père avait semble-t-il endossé. Et vous aussi, je crois, de votre côté — mais en vain. Maintenant, monsieur Bennett, racontez vous-même l'incident des lettres.

— Il faut que vous compreniez, docteur Watson, que le professeur ne me cachait rien. Si j'avais été son fils ou son frère cadet, je n'aurais pas mieux joui de sa confiance. En ma qualité de secrétaire j'avais accès à tous ses papiers confidentiels. J'ouvrais et classais son courrier. Tout cela changea peu après son retour. Il se pouvait, me déclara-t-il, que certaines lettres lui parviennent de Londres marquées d'une croix sous le timbre. Celles-ci devaient êtres mises à part et rester confidentielles. Je dois dire en effet qu'un certain nombre de ces lettres passèrent entre mes mains, qu'elles portaient le cachet de l'East Central, et que l'écriture sur l'enveloppe était celle d'un illettré. S'il leur répondit, jamais en tout cas ces réponses ne passèrent entre mes mains ou furent déposées dans la corbeille qui recueillait tout notre courrier.

— Vous oubliez la boîte», fit Holmes.

«Ah oui, la boîte! Le professeur avait rapporté une petite boîte en bois de son voyage. Ce fut le seul indice qui nous fit penser à un voyage sur le continent, car elle était bizarrement sculptée à la mode allemande. Il la rangea dans son armoire à instruments. Un jour où je cherchais une canule, je soulevai la boîte.

---

even if comme irréel du présent. Ex.: **If I were you**: *si j'étais à votre place...*

4. **a cross under the stamp**: pour une utilisation d'un courrier codé, voir "Les Cinq Pépins d'orange" (*"The Five Orange Pips"*, in *The Adventures of Sherlock Holmes*).

5. **E.C.**: **East Central**, l'une des divisions postales de Londres. Le choix de ce district, qui rappelle l'Europe Centrale et Prague, n'est sans doute pas un hasard ici. **Mark = postmark**.

6. **quaint**: littéralement, *bizarre, pittoresque*.

To my surprise he was very angry, and reproved me in words which were quite savage[1] for my curiosity. It was the first time such a thing had happened, and I was deeply hurt. I endeavoured[2] to explain that it was a mere[3] accident that I had touched the box, but all the evening I was conscious that he looked at me harshly and that the incident was rankling[4] in his mind." Mr. Bennett drew a little diary[5] book from his pocket. "That was on July 2d," said he.

"You are certainly an admirable witness," said Holmes. "I may need some of these dates which you have noted."

"I learned method among other things from my great teacher. From the time that I observed abnormality in his behaviour I felt that it was my duty to study his case[6]. Thus I have it here[7] that it was on that very day, July 2d, that Roy attacked the professor as he came from his study into the hall. Again, on July 11th, there was a scene of the same sort, and then I have a note of yet another[8] upon July 20th. After that we had to banish Roy to the stables[9]. He was a dear, affectionate animal — but I fear[10] I weary you."

Mr. Bennett spoke in a tone of reproach, for it was very clear that Holmes was not listening[11]. His face was rigid and his eyes gazed abstractedly[12] at[13] the ceiling. With an effort he recovered himself.

---

1. **savage** ['sævɪdʒ] : ici au sens de *furieux, virulent, féroce*.
2. **endeavoured** = **tried**.
3. **mere** [mɪə] = **simple**.
4. **rankling** : de **to rankle** : *rester sur le cœur, laisser une rancœur*. **A rankling injury** : *une douleur persistante, tenace*.
5. **diary** ['daɪərɪ] : 1) *journal* (intime) 2) *agenda* (ici **diary book**).
6. **his case** : on notera l'utilisation par Conan Doyle du même terme employé par Stevenson dans son ***Strange Case of Dr. Jekyll and Mr. Hyde***. Sur la parenté entre les deux textes, voir Joseph J. Egan, "Conan Doyle's 'The Adventure of the Creeping Man' as Stevensonian dialogue", ***Studies in Scottish Literature***, VII (1970), pp. 180-3.
7. **here** : dans l'agenda.

À ma grande surprise, il se mit en colère et me tança vertement pour ma curiosité. C'était la première fois qu'un tel incident se produisait, et j'en fus profondément blessé. J'eus beau essayer d'expliquer que c'était un pur hasard si j'avais touché la boîte, je me rendis bien compte, pendant toute la soirée, qu'il me regardait avec sévérité et qu'il continuait de me garder rancune. » M. Bennett tira de sa poche un petit agenda et poursuivit :

« C'était le 2 juillet.

— Vous êtes à n'en pas douter un témoin de premier ordre ! » fit Holmes. « J'aurai peut-être besoin de ces dates que vous avez notées.

— Entre autres choses inculquées par mon illustre maître, j'ai appris à être méthodique. Dès l'instant où je remarquai des anomalies dans son comportement, je sentis que mon devoir me dictait d'étudier son cas. J'ai ainsi noté que le même jour, le 2 juillet, Roy attaqua le professeur alors qu'il sortait de son bureau pour passer dans le vestibule. Même scène le 11 juillet, et j'ai encore noté un incident analogue le 20 juillet. Après quoi il devint nécessaire d'enfermer Roy dans l'écurie. C'était un animal attachant, affectueux — mais je crains de vous ennuyer. »

Le ton de M. Bennett était devenu réprobateur, car visiblement Holmes n'écoutait plus. Son visage était figé et son regard absent contemplait le plafond. Il se ressaisit non sans effort.

---

8. **yet another** : **yet** signifie ici *encore*. Ex. : **yet once more** : *encore une fois, une fois de plus*.

9. **stables** [steɪbls] : pluriel de **stable** : 1) *écurie* 2) *centre d'équitation, manège* (**riding stables**).

10. **I fear = I am afraid**.

11. **Holmes was not listening** : à comparer au début de la nouvelle, où le détective ne fait pas plus attention à Watson (p. 222).

12. **abstractedly = absent-mindedly**.

13. **at : to gaze** [geɪz] **at** : *regarder fixement, contempler*.

"Singular! Most singular!" he murmured. "These details were new to me, Mr. Bennett. I think we have now fairly[1] gone over the old ground[2], have we not? But you spoke of some fresh developments."

The pleasant, open face of our visitor clouded over[3], shadowed by some grim[4] remembrance. "What I speak of occurred the night before last," said he. "I was lying awake about two in the morning, when I was aware of[5] a dull muffled sound coming from the passage. I opened my door and peeped out[6]. I should explain that the professor sleeps at the end of the passage —"

"The date being —?" asked Holmes.

Our visitor was clearly annoyed at so irrelevant[7] an interruption.

"I have said, sir, that it was the night before last —that is, September 4th[8]."

Holmes nodded and smiled.

"Pray[9] continue," said he.

"He sleeps at the end of the passage and would have to pass my door in order to reach the staircase. It was a really terrifying experience, Mr. Holmes. I think that I am as strong-nerved as my neighbours, but I was shaken by what I saw. The passage was dark save[10] that one window halfway along it threw a patch[11] of light. I could see that something was coming along the passage, something dark and crouching[12].

---

1. **fairly : quite, tolerably.**
2. **gone over the old ground :** littéralement, *parcouru le terrain ancien* (voir p. 230).
3. **clouded over :** voir note 3, p. 232.
4. **grim = sinister, sad.**
5. **when I was aware of = when I perceived.**
6. **peeped out :** de **to peep out :** *se montrer, apparaître, passer la tête.* Ex. : **the sun peeped out from behind the clouds :** *le soleil s'est montré entre les nuages.*
7. **irrelevant** [ɪ'reləvənt] : *sans rapport, hors de propos.* Ex. : **irrelevant to the subject :** *hors du sujet.*

« Singulier ! Tout à fait singulier ! » murmura-t-il. « J'ignorais ces détails, monsieur Bennett. Je crois que nous avons pratiquement refait l'historique, n'est-ce pas ? Mais vous aviez mentionné des développements récents. »

Le visage ouvert et amène de notre visiteur s'assombrit à cette pénible évocation.

« Ce dont je vais parler à présent remonte à l'avant-dernière nuit », dit-il. « C'était vers deux heures du matin. J'étais couché, mais je ne dormais pas. C'est alors que j'entendis un bruit sourd et amorti en provenance du couloir. J'ouvris ma porte et passai la tête. Il faut vous dire que la chambre du professeur est au bout du couloir.

— C'était le... ? » demanda Holmes.

Notre visiteur fut manifestement irrité par une interruption aussi peu pertinente.

« J'ai dit, monsieur, que c'était l'avant-dernière nuit — c'est-à-dire le 4 septembre. »

Holmes acquiesça en souriant.

« Je vous en prie, poursuivez.

— Sa chambre se situant au bout du couloir, il lui faut passer devant ma porte s'il désire atteindre l'escalier. Ce fut vraiment un moment épouvantable, monsieur Holmes. Je pense avoir les nerfs aussi solides que le commun des mortels, mais ce que je vis alors me bouleversa. Le couloir était plongé dans l'obscurité à l'exception d'une flaque de lumière qui venait d'une fenêtre, à mi-chemin. Je vis quelque chose s'avancer, quelque chose de sombre et de ramassé.

---

8. **September 4th** : voir **"early in September"**, p. 220.

9. **Pray** [preɪ] = **please** (littéraire). Ex. : **Pray be seated** : *veuillez vous asseoir.*

10. **save = except.**

11. **patch** : *tache* (couleur), *morceau, pan* (ciel), *parcelle* (terrain), *nappe* (brouillard), *flaque* (eau). Au sens figuré, **bad patches** : *moments difficiles,* **in patches** : *par moments.*

12. **crouching** : de **to crouch** [kraʊtʃ] : *s'accroupir, se tapir, se ramasser.*

Then suddenly it emerged into the light, and I saw that it was he[1]. He was crawling, Mr. Holmes — crawling! He was not quite on his hands and knees. I should rather say on his hands and feet, with his face sunk between his hands. Yet he seemed to move with ease. I was so paralyzed by the sight that it was not until he had reached my door that I was able to step forward and ask if I could assist him. His answer was extraordinary. He sprang up[2], spat out[3] some atrocious word at me, and hurried on past me, and down[4] the staircase. I waited about for an hour, but he did not come back. It must have been daylight before he regained his room."

"Well, Watson, what make you of that[5]?" asked Holmes with the air of the pathologist who presents a rare specimen.

"Lumbago[6], possibly. I have known a severe attack make a man walk in just such a way, and nothing would be more trying to the temper."

"Good, Watson! You always keep us flat-footed on the ground[7]. But we can hardly accept lumbago, since he was able to stand erect in a moment."

"He was never better in health," said Bennett. "In fact, he is stronger than I have known him for years. But there are the facts, Mr. Holmes. It is not a case in which we can consult the police, and yet we are utterly at our wit's end[8] as to what to do, and we feel in some strange way that we are drifting towards[9] disaster.

---

1. **it was he**: la révélation effectuée par M. Bennett passe par une utilisation délibérée des pronoms personnels, **it** conduisant le lecteur à penser qu'il s'agit d'une "chose" (**something**) ou d'un animal, d'où l'effet de surprise lorsqu'on apprend que **it = he**.

2. **he sprang up**: comparer avec la violence soudaine de M. Hyde lorsqu'il se jette sur Sir Danvers Carew: "Puis tout à coup il se mit dans une rage folle, tapant du pied (...). Saisi d'une sauvagerie simiesque, il se mit alors à piétiner sa victime" (*op. cit.*, p. 81).

3. **spat out**: preterite de **to spit out (spat, spat)**: *cracher, recracher.* Ex.: **to spit out curses**: *cracher des jurons.*

4. **down**: il faut lire **hurried (...) past me, and (hurried) down...**

Puis tout à coup cette chose émergea dans la lumière. C'était lui. Il marchait à quatre pattes, monsieur Holmes, à quatre pattes ! À vrai dire, il n'était pas sur les mains et les genoux, mais plutôt sur les mains et les pieds, la tête pendant entre les mains. Malgré tout il semblait se mouvoir avec aisance. J'étais tellement paralysé par ce spectacle qu'il eut le temps d'arriver à la hauteur de ma porte avant que je puisse faire un pas et lui offrir mon aide. Sa réponse fut extraordinaire. Il se redressa d'un bond, me cracha une insulte et me laissa sur place. Puis il dévala l'escalier. J'attendis pendant près d'une heure, mais il ne remonta pas. Il n'a pas dû regagner sa chambre avant le lever du jour.

— Eh bien, Watson, vos impressions ? » demanda Holmes, sur le ton d'un pathologiste qui présente un spécimen rare.

« Un lumbago, qui sait ? J'ai déjà vu un homme marcher de la sorte lors d'une crise aiguë, et il n'y a rien de plus éprouvant pour les nerfs du patient.

— Bravo, Watson ! Avec vous, nous restons toujours les pieds sur terre. Mais l'hypothèse du lumbago n'est guère défendable, puisqu'il a pu se redresser en un clin d'œil.

— Il ne s'est jamais aussi bien porté », confirma Bennett. « En réalité, cela fait des années qu'il n'a pas été aussi vigoureux. Mais les faits sont là, monsieur Holmes. Ce n'est pas une affaire qui relève de la police, et pourtant nous sommes dans l'impasse la plus complète, et nous avons le sentiment étrange d'aller tout droit vers la catastrophe.

---

5. **what make you of that? = what do you make of that?** (voir note 6, p. 227).

6. **lumbago** [lʌm'beɪgəu].

7. **flat-footed on the ground** : littéralement, *les pieds à plat sur le sol.* L'expression est ironique par rapport à la description du professeur en train de marcher à quatre pattes.

8. **at our wit's end = puzzled, perplexed, at a loss.**

9. **drifting towards** : littéralement, *en train de dériver vers.*

Edith — Miss Presbury — feels as I do, that we cannot wait passively any longer."

"It is certainly a very curious and suggestive case. What do you think, Watson?"

"Speaking as a medical man," said I, "it appears to be a case[1] for an alienist. The old gentleman's cerebral processes were disturbed by the love affair. He made a journey abroad in the hope of breaking himself of the passion. His letters and the box may be connected with some other private transaction — a loan, perhaps, or share certificates[2], which are in the box."

"And the wolfhound no doubt disapproved of[3] the financial bargain[4]. No, no, Watson, there is more in it[5] than this. Now, I can only suggest —"

What Sherlock Holmes was about to suggest will never be known, for at this moment the door opened and a young lady was shown into[6] the room. As she appeared Mr. Bennett sprang up with a cry and ran forward with his hands out to meet those which she had herself outstretched.

"Edith, dear! Nothing the matter, I hope?"

"I felt I must follow you. Oh, Jack, I have been so dreadfully frightened! It is awful to be there[7] alone."

"Mr. Holmes, this is the young lady I spoke of[8]. This is my fiancée."

"We were gradually coming to that conclusion, were we not, Watson?" Holmes answered with a smile.

---

1. **a case** [keɪs]: comme Stevenson, Conan Doyle joue encore sur l'ambiguïté du mot **case**, à la fois un *cas*, une énigme policière à résoudre, et un *cas* pathologique qui relèverait de la médecine ou de la psychiatrie. C'est dans ce sens que la nouvelle de Doyle s'écarte du genre policier traditionnel.

2. **share certificates**: *titres, certificats d'actions.* **A share**: *une action.* **A shareholder**: *un actionnaire.* **Share index**: *indice de la Bourse* **(Stock Exchange). A sharecropper**: *un métayer.*

3. **disapproved of**: noter la construction de **to disapprove of**: *désapprouver* (transitif en français). Voir également **to approve of**: *approuver qqch.*

Édith — Mlle Presbury — partage mon opinion que nous ne pouvons plus attendre sans rien faire.

— C'est incontestablement un cas fort curieux et très évocateur. Qu'en pensez-vous, Watson ?

— D'un point de vue médical, le cas me semble être du ressort d'un aliéniste. Le système cérébral du vieux gentleman a été perturbé par cette histoire d'amour. Il a fait un voyage à l'étranger dans l'espoir d'oublier cette passion. Les lettres et la boîte se rapportent peut-être à une quelconque transaction privée — un emprunt, par exemple, ou des actions ? Voilà pour le contenu de la boîte.

— Quant au chien-loup, il va de soi qu'il désapprouvait la transaction en question ! Non, non, Watson, votre explication est insuffisante. Pour l'heure, je me contenterai d'avancer... »

Personne ne saura jamais ce que Sherlock Holmes était sur le point d'avancer, car au même moment la porte s'ouvrit pour laisser entrer une jeune femme dans la pièce. À sa vue, M. Bennett bondit en poussant un cri et courut, mains tendues, vers ces mains qui s'étaient tendues à sa rencontre.

« Édith, ma chérie ! Rien de grave, j'espère ?

— Je n'ai pas pu m'empêcher de vous suivre. Oh ! Jack, j'ai eu si peur ! C'est affreux d'être toute seule là-bas !

— Monsieur Holmes, voici la jeune fille dont je vous ai parlé. Je vous présente ma fiancée.

— Nous étions peu à peu arrivés à cette conclusion, n'est-ce pas, Watson ? » répondit Holmes en souriant.

---

4. **bargain** : *marché, affaire, transaction.* **A real bargain** : *une véritable occasion, une (bonne) affaire.*
5. **in it = in the case.**
6. **shown into** : voir **to show somebody into (a room)** : *faire entrer qqn* (dans une pièce).
7. **there** : dans la maison du professeur, à Camford.
8. **I spoke of = of whom I spoke.**

"I take it[1], Miss Presbury, that there is some fresh development in the case, and that you thought we should know?"

Our new visitor, a bright, handsome girl of a conventional English type, smiled back at Holmes as she seated herself beside Mr. Bennett.

"When I found[2] Mr. Bennett had left his hotel I thought I should probably find him here. Of course, he had told me that he would consult you. But, oh, Mr. Holmes, can you do nothing for my poor father?"

"I have hopes, Miss Presbury, but the case is still obscure. Perhaps what you have to say may throw some fresh[3] light upon it."

"It was last night, Mr. Holmes[4]. He had been very strange[5] all day. I am sure that there are times when he has no recollection of what he does. He lives as in a strange dream. Yesterday was such a day. It was not my father with whom I lived. His outward shell[6] was there, but it was not really he."

"Tell me what happened."

"I was awakened in the night[7] by the dog barking most furiously. Poor Roy, he is chained now near the stable. I may say that I always sleep with my door locked; for, as Jack — as Mr. Bennett — will tell you, we all have a feeling of impending[8] danger. My room is on the second floor. It happened that the blind[9] was up[10] in my window, and there was bright moonlight[11] outside.

---

1. **I take it = I assume, I suppose.**
2. **I found = I discovered (that).**
3. **fresh = new.** Voir **fresh development** plus haut.
4. **It was last night, Mr Holmes:** on remarquera que le détective se contente pour l'instant d'écouter des récits, d'abord celui de M. Bennett, puis celui de Mlle Presbury. Une fois encore, Conan Doyle se démarque du roman policier traditionnel: Holmes est immobile, et se contente d'écouter, ce qui confirme le fait que le cas du professeur Presbury relève plus de la psychologie que de la science criminelle.
5. **strange:** le mot rappelle encore Stevenson.
6. **shell:** 1) *coquille* 2) *carapace* 3) *coquillage* 4) *coque de navire.*

« Je présume, mademoiselle Presbury, que l'affaire vient de connaître un nouveau développement, et que vous souhaitiez nous mettre au courant ? »

Notre visiteuse, vive, jolie, au type anglais conventionnel, sourit à son tour à Holmes en prenant place à côté de M. Bennett.

« Quand j'ai découvert que M. Bennett n'était plus à son hôtel, j'ai pensé avoir de grandes chances de le trouver ici. Il m'avait prévenue qu'il vous consulterait, cela va sans dire. Mais dites-moi, monsieur Holmes, ne pouvez-vous rien faire pour mon pauvre père ?

— J'ai bon espoir, mademoiselle Presbury, mais le cas demeure obscur. Ce que vous avez à communiquer pourra peut-être éclairer ma lanterne.

— Cela s'est passé la nuit dernière, monsieur Holmes. Il avait été bizarre toute la journée. Je suis persuadée qu'il y a des moments où il ne garde aucun souvenir de ce qu'il fait. Il vit comme dans un rêve étrange. C'était justement le cas hier. Ce n'était pas mon père qui se trouvait à mes côtés. C'était sa carapace, mais elle était vide.

— Dites-moi ce qui s'est passé.

— Pendant la nuit, j'ai été réveillée par le chien qui aboyait comme un enragé. Pauvre Roy ! Il est désormais enchaîné près de l'écurie. Je dois avouer que je dors toujours avec ma porte fermée à clef ; comme Jack — M. Bennett — vous le dira, nous avons tous la sensation qu'un danger nous menace. Ma chambre est située au deuxième étage. Le hasard a voulu que le store de ma fenêtre fût levé : la lune brillait au-dehors.

---

7. **I was awakened in the night** : cf. le récit de M. Bennett, p. 238.

8. **impending** : *imminent, prochain, menaçant*. Ex. : **his impending fate** : *le sort qui le menace*. **To impend** : *être imminent, menacer, planer*.

9. **the blind** : *store, jalousie*. Ne pas confondre avec **the blind** : *les aveugles* (cf. **the dead** : *les morts*).

10. **up** : *levé* ≠ **down,** *baissé*.

11. Cf. **Dr Jekyll and Mr Hyde** : *"and the lane, which the maid's window overlooked, was brilliantly lit by the full moon"* (p. 62).

As I lay with my eyes fixed upon the square of light[1], listening to the frenzied[2] barkings of the dog, I was amazed to see my father's face looking in at me. Mr. Holmes, I nearly died of surprise and horror. There it was pressed against the window-pane[3], and one hand seemed to be raised as if to push up the window. If that window had opened, I think I should have gone mad. It was no delusion, Mr. Holmes. Don't deceive yourself by thinking so. I dare say it was twenty seconds or so that I lay paralyzed and watched the face[4]. Then it vanished, but I could not — I could not spring out of bed and look out after it. I lay cold and shivering till morning. At breakfast he was sharp and fierce in manner, and made no allusion to the adventure of the night. Neither did I, but I gave an excuse for coming to town[5] — and here I am."

Holmes looked thoroughly surprised at[6] Miss Presbury's narrative.

"My dear young lady, you say that your room is on the second floor. Is there a long ladder in the garden?"

"No, Mr. Holmes, that is the amazing part of it. There is no possible way of reaching[7] the window — and yet he was there."

"The date being September 5th," said Holmes. "That certainly complicates matters."

It was the young lady's turn to look surprised.

---

1. **the square of light** : voir **"a patch of light"**, p. 238. On remarquera le parallélisme entre les récits de M. Bennett et de Mlle Presbury.

2. **frenzied** : de **to frenzy** : *rendre* (fou) *furieux* (= **to infuriate**). Pour un chien, **frenzied** est souvent associé à **barks** ou **barkings (to bark** : *aboyer*). **Frenzied rage** : *la folie furieuse*.

3. **against the window-pane** : le motif de la fenêtre est souvent utilisé à des fins fantastiques. Voir par exemple le cauchemar de Lockwood au début des *Hauts de Hurle-Vent* d'Emily Brontë (Chap. III), où le narrateur est en proie à "une terreur folle" en croyant sentir la main du fantôme de Catherine à travers la vitre. On retrouve le même genre de frayeur chez Mlle Presbury (**"I think I should have gone mad"**), à la différence près qu'il ne s'agit pas d'un mauvais rêve (**"It was no delusion"**).

J'étais dans mon lit, les yeux fixés sur le carré de lumière, l'oreille à l'écoute des aboiements furieux du chien, lorsque j'aperçus, à ma grande stupeur, le visage de mon père qui m'observait par la fenêtre. Monsieur Holmes, j'ai failli mourir de surprise et d'horreur. Sa figure était collée contre la vitre, avec une main levée comme pour faire remonter le carreau. Si cette fenêtre s'était ouverte, je crois que je serais devenue folle. Ce n'était pas une hallucination, monsieur Holmes, ne vous y trompez pas. J'ai bien dû rester ainsi paralysée une vingtaine de secondes à surveiller ce visage. Puis il disparut, mais j'ai été incapable — j'ai été incapable de sauter en bas du lit pour aller regarder à la fenêtre. Je suis restée ainsi, à grelotter de froid jusqu'au matin. Au petit déjeuner, je l'ai trouvé sec et cassant, mais il n'a fait aucune allusion aux événements de la nuit. Moi non plus, mais j'ai donné un prétexte pour venir à Londres — et me voici. »

Holmes parut profondément surpris par le récit de Mlle Presbury.

« Ma chère demoiselle, vous nous dites que votre chambre est située au deuxième étage. Y a-t-il une grande échelle dans le jardin ?

— Non, monsieur Holmes, et c'est bien là le plus étonnant. Il n'existe aucun moyen d'atteindre cette fenêtre — et pourtant je l'y ai vu.

— Assurément », dit Holmes, « la date du 5 septembre ne fait que compliquer les choses. »

Ce fut au tour de la jeune femme d'avoir l'air surprise.

---

4. **the face** : d'où le **it** utilisé ensuite, qui renforce l'impression d'inquiétante étrangeté. Le **he** de la phrase suivante marque un retour à la personne habituelle du professeur.
5. **coming to town** : voir **to go (in) to town** : *aller en ville* (Londres).
6. **surprised at** : noter la construction de **to be surprised (at** : *par*).
7. **reaching** : voir **out of reach** : *hors d'atteinte*.

"This is the second time[1] that you have alluded to the date, Mr. Holmes," said Bennett. "Is it possible that it has any bearing[2] upon the case?"

"It is possible — very possible — and yet I have not my full[3] material[4] at present."

"Possibly you are thinking of the connection between insanity and phases of the moon?"

"No, I assure you. It was quite a different line of thought. Possibly you can leave your notebook with me, and I will check the dates. Now I think, Watson, that our line of action[5] is perfectly clear. This young lady has informed us — and I have the greatest confidence in her intuition — that her father remembers little or nothing which occurs[6] upon certain dates. We will therefore call upon him[7] as if he had given us an appointment upon such a date. He will put it down to[8] his own lack[9] of memory. Thus we will open our campaign by having a good close view of him."

"That is excellent," said Mr. Bennett. "I warn you, however, that the professor is irascible and violent at times[10]."

Holmes smiled. "There are reasons why we should come at once — very cogent[11] reasons if my theories hold good[12]. To-morrow, Mr. Bennett, will certainly[13] see us in Camford.

---

1. **the second time**: voir p. 238.
2. **bearing** ['beərıŋ] = **relation.**
3. **full = complete.**
4. **material = facts, data, elements, information**. Noter ici le singulier anglais qui renvoie à un pluriel en français. Au pluriel, **materials** a le plus souvent un sens concret (*éléments, matériaux*, etc.). Ex. : **raw materials**: *matières premières;* **building materials**: *matériaux de construction.*
5. **line of action**: on remarquera le parallèle avec **"line of thought"** plus haut.
6. **occurs** [ə'kɜz] = **happens, takes place.**
7. **call upon him = pay him a visit, pay him a call.**
8. **put it down to = attribute it to.** Ex. : **the accident must be put down to negligence**: *l'accident doit être imputé à la négligence*. Voir aussi **to ascribe (to)**: *attribuer (à), imputer (à)*. Ex. : **to ascribe the blame to**: *imputer la faute à.*

« Monsieur Holmes », intervint Bennett, « voici la deuxième fois que vous faites allusion à la chronologie. Pensez-vous qu'elle puisse jouer un rôle quelconque dans cette affaire ?

— C'est possible — très possible — mais je ne dispose pas encore de tous les éléments.

— Vous songez peut-être au lien qui existe entre la folie et les phases de la lune ?

— Nullement, je vous assure. Je me plaçais dans une tout autre perspective. Si cela ne vous ennuie pas de me laisser votre agenda, je pourrai ainsi vérifier les dates. Maintenant, Watson, je pense que notre plan d'action est parfaitement clair. Cette jeune personne vient de nous dire (et j'ai la plus grande confiance en son intuition) que son père se rappelle mal ou pas du tout ce qui se produit tel ou tel jour. C'est pourquoi nous allons lui rendre visite comme s'il nous avait fixé rendez-vous l'un de ces jours-là. Il accusera sa propre mémoire défaillante. Ainsi nous commencerons notre campagne en l'observant de près.

— L'idée est excellente », déclara M. Bennett. « Je dois cependant vous mettre en garde contre le caractère parfois irascible et violent du professeur. »

Holmes sourit.

« Il y a de bonnes raisons pour que notre visite ait lieu dans les meilleurs délais — des raisons impérieuses, si ma théorie est fondée. Demain, monsieur Bennett, vous ne manquerez pas de nous voir à Camford.

---

9. **lack** : *manque* (= **want**). **To lack smth.** : *manquer de qqch.* (transitif en anglais). **To be lacking** : *manquer, faire défaut.*

10. **at times = sometimes.**

11. **cogent** ['kəʊdʒənt] = **convincing, strong, powerful, forceful**. Du latin **cogere** : *obliger.*

12. **hold good = prove right.**

13. **certainly = indubitably, infallibly.** Beaucoup plus fort que le "certainement" français.

There is, if I remember right[1], an inn called the Chequers[2] where the port[3] used to be above mediocrity and the linen was above reproach. I think, Watson, that our lot for the next few days might lie in less pleasant places."

Monday morning found us on our way to the famous university town — an easy effort on the part of Holmes, who had no roots to pull up[4], but one which involved frantic planning and hurrying on my part, as my practice[5] was by this time not inconsiderable. Holmes made no allusion to the case until after we had deposited our suitcases at the ancient hostel of which he had spoken.

"I think, Watson, that we can catch the professor just before lunch. He lectures[6] at eleven and should have an interval at home."

"What possible excuse have we for calling?"

Holmes glanced at his notebook.

"There was a period of excitement upon August 26th. We will assume that he is a little hazy[7] as to what he does at such times. If we insist that we are there by appointment I think he will hardly venture to contradict us. Have you the effrontery necessary to put it through?"

"We can but try."

"Excellent, Watson! Compound[8] of the Busy Bee[9] and Excelsior[10].

---

1. **right** = **well.**

2. **the Chequers** ['tʃekəz] : *damier* ou *échiquier* (voir **exchequer** ou **The Exchequer** : *l'administration des finances britannique,* de la même racine qu'"échiquier" en français), traditionnellement adopté comme enseigne d'auberge en Angleterre. Le ministre des Finances britannique a pour titre **the Chancellor of the Exchequer** : *le Chancelier de l'Échiquier*.

3. **port** [pɔːt] = **port wine**, *le porto* (abréviation de **Oporto**).

4. **no roots to pull up** : littéralement, *pas de racines à arracher* = pas d'attaches, rien qui ne le retienne.

5. **my practice** : Watson fait ici allusion à sa clientèle médicale, peu importante au début de sa carrière (et donc lui permettant de s'absenter assez facilement), mais décrite ici comme suffisamment conséquente pour compliquer son départ.

6. **He lectures** : voir note 9, p. 233.

Si mes souvenirs sont exacts, il y a là-bas une auberge à l'enseigne de *L'Échiquier*, où le porto, autrefois, était au-dessus de la médiocrité et la literie au-dessus des reproches. Je crois, Watson, que nous pourrions passer les jours qui viennent dans des lieux moins agréables. »

Le lundi matin, nous étions en route pour la célèbre ville universitaire, effort modeste de la part de Holmes, que rien ne retenait à Londres, mais qui, de mon côté, impliquait, au pied levé, la mise en place urgente de tout un dispositif destiné à ma clientèle, qui était devenue alors assez conséquente. Holmes ne me reparla de l'affaire qu'une fois nos valises déposées à la vieille hostellerie qu'il avait mentionnée.

« Je crois, Watson, que nous avons une chance de saisir le professeur juste avant le déjeuner. En principe, il a un cours à onze heures, puis il se repose à la maison avant le repas.

— Sous quel prétexte pouvons-nous aller le voir ? »

Holmes consulta l'agenda.

« Il a traversé une phase d'énervement le 26 août. Nous partirons du principe que sa mémoire se brouille dans ces cas-là. Si nous lui assurons que nous venons sur rendez-vous, je crois qu'il ne se hasardera point à nous contredire. Aurez-vous assez d'effronterie pour jouer la comédie ?

— Nous n'avons qu'à essayer.

— Bravo, Watson ! À la fois "toujours prêt !" et "toujours plus haut !"

---

7. **hazy** ['heɪzɪ] : 1) *brumeux* (temps) 2) *voilé* (soleil, lune) 3) *flou* (photographie) 4) *vague, nébuleux, fumeux* (idée).

8. **Compound** [kɒm'paund] : *composé* (substantif et adjectif).

9. **the Busy Bee** : littéralement, *l'abeille industrieuse* (voir l'expression **as busy as a bee**).

10. **Excelsior** : *plus haut*, en latin.

We can but try — the motto[1] of the firm[2]. A friendly native will surely guide us."

Such a one on the back of a smart hansom swept us past a row[3] of ancient colleges and, finally turning into a tree-lined[4] drive[5], pulled up at the door of a charming house, girt[6] round with lawns and covered with purple wistaria[7]. Professor Presbury was certainly surrounded with every sign not only of comfort but of luxury. Even as we pulled up, a grizzled head appeared at the front window, and we were aware of[8] a pair of keen eyes from under shaggy[9] brows which surveyed us through large horn glasses. A moment later we were actually in his sanctum, and the mysterious scientist, whose vagaries[10] had brought us from London, was standing before us. There was certainly no sign of eccentricity either in his manner or appearance, for he was a portly[11], large-featured man, grave, tall, and frock-coated, with the dignity of bearing which a lecturer needs. His eyes were his most remarkable feature, keen, observant, and clever to the verge of cunning[12].

He looked at our cards. "Pray sit down, gentlemen. What can I do for you?"

Mr. Holmes smiled amiably.

"It was the question which I was about to put[13] you, Professor."

"To me, sir!"

---

1. **motto** ['mɒtəu] : *devise* (famille, firme, etc.). Au pluriel, **mottoes**.
2. **firm** [fɜ:m] : Holmes fait ici allusion, sur le mode humoristique, au tandem constitué par les deux hommes au fil des années et des enquêtes dans lesquelles Watson a secondé le détective.
3. **a row** [rəu] : *une rangée, une ligne, un alignement.*
4. **tree-lined** : *bordée d'arbres.*
5. **drive** [draɪv] : *allée* ou *avenue privée* conduisant à une maison, une propriété, un château.
6. **girt** [gɜ:t] : participe passé de **to gird (girded/girt)** : *ceindre, revêtir de* (littéraire). **A girdle** : *une ceinture, une gaine.*
7. **wistaria** [wɪ'steərɪə] : *la glycine.*
8. **aware of** [ə'weə] : de **to be aware of** : *être conscient, être averti, au courant de.*

C'est la devise de la maison : nous n'avons qu'à essayer. Un aimable autochtone nous servira sûrement de guide. »

Et c'est un cocher autochtone qui à bord de son fiacre fringant fit défiler sous nos yeux cet alignement de collèges vénérables, avant de bifurquer dans une allée ombragée et de nous déposer devant la porte d'une demeure ravissante nichée dans la verdure et noyée dans la pourpre des glycines. À l'évidence, le professeur Presbury s'entourait de tous les signes apparents du confort, voire même du luxe. Dès l'arrêt de notre fiacre, une tête grisonnante apparut à la fenêtre sur la rue, et nous eûmes conscience de deux yeux aigus sous des sourcils touffus qui nous dévisageaient à travers de grosses lunettes d'écaille. Peu après nous étions autorisés à entrer dans son sanctuaire, et le mystérieux savant, dont les écarts de comportement nous avaient fait déplacer de Londres, était là, devant nous. Il n'y avait assurément aucun symptôme d'excentricité dans son aspect ou ses manières : c'était quelqu'un de grand, corpulent, carré, sérieux, qui portait la redingote avec toute la dignité de maintien qui sied au conférencier. Son regard était son trait le plus caractéristique : aigu, pénétrant, intelligent, voire madré.

Il jeta un coup d'œil à nos cartes de visite.

« Veuillez vous asseoir, gentlemen. Que puis-je faire pour vous ? »

Holmes sourit d'un air affable.

« C'était la question que j'allais vous poser, monsieur le professeur.

— À moi, monsieur !

---

9. **shaggy** : *hirsute, broussailleux* (cheveux, crinière), *touffu, hérissé* (*sourcils* : **brows** ou **eyebrows**).
10. **vagaries** ['veɪgərɪz] : de **vagary** : *caprice* (= **whim**).
11. **portly** : *corpulent.* De **port** : *le maintien* (= **bearing**).
12. **to the verge of cunning** : *à la limite de la ruse.*
13. **to put** : ici, = **to ask.**

"Possibly there is some mistake. I heard through a second person that Professor Presbury of Camford had need of my services."

"Oh, indeed!" It seemed to me that there was a malicious[1] sparkle[2] in the intense gray eyes. "You heard that, did you? May I ask the name of your informant?"

"I am sorry, Professor, but the matter was rather confidential. If I have made a mistake there is no harm done[3]. I can only express my regret."

"Not at all. I should wish to go further into this matter. It interests me. Have you any scrap[4] of writing, any letter or telegram, to bear out your assertion[5]?"

"No, I have not."

"I presume that you do not go so far as to assert[6] that I summoned you?"

"I would rather[7] answer no questions," said Holmes.

"No, I dare say not," said the professor with asperity. "However, that particular one[8] can be answered very easily without your aid."

He walked across the room to the bell. Our London friend, Mr. Bennett, answered the call.

"Come in, Mr. Bennett. These two gentlemen have come from London under the impression that they have been summoned. You handle[9] all my correspondence[10]. Have you a note of anything going to a person named Holmes?"

---

1. **malicious**: *méchant, malveillant, mal intentionné* (≠ "malicieux" en français). Ex.: **malicious damage**: *dommage causé avec intention de nuire.* **To bear somebody malice**: *vouloir du mal à qqn.* **With malice aforethought**: *avec préméditation.*

2. **sparkle**: *étincelle, éclair* (regard), *éclat* (diamant), *scintillement* (étoile).

3. **there is no harm done**: souvent suivi d'un point d'exclamation = *il n'y a pas de mal!* Voir aussi **the harm is done now**: *le mal est fait maintenant.*

4. **scrap = small piece**. Ex.: **a scrap of paper**: *un bout de papier.* **There isn't a scrap of evidence**: *il n'y a pas la moindre preuve.*

— Il y a peut-être erreur. J'ai appris par un tiers que le professeur Presbury, de Camford, avait besoin de mes services.

— Non ? Vraiment ? »

J'eus l'impression qu'une étincelle de malveillance venait de s'allumer dans les yeux gris perçants.

« Vous avez appris, dites-vous ? Puis-je vous demander le nom de votre informateur ?

— Je suis désolé, monsieur le professeur, mais l'affaire présentait un caractère plutôt confidentiel. Si j'ai commis une erreur, nous en resterons là. Je ne puis que vous présenter mes excuses.

— Rien du tout. J'aimerais approfondir la question. Très intéressant. Avez-vous une quelconque preuve écrite, lettre ou télégramme ?

— Non.

— J'imagine que vous n'avez pas le front de prétendre que je vous ai convoqués ?

— Je préfère ne pas avoir à répondre », fit Holmes.

« Bien sûr que non », dit le professeur d'un ton âpre. « Mais il est aisé de s'en assurer sans votre aide. »

Il traversa la pièce et sonna. Notre ami de Londres, M. Bennett, répondit à l'appel.

« Entrez, monsieur Bennett. Ces deux gentlemen sont venus de Londres dans l'idée qu'on les avait convoqués. Vous qui maniez toute ma correspondance, vous souvenez-vous d'une quelconque missive adressée à quelqu'un du nom de Holmes ?

---

5. **to bear out your assertion** : littéralement, *pour étayer votre affirmation.* **To bear out = to support, to confirm.**

6. **so far as to assert** : *jusqu'à affirmer.*

7. **I would rather** : aujourd'hui, souvent utilisé dans sa forme contractée **I'd rather** (+ infinitif sans to).

8. **that particular one = that particular question.**

9. **handle** : *toucher, manipuler, manier.* Ex. : **"handle with care"** : *"fragile".* **Handlebars** : *guidon de vélo.*

10. **correspondence** : noter l'orthographe par rapport au français.

"No, sir," Bennett answered with a flush[1].

"That is conclusive[2]," said the professor, glaring angrily at[3] my companion. "Now, sir" — he leaned forward with his two hands upon the table —"it seems to me that your position is a very questionable one."

Holmes shrugged[4] his shoulders.

"I can only repeat that I am sorry that we have made a needless intrusion."

"Hardly enough, Mr. Holmes!" the old man cried in a high screaming voice, with extraordinary malignancy upon his face. He got between us and the door as he spoke, and he shook his two hands at us with furious passion. "You can hardly get out of it so easily as that." His face was convulsed, and he grinned and gibbered[5] at us in his senseless rage. I am convinced that we should have had to fight our way out of the room if Mr. Bennett had not intervened.

"My dear Professor," he cried, "consider your position[6]! Consider the scandal at the university! Mr. Holmes is a well-known man. You cannot possibly treat him with such discourtesy."

Sulkily[7] our host[8] —if I may call him so — cleared the path[9] to the door. We were glad to find ourselves outside the house and in the quiet of the tree-lined drive. Holmes seemed greatly amused by the episode.

---

1. **with a flush**: de **to flush**: *rougir* (personne). Ex.: **to flush with shame/anger**: *rougir de honte/de colère.*

2. **conclusive** [kən'klu:sɪv] = **decisive, convincing.**

3. **glaring angrily at**: voir aussi **he gave me an angry glare**: *il m'a jeté un regard furieux.* **To glare** a également le sens d'*éblouir, aveugler* (lumière, soleil), d'où **a glaring mistake**: *ue faute criarde, qui saute aux yeux.*

4. **shrugged**: de **to shrug (one's shoulders)**: *hausser les épaules.*

5. **gibbered** ['dʒɪbəd]: le verbe **to gibber** suggère un baragouinement de singe: de la même façon, Stevenson qualifie la violence de M. Hyde de "sauvagerie simiesque" **(ape-like fury). Gibberish**: *baragouin, charabia, galimatias.*

— Non, monsieur », répondit Bennett en rougissant.

« Voilà qui est concluant », s'exclama le professeur, en lançant un regard furibond à mon compagnon. « À présent, monsieur », commença-t-il en se penchant en avant, les deux mains appuyées sur la table, « il me semble que votre situation devient très inconfortable. »

Holmes haussa les épaules.

« Je me contenterai de vous réitérer mes excuses pour cette inutile intrusion.

— Insuffisant, monsieur Holmes ! » s'écria le vieil homme d'une voix de fausset, tandis qu'une incroyable méchanceté se lisait sur son visage. Tout en parlant, il nous barra le passage et brandit les deux poings à notre encontre avec une rage de forcené.

« Vous ne vous en sortirez pas comme ça », marmonna-t-il avec un rictus de singe, le visage convulsé par une fureur insensée. Je suis convaincu que nous aurions dû employer la force pour sortir de la pièce si M. Bennett n'était pas intervenu.

« Mon cher professeur », cria-t-il, « songez à votre situation ! Songez au scandale dans l'Université ! M. Holmes est une personnalité connue. Vous ne pouvez décemment pas le traiter avec un tel manque de courtoisie ! »

À contrecœur, notre hôte — si je puis l'appeler ainsi — nous laissa le champ libre, et nous ne fûmes pas mécontents de nous retrouver au-dehors, dans la paisible allée ombragée. Holmes semblait fort amusé par cet épisode.

---

6. **position** : au sens de *position sociale, rang, situation.* Le Dr Jekyll occupe lui aussi un rang élevé dans la hiérarchie médicale (*op. cit.*, p. 46).

7. **sulkily** : de **sulky** : *boudeur, maussade, grognon.* **To sulk** : *bouder, faire la tête.*

8. **host** [həust] : 1) *hôte* 2) *hôtelier, aubergiste* 3) *hostie* 4) *une armée* (littéraire).

9. **cleared the path** : littéralement, *dégagea le chemin.*

"Our learned[1] friend's nerves are somewhat out of order," said he. "Perhaps our intrusion was a little crude, and yet we have gained that personal contact which I desired. But, dear me[2], Watson, he is surely at our heels. The villain[3] still pursues us."

There were the sounds of running feet behind, but it was, to my relief, not the formidable[4] professor but his assistant who appeared round the curve of the drive. He came panting up to us.

"I am so sorry, Mr. Holmes. I wished to apologize."

"My dear sir, there is no need. It is all in the way of professional experience."

"I have never seen him in a more dangerous mood. But he grows more sinister. You can understand now why his daughter and I are alarmed. And yet his mind is perfectly clear."

"Too clear!" said Holmes. "That was my miscalculation. It is evident that his memory is much more reliable[5] than I had thought. By the way, can we, before we go, see the window of Miss Presbury's room?"

Mr. Bennett pushed his way through[6] some shrubs, and we had a view of the side of the house.

"It is there. The second on the left."

"Dear me, it seems hardly accessible. And yet you will observe that there is a creeper[7] below and a water-pipe above which give some foothold."

---

1. **learned** ['lɜ:nɪd] : *savant, érudit* (adjectif). **My learned friend :** *mon éminent confrère* (formule de politesse utilisée dans les professions juridiques britanniques).

2. **dear me** : souvent suivi d'un point d'exclamation = *mon Dieu ! Vraiment ! Pas possible !*

3. **villain** ['vɪlən] : au sens fort, *scélérat, vaurien, coquin.* Dans la bouche de Holmes, le terme utilisé ici ne manque pas d'humour (voir **"Holmes seemed greatly amused"** p. 256), ne serait-ce que par contraste avec **"learned friend"** plus haut.

4. **formidable** ['fɔ:mɪdəbl] : prend tout son sens étymologique en anglais (**formidare** en latin : *craindre, redouter*) : *redoutable, terrible, effrayant.* Ex. : **a formidable adversary :** *un adversaire redoutable.*

« Les nerfs de notre savant et ami sont comme qui dirait déréglés », fit-il. « Malgré le caractère disons un peu fruste de notre intrusion, nous avons cependant établi ce contact personnel que je désirais. Mais attention, Watson, c'est sans doute lui qui vient. L'individu est toujours sur nos talons. »

Un bruit de pas pressés se fit entendre dans notre dos. Pourtant, à mon grand soulagement, ce ne fut pas le terrible professeur mais son assistant qui déboucha au tournant de l'allée et qui nous rattrapa, tout essoufflé.

« Je suis tellement désolé, monsieur Holmes. Je voulais vous présenter des excuses.

— Elles ne sont pas nécessaires, mon cher monsieur. Ce sont les risques du métier.

— Je ne l'ai jamais vu de pareille humeur. Il devient dangereux, mauvais. Vous comprenez maintenant pourquoi nous sommes inquiets, sa fille et moi. Malgré tout il est parfaitement lucide.

— Trop lucide ! » s'écria Holmes. « Ce fut là mon erreur. Il est clair que sa mémoire est plus fiable que je l'avais prévu. Au fait, serait-il possible, avant notre départ, d'aller voir la fenêtre de Mlle Presbury ? »

M. Bennett se fraya un chemin parmi les buissons, et la maison nous apparut de côté.

« C'est là. La deuxième à gauche.

— Diable ! Elle a l'air pratiquement inaccessible. Pourtant vous remarquerez qu'il y a un lierre en bas et une gouttière en haut qui fournissent un appui.

L'expression **formidable professor** constitue à elle seule un oxymore, les deux mots étant rarement associés.

5. **reliable** [rɪ'laɪəbl] : *fiable, digne de confiance, sûr.*

6. **pushed his way through** : même structure que "**fight our way out of**" (p. 256). Le verbe indique la manière dont l'action s'effectue, la postposition (**through, out of**) indiquant le déplacement.

7. **creeper** : *plante grimpante* ou *rampante* (de **to creep**). **Virginia creeper** : *vigne vierge*. À rapprocher du titre de la nouvelle.

"I could not climb it myself," said Mr. Bennett.

"Very likely. It would certainly be a dangerous exploit for any normal man."

"There was one other thing I wish to tell you, Mr. Holmes. I have the address of the man in London to whom the professor writes. He seems to have written this morning, and I got it from his blotting-paper[1]. It is an ignoble position for a trusted[2] secretary, but what else can I do?"

Holmes glanced at the paper and put it into his pocket.

"Dorak — a curious name. Slavonic[3], I imagine. Well, it is an important link in the chain. We return to London this afternoon, Mr. Bennett. I see no good purpose to be served[4] by our remaining[5]. We cannot arrest the professor because he has done no crime, nor can we place him under constraint[6], for he cannot be proved to be mad. No action is as yet possible."

"Then what on earth are we to do?"

"A little patience, Mr. Bennett. Things will soon develop[7]. Unless I am mistaken, next Tuesday may mark a crisis[8]. Certainly we shall be in Camford on that day. Meanwhile, the general position is undeniably unpleasant, and if Miss Presbury can prolong her visit —"

"That is easy."

---

1. **blotting-paper :** *buvard.* **Blotting-pad :** *bloc buvard.* **A blot :** *une tache d'encre, un pâté.* Le procédé du buvard est utilisé par Holmes dans "***The Adventure of the Missing Three-Quarter***" ("Un Trois-Quart a été perdu", 1904, in *Le Retour de Sherlock Holmes*), qui se déroule à Cambridge : grâce à lui, Holmes parvient à déchiffrer les derniers mots d'un télégramme.

2. **trusted :** se dit d'une personne en qui l'on a toute confiance. Ex. : **a trusted friend, a trusted servant** (de **to trust somebody :** *faire confiance à qqn*). **A trusted method :** *une méthode éprouvée.*

3. **Slavonic :** voir **Slavonic languages :** *les langues slaves.* **Slav** [slɑ:v] : *Slave* (nom et adjectif).

4. **served :** voir **to serve a purpose :** *être utile, servir à qqch.* Ex. : **it serves a variety of purposes :** *cela sert à divers usages ;* **it serves no useful purpose :** *cela ne sert à rien* (de spécial).

— Je serais bien incapable d'y grimper, » dit M. Bennett.

« En effet. Ce serait assurément un exploit périlleux pour tout homme normalement constitué.

— Il y a autre chose que je désirais vous dire, monsieur Holmes. J'ai l'adresse de ce Londonien auquel le professeur écrit. Apparemment, il lui a écrit ce matin : j'ai pu relever l'adresse grâce au buvard. Procédé ignoble de la part d'un secrétaire de confiance, mais que puis-je faire d'autre ? »

Holmes parcourut le papier et le mit dans sa poche.

« Dorak — bizarre, comme nom. D'origine slave, j'imagine. En tout cas, voilà un maillon important de la chaîne. Nous retournons à Londres cet après-midi même, monsieur Bennett. Je ne vois aucune raison valable de rester ici. Impossible d'arrêter le professeur puisqu'il n'a commis aucun crime, et pas question de le faire enfermer, puisque sa folie ne peut être prouvée. Il n'y a rien à faire pour l'instant.

— Mais que faire en attendant ?

— Un peu de patience, monsieur Bennett. Les choses ne vont pas tarder à prendre forme. Sauf erreur de ma part, mardi prochain sera sans doute un jour de crise. Nous ne manquerons pas d'être à Camford ce jour-là. Entre-temps, la situation d'ensemble demeure incontestablement désagréable, et si Mlle Presbury pouvait prolonger son séjour à Londres...

— Rien de plus facile.

---

5. **our remaining** : il s'agit ici d'un gérondif à double fonction, à la fois verbe et nom, formé par un adjectif possessif + verbe en **ing**. Ex. : **he objects to our playing football** : *il n'approuve pas que nous jouions au football.*

6. **under constraint** : littéralement, *sous la contrainte*. Ex. : **to act under constraint**. Ici, synonyme de **restraint** ou **confinement**.

7. **develop** [dɪ'veləp] : ici au sens de "se développer", "se manifester", "se déclarer". (ex : maladie, symptômes).

8. **crisis** ['kraɪsɪs].

"Then let her stay till we can assure her that all danger is past. Meanwhile, let him have his way[1] and do not cross[2] him. So long as[3] he is in a good humour all is well."

"There he is!" said Bennett in a startled whisper. Looking between the branches we saw the tall, erect figure[4] emerge from the hall door and look around him. He stood leaning forward, his hands swinging straight before him, his head turning from side to side. The secretary with a last wave[5] slipped off[6] among the trees, and we saw him presently rejoin his employer, the two entering the house together in what seemed to be animated and even excited conversation.

"I expect the old gentleman has been putting two and two together[7]," said Holmes as we walked hotelward[8]. "He struck me as having a particularly clear and logical brain from the little I saw of him. Explosive, no doubt, but then from his point of view he has something to explode about if detectives are put on his track[9] and he suspects his own household of doing it. I rather fancy that friend Bennett is in for[10] an uncomfortable time."

Holmes stopped at a post-office and sent off a telegram on our way. The answer reached us in the evening, and he tossed[11] it across[12] to me.

---

1. **let him have his way** : de **to have one's way** : *n'en faire qu'à sa tête, faire comme bon vous semble*. Ex. : **I won't let him have things all his own way** : *je ne vais pas faire ses quatre volontés/lui passer tous ses caprices*.

2. **cross** : *contrarier, contrecarrer* (personne, plans). **Crossed in love** : *malheureux en amour*. **To be cross** : *être de mauvaise humeur, en colère* (**with somebody** : *contre qqn*).

3. **So long as = as long as.**

4. **tall, erect figure** : à comparer avec la description de M. Bennett pp. 238 et 240 (**"something dark and crouching"**, **"on his hands and feet"**). Le mot **erect** sera repris à la fin de la nouvelle, et associé plus explicitement à l'**homo erectus** (p. 283).

5. **wave** : voir note 10, p. 223.

6. **slipped off** : de **to slip off** (ou **slip away**) : *s'esquiver, s'éclipser*.

7. **putting two and two together** : *déduire, faire le lien, effectuer le rapprochement* (littéralement, *mettre deux et deux ensemble*).

— Alors, qu'elle y reste jusqu'à ce que nous soyons en mesure de l'assurer que tout danger est passé. En attendant, laissez-lui les coudées franches et ne le contrariez point. Tant qu'il sera de bonne humeur, tout ira bien.

— Le voilà ! » chuchota Bennett en tressaillant.

À travers les branchages nous aperçûmes la haute et raide silhouette du professeur sortir du vestibule et scruter les alentours, le corps penché en avant, les bras ballants, la tête tournant en tout sens. Le secrétaire s'éclipsa dans les fourrés en nous faisant un dernier signe de la main avant de retrouver bientôt son supérieur. Puis les deux hommes rentrèrent ensemble dans la maison en échangeant des propos apparemment animés, voire même envenimés.

« J'imagine que notre vieux savant a fait le rapprochement », dit Holmes sur le chemin de l'auberge. « Le peu que j'ai vu de lui m'a convaincu qu'il était doté d'une intelligence particulièrement limpide et logique. Il est prêt à exploser, c'est certain, mais de son point de vue à lui il y a de quoi exploser si l'on attache des détectives à ses pas et s'il soupçonne son propre entourage. Je gagerais que l'ami Bennett est en train de passer un mauvais quart d'heure ! »

Holmes s'arrêta à la poste en chemin et expédia un télégramme.

Le soir même, une réponse arriva, et Holmes, de l'autre extrémité de la table, me lança le message suivant :

---

8. **hotelward :** voir aussi **homeward :** *vers la maison.* **Homeward journey :** *le voyage de retour.*

9. **on his track : to be on somebody's track(s) :** *être sur la piste, sur les traces de qqn.*

10. **in for :** voir **we are in for trouble :** *nous allons avoir des ennuis ;* **he's in for it :** *il va écoper, il va en prendre pour son grade.*

11. **tossed :** de **to toss,** *lancer, jeter.* **To toss a coin :** *jouer à pile ou face.* **To win the toss :** *gagner le tirage au sort* (sport).

12. **across :** voir **"the table between us"** (p. 264).

Have visited the Commercial Road and seen Dorak. Suave person, Bohemian, elderly. Keeps large general store. MERCER.

"Mercer is since your time[1]," said Holmes. "He is my general utility man who looks up[2] routine business. It was important to know something of the man with whom our professor was so secretly corresponding. His nationality connects up with the Prague visit[3]."

"Thank goodness that something connects with something," said I. "At present we seem to be faced by a long series[4] of inexplicable incidents with no bearing upon each other. For example, what possible connection can there be[5] between an angry wolfhound and a visit to Bohemia, or either of them[6] with a man crawling down a passage at night? As to your dates, that is the biggest mystification of all."

Holmes smiled and rubbed his hands. We were, I may say, seated in the old sitting-room of the ancient hotel, with a bottle of the famous vintage[7] of which Holmes had spoken on the table between us.

"Well, now, let us take the dates first," said he, his finger-tips together and his manner as if he were addressing a class[8]. "This excellent young man's diary shows that there was trouble upon July 2d,

---

1. **since your time**: littéralement, *depuis votre temps*. Encore une allusion à l'époque où Watson était plus étroitement associé aux enquêtes de Holmes.

2. **looks up**: **to look up** est souvent utilisé au sens de *chercher, vérifier* (un mot/un nom dans un dictionnaire/une liste). Ex. : **to look up a word in a dictionary**. Ici utilisé plutôt au sens de "vérifier" (où habite Dorak, quel genre d'homme il est, etc.).

3. **the Prague visit**: voir p. 232.

4. **a long series** ['sɪərɪ:z] : malgré le *s* final, **series** est singulier (**a series of** : *une série de*) et demeure invariable au singulier comme au pluriel.

5. **what possible connection can there be** : comme souvent, l'une des fonctions de Watson consiste à formuler auprès du détective les questions que le lecteur se pose naturellement.

« Suis allé Commercial Road et ai vu Dorak. Personnage affable, Bohémien d'origine, d'un certain âge. Tient grand magasin.

MERCER. »

« Mercer n'officiait pas de votre temps », expliqua Holmes. « C'est mon homme à tout faire pour le travail de routine. Il était important d'en savoir plus sur l'homme avec lequel notre professeur entretient une correspondance aussi secrète. Sa nationalité est à rapprocher du séjour à Prague.

— Rendons grâce à Dieu que quelque chose soit à rapprocher de quelque chose », répondis-je. « Pour l'instant il semble que nous soyons confrontés à une file ininterrompue d'incidents inexplicables qui n'ont aucun rapport entre eux. Quel lien peut-il exister par exemple entre un chien-loup furieux et un séjour en Bohème, ou entre l'un de ces éléments et un homme qui marche à quatre pattes la nuit dans un couloir ? Quant à vos dates, c'est le comble de la mystification. »

Holmes sourit en se frottant les mains. Il faut dire que nous étions assis dans le vieux salon du vénérable hôtel, avec entre nous deux, sur une table, une bouteille du cru réputé dont Holmes avait parlé.

« Très bien, voyons un peu les dates pour commencer », fit Holmes en réunissant les extrémités de ses doigts et en adoptant un ton professoral. « L'agenda de cet excellent jeune homme indique que les troubles sont apparus le 2 juillet,

---

6. **either of them** : reprend **wolfhound** ou **visit to Bohemia**.

7. **vintage** ['vɪntɪdʒ] : 1) *vendange(s), récolte* 2) **vintage year** : *année, millésime* 3) ici, **vintage (wine)** : *grand vin, grand cru.* Il s'agit du porto évoqué par Holmes plus haut (p. 250).

8. Cette attitude professorale est familière chez le détective lorsqu'il fait une démonstration à Watson, et par là même au lecteur.

and from then onward it seems to have been at nine-day intervals, with, so far as[1] I remember, only one exception. Thus the last outbreak[2] upon Friday was on September 3d, which also falls into[3] the series, as did August 26th, which preceded it. The thing is beyond coincidence."

I was forced to agree.

"Let us, then, form the provisional theory that every nine days the professor takes some strong drug[4] which has a passing but highly poisonous[5] effect. His naturally violent nature is intensified[6] by it. He learned to take this drug while he was in Prague, and is now supplied with it by a Bohemian intermediary in London. This all hangs together, Watson!"

"But the dog, the face at the window, the creeping man in the passage?"

"Well, well, we have made a beginning. I should not expect any fresh[7] developments until next Tuesday. In the meantime we can only keep in touch with friend Bennett and enjoy the amenities[8] of this charming town."

In the morning Mr. Bennett slipped round[9] to bring us the latest report. As Holmes had imagined, times had not been easy with him. Without exactly accusing him of being responsible for our presence, the professor had been very rough and rude in his speech, and evidently felt some strong grievance[10].

---

1. **so far as = as far as**. Littéralement, *autant que je me souvienne*.

2. **outbreak** : *début, déclenchement* (guerre, combat), *éruption* (violence), *explosion, bouffée, accès* (colère, fièvre), *commencement* (épidémie, maladie).

3. **falls into** : littéralement, *tombe dans = correspond à, est conforme à, fait partie de*.

4. **takes some strong drug** : comparer avec le Dr Jekyll (*op. cit.*, pp. 188-190).

5. **poisonous** : *venimeux* (serpent), *vénéneux* (plante), *toxique* (gaz, substance).

6. **intensified** : on remarquera le caractère très général des termes utilisés par le détective pour tenter de définir les troubles du professeur. À ce stade de l'enquête, Holmes semble suggérer une simple "intensifi-

puis, semble-t-il, à intervalles réguliers, tous les neuf jours, à une seule exception près, si mes souvenirs sont exacts. C'est ainsi que la dernière crise de vendredi dernier s'est produite un 3 septembre, soit neuf jours après le 26 août, qui lui-même faisait partie de la série. Le phénomène dépasse la simple coïncidence. »

Je dus m'incliner.

« Formulons donc provisoirement la théorie suivante. Tous les neuf jours, le professeur prend quelque drogue puissante dont l'effet passager mais hautement toxique ne fait que renforcer son tempérament déjà violent par nature. C'est à Prague qu'il a appris à prendre cette drogue, et maintenant, à Londres, c'est un intermédiaire originaire de Bohème qui lui sert de fournisseur. Tout cela tient debout, Watson !

— Mais le chien, la tête à la fenêtre, l'homme qui rampe dans le couloir ?

— Je sais, je sais, mais c'est un début. Je n'escompte rien d'autre avant mardi prochain. En attendant, nous ne pouvons que rester en contact avec l'ami Bennett et profiter des agréments qu'offre cette ville ravissante. »

Le lendemain matin, Bennett passa nous apporter les dernières nouvelles. Comme Holmes l'avait prédit, il avait vécu des moments difficiles. Sans l'accuser directement d'être le responsable de notre intrusion, le professeur n'avait pas mâché ses mots, et, de toute évidence, lui avait tenu grief de l'incident.

---

cation" du tempérament naturel observé plus haut : Watson a donc raison de souligner les failles de cette théorie.

7. **fresh** = **new**.

8. **amenities :** 1) *charmes, agréments* 2) *aménagements, équipements* (= **facilities**). Ex. : **public amenities :** *équipements collectifs.* Du latin **amoenus :** *agréable, plaisant.*

9. **slipped round :** de **to slip round,** *passer, faire un saut chez qqn* (= **to slip along**).

10. **grievance** ['gri:vəns] : *grief, sujet de plainte, doléance.*

This morning he was quite himself again, however, and had delivered his usual brilliant lecture to a crowded class. "Apart from his queer fits[1]," said Bennett, "he has actually[2] more energy and vitality than I can ever remember, nor was his brain ever clearer. But it's not he[3] — it's never the man whom we have known[4]."

"I don't think you have anything to fear now for a week at least," Holmes answered. "I am a busy man, and Dr. Watson has his patients to attend to[5]. Let us agree that we meet here at this hour next Tuesday, and I shall be surprised if before we leave you again we are not able to explain, even if we cannot perhaps put an end to, your troubles[6]. Meanwhile, keep us posted[7] in what occurs."

I saw nothing of my friend for the next few days, but on the following Monday evening I had a short note[8] asking me to meet him next day at the train. From what he told me as we travelled up to Camford all was well, the peace of the professor's house had been unruffled[9], and his own conduct perfectly normal. This also was the report which was given us by Mr. Bennett himself when he called upon us that evening at our old quarters in the Chequers. "He heard from his London correspondent to-day.

---

1. **fits : a fit :** *un accès, une attaque, une crise.* **A fit of coughing :** *une quinte de toux.* **A fainting fit :** *un évanouissement.* **A fit of anger :** *un accès de colère.*

2. **actually = in actual fact, really.**

3. **it's not he :** le changement de personnalité s'accompagne d'une transformation des pronoms personnels, qui à son tour, prépare le lecteur à la métamorphose d'un individu qui ne peut plus être appelé "il" par ses proches. De même, le Dr Jekyll tend à dire **it** pour parler de M. Hyde, et non pas **he** (*op. cit.,* p. 232).

4. **it's never the man whom we have known :** on retrouve un point de vue similaire dans ***The Strange Case of Dr Jekyll and Mr Hyde***, à la différence près que Poole, le domestique du docteur, croit que son maître a été assassiné, et "remplacé" par M. Hyde, autre manière de formuler l'aliénation.

5. **to attend to :** souvent utilisé pour un client (**to attend to a customer :** *s'occuper d'un client*).

Ce matin, cependant, il avait retrouvé son calme et avait fait comme d'habitude un cours très brillant devant une foule d'étudiants.

« Mis à part ses accès inexplicables », nous dit Bennett, « je lui trouve en fait une énergie et une vitalité plus grandes que jamais, et jamais son intelligence n'a été aussi limpide. Mais il n'est plus lui-même — ce n'est plus celui que nous avons connu.

— À mon avis, vous n'avez rien à craindre désormais pendant une semaine au moins », répondit Holmes. « Je suis un homme occupé, et les malades du docteur Watson ne sauraient attendre. Convenons de nous retrouver ici même, mardi prochain, à la même heure. Je serais surpris qu'avant la fin de notre visite nous ne soyons pas alors en mesure d'expliquer, sinon de supprimer la cause de vos soucis. D'ici là, tenez-nous informés par lettre. »

Je ne revis pas mon ami les jours suivants, mais le lundi soir je reçus un billet m'invitant à le rejoindre à la gare le lendemain. Pendant que nous roulions vers Camford, il m'annonça que tout était en ordre, que la maison du professeur avait connu une paix parfaite, et que son propre comportement avait été tout à fait normal.

M. Bennett nous le confirma de vive voix lorsqu'il vint nous voir le soir même dans notre quartier général, à l'auberge.

« Aujourd'hui, il a reçu des nouvelles de son correspondant londonien.

---

6. lire : **to explain... your troubles.**
7. **keep us posted = keep us informed (by post).**
8. **I had a short note :** on remarquera l'importance des messages dans la nouvelle, ainsi que leur symétrie. La note fait ici écho à une note de Holmes au début de l'enquête (p. 220).
9. **unruffled :** se dit souvent d'une personne (calme, imperturbable). **To ruffle :** *froisser, irriter, contrarier.*

There was a letter and there was a small packet, each with the cross under the stamp[1] which warned me not to touch them. There has been nothing else."

"That may prove[2] quite enough," said Holmes grimly. "Now, Mr. Bennett, we shall, I think, come to some conclusion to-night. If my deductions are correct we should have an opportunity of bringing matters to a head[3]. In order to do so it is necessary to hold the professor under observation. I would suggest, therefore, that you remain awake and on the lookout[4]. Should you hear him[5] pass your door, do not interrupt him, but follow him as discreetly as you can. Dr. Watson and I will not be far off[6]. By the way, where is the key of that little box of which you spoke?"

"Upon his watch-chain."

"I fancy our researches must lie in that direction. At the worst the lock should not be very formidable. Have you any other able-bodied[7] man on the premises?"

"There is the coachman, Macphail."

"Where does he sleep?"

"Over the stables."

"We might possibly want him. Well, we can do no more until we see how things develop. Good-bye — but I expect that we shall see you before morning."

It was nearly midnight before we took our station[8] among some bushes immediately opposite the hall door of the professor.

---

1. **each with the cross under the stamp** : voir p. 234.

2. **prove** : non pas ici au sens de *prouver*, mais *se montrer, s'avérer, se révéler*. Ex. : **the information proved to be correct** : *les renseignements se sont révélés exacts.*

3. **bringing matters to a head** : 1) **to come to a head** : *mûrir, arriver au point critique* (abcès, situation) 2) **to bring things to a head** : *précipiter les choses.*

4. **on the lookout** : *sur ses gardes.* **Look out!** : *attention ! gare !* **A look-out** : *une vigie.*

5. **Should you hear him = If you hear him.** On remarquera ici

Il y avait une lettre ainsi qu'un petit paquet, avec sous chacun des timbres la même croix en guise d'avertissement : aussi n'y ai-je point touché. Rien d'autre à signaler.

— Cela pourrait bien être assez », fit Holmes, l'air sombre. « Allons, monsieur Bennett, j'ai dans l'idée que cette nuit, nous arriverons à quelque conclusion. Si mes déductions sont correctes, et avec un peu de chance, le dénouement est proche. C'est pourquoi il est nécessaire de surveiller le professeur étroitement. Je vous suggère par conséquent de rester éveillé et en éveil. Si d'aventure vous l'entendez passer devant votre porte, gardez-vous d'intervenir, et suivez-le aussi discrètement que possible. Le docteur Watson et moi serons dans les parages. À propos, où se trouve la clef de cette petite boîte dont vous avez parlé ?

— Sur sa chaîne de montre.

— J'imagine que notre enquête devra s'orienter de ce côté-là. Au pis, la serrure ne devrait pas être trop difficile à forcer. Avez-vous sur place un autre homme valide ?

— Il y a Macphail, le cocher.

— Où dort-il ?

— Au-dessus de l'écurie.

— Il nous sera peut-être utile. Eh bien, nous ne pouvons rien faire de plus avant de voir la tournure des événements. Bonsoir — mais je pense que nous nous reverrons avant demain matin. »

Il n'était pas loin de minuit lorsque nous prîmes notre faction parmi les buissons faisant face à la porte d'entrée du professeur.

---

l'utilisation de **should** pour exprimer une supposition dans un style littéraire ou soigné, ainsi que son inversion en début de phrase. Ex. : **Should you meet him (= If you meet him)** : *Si par hasard vous le rencontrez...*

6. **far off = far away.**

7. **able-bodied** : *robuste, fort, solide.* Au sens militaire, *bon pour le service.*

8. **our station** : voir ***Dr Jekyll and Mr Hyde*** (**"get to your stations"**, p. 144), et tout le chapitre intitulé "La Dernière Nuit", dont Conan Doyle s'inspire visiblement ici.

It was a fine night, but chilly, and we were glad of our warm overcoats. There was a breeze, and clouds were scudding[1] across the sky, obscuring from time to time the half-moon[2]. It would have been a dismal vigil were it not for[3] the expectation and excitement which carried us along, and the assurance[4] of my comrade that we had probably reached the end of the strange sequence of events which had engaged our attention.

"If the cycle of nine days holds good then we shall have the professor at his worst[5] to-night," said Holmes. "The fact that these strange symptoms began after his visit to Prague, that he is in secret correspondence with a Bohemian dealer in London, who presumably represents someone in Prague, and that he received a packet from him this very day, all point in one direction. What he takes and why he takes it are still beyond our ken[6], but that it emanates in some way from Prague is clear enough. He takes it under definite directions[7] which regulate this ninth-day system, which was the first point which attracted my attention. But his symptoms are most remarkable. Did you observe his knuckles?"

I had to confess that I did not.

"Thick and horny in a way which is quite new in my experience. Always look at the hands first[8], Watson. Then cuffs[9], trouser-knees, and boots.

---

1. **scudding**: de **to scud** [skʌd]: *courir, filer* (nuages, vagues, bateau). Souvent suivi de **across** ou **along**.

2. **the half-moon**: ce détail corrobore l'affirmation de Holmes selon laquelle il n'y a pas de lien direct entre les crises du professeur et les phases de la lune (voir p. 248).

3. **were it not for**: encore une inversion, cette fois pour exprimer un irréel du passé (= **if it had not been for...**: *n'eût été...*).

4. **the expectation and excitement... and the assurance**: Watson (et à travers lui, Conan Doyle) définit ici le principe même sur lequel repose le suspense de ses récits: la solution de l'énigme doit être retardée le plus longtemps possible pour créer un effet d'attente, mais avec la certitude que le dénouement est proche.

5. **at his worst**: littéralement, *à son pire* (**bad/worse/worst**). **At the**

La nuit était belle mais assez fraîche, et nous supportions la chaleur de nos manteaux. Le vent soufflait, et les nuages qui défilaient dans le ciel masquaient de temps à autre la demi-lune. Notre faction nocturne eût été lugubre sans l'impatience et la curiosité dont nous étions envahis, et sans l'assurance donnée par mon camarade que nous étions sans doute arrivés au terme de cette étrange et remarquable succession d'événements.

« Si le cycle de neuf jours est respecté, alors ce soir nous devrions voir le professeur en pleine crise », déclara Holmes. « Le fait que ces symptômes étranges se soient déclarés après son voyage à Prague, qu'il entretienne une correspondance secrète avec un commerçant de Bohème établi à Londres et représentant probablement quelqu'un de Prague, enfin, qu'aujourd'hui même il ait reçu de lui un paquet, tout cela se recoupe. Ce qu'il prend, et pourquoi, cela nous échappe encore, mais il est clair que le produit en question lui arrive de Prague d'une façon ou d'une autre. Il le prend d'après un mode d'emploi précis qui règle ce cycle de neuf jours, premier point qui avait attiré mon attention. Mais ses symptômes n'en demeurent pas moins remarquables. Avez-vous observé la jointure de ses doigts ? »

Je dus avouer que non.

« Je n'en ai jamais vu d'aussi épaisse et cornée. Commencez toujours par regarder les mains, Watson. Puis les poignets de chemise, les genoux de pantalon et les souliers.

---

worst of : *au pire de, au plus fort de* (orage, crise, épidémie, etc.). **Things are at their worst :** *les choses ne sauraient aller plus mal.*

6. **ken = knowledge**. Voir note 12, p. 51.

7. **directions :** *indications, instructions.* **Directions for use :** *mode d'emploi.*

8. **look at the hands first :** au début de "La Ligue des Rouquins" (*Aventures de Sherlock Holmes*), Holmes répond à Jabez Wilson, dont il a déduit la profession manuelle, et qui s'étonne d'un tel prodige : " *'Your hands, my dear sir !'* "

9. **cuffs :** *manchettes.* Voir aussi **cuff-links :** *boutons de manchette.*

Very curious knuckles which can only be explained by the mode of progression observed by —" Holmes paused and suddenly clapped his hand[1] to his forehead. "Oh, Watson, Watson, what a fool I have been! It seems incredible, and yet it must be true[2]. All points in one direction. How could I miss seeing[3] the connection of ideas? Those knuckles — how could I have passed[4] those knuckles? And the dog! And the ivy! It's surely time that I disappeared[5] into that little farm of my dreams. Look out, Watson! Here he is! We shall have the chance of seeing for ourselves."

The hall door had slowly opened, and against the lamplit background we saw the tall figure of Professor Presbury. He was clad[6] in his dressing-gown. As he stood outlined in the doorway he was erect but leaning forward with dangling arms, as when we saw him last[7].

Now he stepped forward into the drive, and an extraordinary change came over him[8]. He sank down into a crouching[9] position and moved along upon his hands and feet, skipping[10] every now and then as if he were[11] overflowing[12] with energy and vitality. He moved along the face of the house and then round the corner. As he disappeared Bennett slipped through the hall door and softly followed him.

"Come, Watson, come!" cried Holmes,

---

1. **clapped his hand** : de **to clap (one's hand/s)** : *battre, taper* (des mains), *applaudir*.

2. **and yet it must be true** : le détective a coutume de dire qu'une fois écartées les solutions les plus vraisemblables, celle qui reste, aussi invraisemblable soit-elle, doit être retenue comme étant la bonne.

3. **miss seeing = fail to see.**

4. **passed = overlooked, neglected.**

5. **It's surely time that I disappeared** : noter l'emploi du preterite après l'expression **it's time that** : *il est temps que*. Ex. : **it's time I wrote to him** ; *il est temps que je lui écrive*.

6. **clad** [klæd] : participe passé archaïque de **clothed** (**clad in** : *vêtu de*).

7. **as when we saw him last** : voir p. 262. On remarquera la reprise du mot **erect** d'une description à l'autre (voir note 4, p. 262).

Des jointures très curieuses, qui ne peuvent s'expliquer que par le processus observé par... »

Holmes s'interrompit et se frappa brusquement le front.

« Oh, Watson, Watson, quel idiot j'ai été ! L'idée paraît incroyable, et pourtant c'est sans doute la vérité. Tout se recoupe. Comment ai-je pu ne pas voir les maillons de la chaîne ? Ces jointures — comment ai-je pu négliger ces jointures ? Et le chien ! Et le lierre ! Décidément, il est grand temps que je disparaisse dans cette petite ferme de mes rêves. Attention, Watson ! Le voici ! Nous allons pouvoir juger par nous-mêmes. »

La porte d'entrée s'était lentement ouverte, et se détachant contre la lumière du vestibule nous apparut la haute silhouette du professeur Presbury. Il était en robe de chambre. Tel qu'il se profilait sur le seuil, il se tenait droit mais il était légèrement penché en avant, les bras ballants, comme nous l'avions vu la dernière fois.

Puis il s'engagea dans l'allée. C'est alors qu'un changement extraordinaire s'opéra en lui. Il se laissa tomber en avant, s'accroupit et se mit à avancer sur les mains et les pieds, en sautillant par moments comme s'il débordait de vitalité et d'énergie. Il longea la façade de la maison, puis disparut au coin. À cet instant, Bennett sortit furtivement par la porte d'entrée et le suivit à pas feutrés.

« Venez, Watson, venez ! » s'exclama Holmes.

---

8. **an extraordinary change came over him** : cf. **"a curious change came over the professor"** (p. 232).

9. **crouching** : le mot est déjà utilisé par M. Bennett dans sa description du professeur dans le couloir (p. 238).

10. **skipping** : de **to skip** : *sautiller, gambader.* **Skipping rope** : *corde à sauter.*

11. **were** : subjonctif preterite de **to be** (à toutes les personnes).

12. **overflowing with** : de **to overflow (with)**, *déborder de, regorger de, abonder en.*

and we stole[1] as softly as we could through the bushes until we had gained a spot whence[2] we could see the other side of the house, which was bathed[3] in the light of the half-moon. The professor was clearly visible crouching at the foot of the ivy-covered wall. As we watched him he suddenly began with incredible agility to ascend it. From branch to branch he sprang, sure of foot and firm of grasp, climbing apparently in mere joy at his own powers, with no definite object in view. With his dressing-gown flapping on each side of him, he looked like some huge bat[4] glued against the side of his own house, a great square dark patch upon the moonlit wall. Presently[5] he tired of this amusement, and, dropping from branch to branch, he squatted down into the old attitude[6] and moved towards the stables, creeping along in the same strange way as before. The wolfhound was out now, barking furiously, and more excited than ever when it actually caught sight of its master. It was straining[7] on its chain and quivering with eagerness and rage. The professor squatted down very deliberately just out of reach of the hound and began to provoke it in every possible way. He took handfuls of pebbles[8] from the drive and threw them in the dog's face, prodded him with a stick which he had picked up, flicked his hands about only a few inches from the gaping mouth, and endeavoured in every way to increase the animal's fury, which was already beyond all control.

---

1. **stole** [stəʊl] : de **to steal, stole, stolen** : 1) *voler* 2) ici, *se glisser, se faufiler, se déplacer furtivement.*

2. **whence = from which** (littéraire).

3. **which was bathed** [beɪðd] : littéralement, *qui était baignée.* **To bathe** [beɪð] : 1) *baigner* 2) *se baigner, prendre un bain.* **Bathed in tears** : *baigné de larmes.* **A bather** : *un baigneur.*

4. **like some huge bat** : à comparer avec la description du comte Dracula au début du roman de Bram Stoker (Chap. 3). C'est par un même clair de lune que Jonathan Harker aperçoit le comte non pas monter, mais descendre, la tête en bas, le long du mur du château, son manteau flottant "telles de grandes ailes" (**"like great wings"**). Harker

Nous nous glissâmes à travers les buissons en faisant le moins de bruit possible, jusqu'à ce que nous ayons atteint un endroit d'où l'on pouvait observer l'autre côté de la maison, qui baignait dans la lumière de la demi-lune. On apercevait distinctement le professeur accroupi au pied du mur recouvert de lierre. Sous nos yeux il se mit tout à coup à l'escalader avec une incroyable agilité. Il sautait de branche en branche, le pied sûr et la main ferme, grimpant apparemment pour le pur plaisir d'exercer ses propres talents, sans but apparent. Avec sa robe de chambre flottant de chaque côté, on aurait dit une gigantesque chauve-souris collée au flanc de sa propre maison, une grande tache noire et carrée accrochée au mur éclairé par la lune. Bientôt il se lassa de ce passe-temps, et se laissant tomber de branche en branche il reprit sa position accroupie et prit la direction de l'écurie, en rampant aussi bizarrement qu'auparavant. Le chien-loup était maintenant sorti de sa niche et ses aboiements furieux redoublèrent d'intensité à la vue de son maître. Il tirait sur sa chaîne, tout frémissant d'impatience et de rage. Le professeur s'accroupit délibérément à ses côtés mais hors de sa portée, et se mit à le provoquer par tous les moyens imaginables. Il ramassa des poignées de gravier dans l'allée et les jeta au visage du chien, l'aiguillonna avec un bâton qu'il avait trouvé, battit des mains à quelques centimètres seulement de sa gueule béante, en un mot fit tout pour exciter la fureur de l'animal, qui était déjà fou furieux.

---

est également frappé par son agilité et sa vitesse, le comte étant comparé à un lézard.

5. **presently = soon, after a short time.**
6. **the old attitude**: voir **"crouching"** plus haut.
7. **straining**: voir **to strain at the leash**: *tirer fort sur sa laisse*.
8. **pebbles**: *cailloux, galets* (plage). Ici, *gravier* d'une allée.

In all our adventures I do not know[1] that I have ever seen a more strange sight than this impassive and still dignified figure crouching frog-like[2] upon the ground and goading[3] to a wilder exhibition of passion the maddened hound, which ramped[4] and raged in front of him, by all manner of ingenious and calculated cruelty.

And then in a moment it happened! It was not the chain that broke, but it was the collar that slipped, for it had been made for a thick-necked Newfoundland. We heard the rattle of falling metal, and the next instant dog and man were rolling on the ground together, the one roaring in rage, the other screaming in a strange shrill falsetto of terror. It was a very narrow thing[5] for the professor's life. The savage creature had him fairly by the throat, its fangs[6] had bitten deep, and he was senseless before we could reach them and drag the two apart. It might have been a dangerous task for us, but Bennett's voice and presence brought the great wolfhound[7] instantly to reason. The uproar had brought the sleepy and astonished coachman from his room above the stables. "I'm not surprised," said he, shaking his head. "I've seen him at it before. I knew the dog would get him sooner or later."

The hound was secured, and together we carried the professor up to his room, where Bennett, who had a medical degree[8], helped me to dress[9] his torn throat[10].

---

1. **know = remember.**

2. **frog-like** : après la chauve-souris, encore une métaphore animale, qui suggère et indique la métamorphose.

3. **goading** : de **to goad** : *aiguillonner, piquer, harceler* (= **to prod**, voir **prodded** p. 276). **A goad** : *un aiguillon.*

4. **ramped** : de **to ramp** (ou **rampage**) = **to storm, to rage. To be/go on the rampage** : *se déchaîner.* On remarquera ici l'allitération en *r* (**"ramped and raged"**) qui suggère la violence et la fureur, comme **"roaring in rage"** plus bas.

5. **a very narrow thing** : à la fin des "Hêtres rouges" (cité par Holmes p. 224), le propriétaire manque également d'être dévoré par son dogue Carlo. Voir aussi *Le Chien des Baskerville*, Chap. 14, où le chien (**"the giant hound"**) attaque Sir Henry.

Parmi toutes nos aventures, je ne me rappelle pas avoir vu spectacle plus étrange que cette silhouette impassible et encore imposante ramassée sur le sol telle une grenouille, poussant à bout par toutes sortes de cruautés ingénieuses et calculées un chien exaspéré qui écumait et tempêtait en face de lui.

Et soudain ce fut le drame ! Ce ne fut pas la chaîne qui céda, mais le collier qui glissa, car il avait été conçu pour un gros terre-neuve. Nous entendîmes le cliquetis du métal qui tombait, et l'instant d'après homme et chien roulaient tous deux par terre, l'un rugissant de rage, l'autre hurlant de terreur de son étrange voix de fausset. Le professeur faillit y perdre la vie. La bête l'avait bel et bien saisi à la gorge et y avait planté ses crocs. Le professeur perdit connaissance avant que notre intervention permît de séparer les combattants. Notre entreprise aurait pu s'avérer dangereuse si la présence et la voix de Bennett n'avaient pas aussitôt ramené le terrible chien-loup à la raison. Le vacarme avait fait sortir de sa chambre au-dessus de l'écurie le cocher encore mal réveillé et ahuri.

« Ça ne me surprend pas », fit-il en hochant la tête. « J'avais déjà observé son manège. Je savais bien que le chien lui sauterait dessus un jour ou l'autre. »

Le chien fut enfermé, et nous transportâmes le professeur jusque dans sa chambre où Bennett, qui avait fait des études de médecine, m'aida à panser la gorge lacérée.

---

6. **fangs** : de **fang** : 1) *croc, canine* (chien) 2) *crochet* (serpent).

7. **the great wolf-hound** : cf. **"an enormous coal-black hound"** dans *Le Chien des Baskerville*, à la différence près que c'est ici l'homme, et non le chien, qui apparaît comme une créature fantastique.

8. **degree** [dɪ'grɪ:] : *diplôme universitaire* (= licence).

9. **to dress** : *panser une blessure* (**to dress a wound**).

10. On pourra comparer cette scène avec la fin de la nouvelle de Bierce (p. 214). Dans les deux cas, l'animal féroce n'est qu'une image naturelle d'une transformation surnaturelle intervenue chez l'homme.

The sharp teeth had passed dangerously near the carotid artery, and the hæmorrhage[1] was serious. In half an hour the danger was past, I had given the patient an injection of morphia[2], and he had sunk into deep sleep. Then, and only then, were we able to look at each other and to take stock of[3] the situation.

"I think a first-class surgeon[4] should see him," said I.

"For God's sake, no!" cried Bennett. "At present the scandal is confined to our own household. It is safe[5] with us. If it gets beyond these walls it will never stop. Consider his position at the university, his European reputation, the feelings of his daughter."

"Quite so," said Holmes. "I think it may be quite possible to keep the matter to ourselves; and also to prevent its recurrence now that we have a free hand[6]. The key from the watch-chain, Mr. Bennett. Macphail will guard the patient and let us know if there is any change. Let us see what we can find in the professor's mysterious box."

There was not much, but there was enough — an empty phial[7], another nearly full, a hypodermic syringe[8], several letters in a crabbed[9], foreign hand. The marks[10] on the envelopes showed that they were those which had disturbed the routine of the secretary, and each was dated from the Commercial Road and signed "A. Dorak."

---

1. **haemorrhage** ['hemərɪdʒ] : c'est bien sûr le Watson médecin qui s'exprime dans ce paragraphe.

2. **morphia** ['mɔ:fjə] : ou **morphine** ['mɔ:fɪ:n]. Principal alcaloïde de l'opium, doué de propriétés soporifiques et calmantes (de Morphée, dieu latin du sommeil et des rêves, du grec **morphe** : *forme*, parce qu'il donne forme à ces représentations immatérielles).

3. **take stock of** : *faire le point* (de/sur), *jauger, évaluer*.

4. **a first-class surgeon** : littéralement, *un chirurgien de premier ordre*. Watson est un généraliste (voir le début d'*Une étude en rouge*).

5. **it is safe** : littéralement, *il est en sécurité*. **It** reprend **scandal**, comme dans la phrase suivante.

6. **now that we have a free hand** : **to have a free hand** : *avoir carte blanche, les mains libres* **(to do something** : *pour faire qqch.*).

Les crocs acérés avaient failli sectionner la carotide, et l'hémorragie était sérieuse. Au bout d'une demi-heure le danger fut écarté. Je fis au patient une injection de morphine, et il sombra dans un sommeil profond.

C'est alors, et alors seulement, que nous fûmes en mesure de faire le point entre nous.

« À mon avis », déclarai-je, « il devrait être examiné par un spécialiste.

— Surtout pas, pour l'amour du Ciel ! » s'écria Bennett. « Pour l'instant le scandale est confiné dans cette maison, et avec nous ne risque pas de s'ébruiter. S'il sort de ces murs, rien ne pourra l'arrêter. Songez à sa situation dans l'Université, à sa réputation en Europe, aux sentiments de sa fille !

— Entièrement d'accord », fit Holmes. « Je crois qu'il est tout à fait possible de ne pas ébruiter l'affaire, et de prévenir toute rechute du moment que nous avons les mains libres. La clef sur la chaîne de montre, monsieur Bennett. Macphail va veiller le malade, et nous préviendra si un changement intervient. Voyons ce que renferme la mystérieuse boîte du professeur. »

Elle ne renfermait pas grand-chose, mais c'était suffisant : une fiole vide, une autre presque pleine, une seringue hypodermique, plusieurs lettres écrites en pattes de mouche par un étranger. Les croix sur les enveloppes confirmaient que c'était bien celles qui avaient bouleversé la routine du secrétaire : chaque lettre était originaire de Commercial Road et portait la signature de "A. Dorak".

---

7. **phial** ['faɪəl] : cf. le contenu du tiroir trouvé par le Dr Lanyon chez son confrère et ami le Dr Jekyll (*op. cit.*, p. 168).

8. **syringe** ['sɪrɪndʒ] : Holmes se sert lui aussi d'une seringue pour se droguer à la cocaïne, et partage avec le professeur Presbury une certaine forme de double nature.

9. **crabbed** ['kræbd] : 1) *revêche, hargneux, grincheux* (personne) 2) **in a crabbed hand** : *en pattes de mouches* (écriture). Voir **"illiterate handwriting"** (p. 234).

10. **marks** : voir **"marked by a cross under the stamp"** (p. 234).

They were mere[1] invoices to say that a fresh[2] bottle was being sent to Professor Presbury, or receipt[3] to acknowledge money. There was one other envelope, however, in a more educated hand and bearing the Austrian[4] stamp with the post-mark of Prague. "Here we have our material!" cried Holmes as he tore out the enclosure.

HONOURED COLLEAGUE [it ran[5]]:

Since your esteemed visit[6] I have thought much of your case, and though in your circumstances there are some special reasons[7] for the treatment, I would none the less enjoin caution, as my results have shown that it is not without danger of a kind.

It is possible that the serum of anthropoid would have been better. I have, as I explained to you, used black-faced langur[8] because a specimen was accessible. Langur is, of course, a crawler and climber[9], while anthropoid walks erect and is in all ways nearer.

I beg you to take every possible precaution that there be no premature revelation of the process. I have one other client[10] in England, and Dorak is my agent for both.

Weekly reports will oblige.

Yours with high esteem[11],
H. LOWENSTEIN.

---

1. **mere** [mɪə] = **just**. Ex. : **he's a mere clerk** : *c'est un simple employé de bureau.* **Merely** = **just, simply**.
2. **fresh** = **new**.
3. **receipt** [rɪ'sɪ:t] : 1) *réception* 2) *récépissé, quittance, reçu.* **To acknowledge receipt of** : *accuser réception de.*
4. **the Austrian stamp** : Prague, chef-lieu de la Bohème, faisait encore partie de l'Empire d'Autriche-Hongrie. Voir "Un scandale en Bohème", où le Roi de Bohème se rend de Prague à Londres pour consulter Holmes.
5. **it ran** : rendu par "La lettre...". **It** renvoie à la lettre elle-même.
6. **your esteemed visit** : comme la lettre du Roi de Bohème dans la nouvelle pré-citée, le message n'est pas rédigé en bon anglais, ce que la traduction doit tenter de rendre également.

C'était de simples factures annonçant qu'une nouvelle fiole était envoyée au professeur Presbury, ou bien encore des reçus. Il y avait cependant une autre enveloppe, dont l'écriture était plus distinguée et dont le timbre autrichien portait le cachet de Prague. « Voici le chaînon manquant ! » s'écria Holmes en déchirant l'enveloppe. La lettre était rédigée en ces termes :

« Honoré collègue,

Depuis votre estimée visite, j'ai beaucoup réfléchi à votre cas, et bien que dans votre situation particulière le traitement soit justifié, je ne saurais trop vous recommander d'être prudent, car le résultat de mes expériences a montré qu'il n'est pas sans un certain danger.

Le sérum d'anthropoïde aurait peut-être été préférable. Comme je vous l'ai expliqué, j'ai pris le langur à tête noire parce que j'avais un spécimen sous la main. Il va de soi que le langur est un animal rampant et grimpeur, tandis que l'anthropoïde est à tout point de vue beaucoup plus proche de l'*homo erectus*.

Je vous demande de tout faire pour que le procédé ne soit pas révélé de façon prématurée. J'ai un autre client en Angleterre, et Dorak est votre fournisseur commun.

Un rapport hebdomadaire obligerait.

À vous avec ma haute estime,

H. LOWENSTEIN. »

---

7. **special reasons** : sans doute le projet de mariage avec Mlle Morphy.

8. **langur** : singe d'Asie (voir infra, p. 284).

9. **a crawler and climber** : voir p. 276.

10. **one other client** ['klaɪənt] : le détail est plutôt inquiétant, car le lecteur ne saura jamais l'identité de cet inconnu...

11. **Yours with high esteem** : encore une expression qui ne sonne pas très anglais. Dans la lettre du Roi de Bohème, Holmes avait isolé la phrase **"This account of you we have from all quarters received"** comme relevant d'une syntaxe germanique. On peut penser que la langue maternelle de Lowenstein est également l'allemand.

Lowenstein! The name[1] brought back to me the memory of some snippet[2] from a newspaper which spoke of an obscure scientist who was striving in some unknown way for[3] the secret of rejuvenescence and the elixir of life[4]. Lowenstein of Prague! Lowenstein with the wondrous strength-giving serum, tabooed by the profession[5] because he refused to reveal its source. In a few words I said what I remembered. Bennett had taken a manual of zoology from the shelves. " 'Langur,' " he read, " 'the great black-faced monkey of the Himalayan slopes, biggest and most human of climbing monkeys.' Many details are added. Well, thanks to you, Mr. Holmes, it is very clear that we have traced the evil to its source."

"The real source," said Holmes, "lies, of course, in that untimely[6] love affair which gave our impetuous professor the idea that he could only gain his wish by turning himself into a younger man. When one tries to rise above Nature one is liable[7] to fall below it. The highest type of man may revert to the animal if he leaves the straight road of destiny." He sat musing for a little with the phial in his hand, looking at the clear liquid within. "When I have written to this man and told him that I hold him criminally responsible for the poisons which he circulates[8], we will have no more trouble. But it may recur[9]. Others may find a better way.

---

1. **The name**: le nom du savant rappelle bien sûr celui du Dr Frankenstein, qui avait lui aussi défié les lois de la nature en créant un homme monstrueux, mais **Lowen** rappelle aussi "lion" en allemand **(Löwe/n)** et indique une métamorphose animale.

2. **snippet** ['snɪpɪt]: *petit bout* (tissu, papier), *fragment, bribes* (conversation, information).

3. **striving... for**: de **to strive (strove, striven) = to try very hard (to obtain/to achieve smth.)**.

4. **the secret of rejuvenescence and the elixir of life**: voir **Dr. Jekyll and Mr. Hyde**, où le Dr Jekyll se réclame de la "médecine transcendentale" (p. 180) et où la métamorphose s'accompagne d'une sensation de rajeunissement: **"I felt younger, lighter, happier in body"** (p. 190). L'élixir de vie renvoie à l'alchimie.

Lowenstein ! Le nom me rappela une coupure de journal qui mentionnait un obscur savant qui cherchait par une méthode inconnue le secret de la régénérescence et l'élixir de vie. Lowenstein de Prague ! Lowenstein, dont le prodigieux sérum de jouvence avait été mis à l'index de la Faculté parce qu'il avait refusé d'en révéler la composition. D'un mot, je dis ce dont je me souvenais. Bennett avait trouvé un manuel de zoologie sur les étagères.

« "Langur", lut-il, "grand singe à tête noire des pentes himalayennes. Parmi les singes grimpeurs, l'un des plus gros et des plus proches de l'homme". Suivent de nombreux détails. Eh bien, grâce à vous, monsieur Holmes, il est incontestable que nous avons remonté jusqu'à la source du mal.

— Il est évident », dit Holmes, « que la cause première réside dans cette histoire d'amour intempestive qui fit germer dans le cerveau de notre impétueux professeur l'idée qu'il ne pourrait parvenir à ses fins qu'en redevenant un jeune homme. Qui veut faire l'ange fait la bête. L'homme supérieur peut retourner à l'animal s'il s'écarte du droit chemin de son destin. »

Il considéra la fiole qu'il tenait dans la main, en examinant le liquide clair à l'intérieur.

« Lorsque j'aurai écrit à cet individu pour lui dire que je le tiens criminellement responsable des poisons qu'il met en circulation, nous n'aurons plus d'ennuis. Mais le risque demeure. D'autres pourraient améliorer le procédé.

---

5. **the profession = the medical profession.**

6. **untimely :** *prématuré, précoce* (saison), *inopportun, mal choisi* (moment), *intempestif* (remarque). **To come to an untimely end :** *mourir prématurément, avant son temps (***un/timely***)*.

7. **liable** ['laɪəbl] **= apt.**

8. **circulates :** de **to circulate :** *faire circuler, propager.*

9. **recur** [rɪ'kɜ:] **= happen again.** D'où **recurrent, recurrence** [rɪ'kʌrəns]. **A recurrent theme :** *un thème récurrent.* **A recurring illness :** *une maladie chronique.*

There is danger there — a very real danger to humanity. Consider, Watson, that the material, the sensual, the worldly would all prolong their worthless lives. The spiritual would not avoid the call to something higher. It would be the survival of the least fit[1]. What sort of cesspool may not our poor world become?" Suddenly the dreamer disappeared, and Holmes, the man of action, sprang from his chair. "I think there is nothing more to be said, Mr. Bennett. The various incidents will now fit themselves easily into the general scheme. The dog, of course, was aware of the change far more quickly than you. His smell would insure that. It was the monkey, not the professor, whom Roy attacked, just as it was the monkey who teased[2] Roy. Climbing was a joy to the creature, and it was a mere chance, I take it, that the pastime brought him to the young lady's window. There is an early train to town[3], Watson, but I think we shall just have time for a cup of tea at the Chequers before we catch it."

---

1. **the survival of the least fit**: l'expression de Holmes inverse la célèbre formule du philosophe anglais Herbert Spencer (1820-1903, mort l'année même où se déroule l'histoire) cherchant à résumer la théorie darwinienne de l'évolution, **"the survival of the fittest"**, "la survivance du plus apte". Voir Charles Darwin (1809-1882), *De l'origine des espèces au moyen de la sélection naturelle* (1859), et notamment ses chapitres 3 ("La Lutte pour l'Existence") et 4 ("La Sélection naturelle"). Holmes évoque ici la possibilité d'une régression qui inverserait le processus de l'évolution décrit par Darwin et Spencer:

Il y a un danger ici — un très grand danger pour l'humanité. Imaginez, Watson, que le matérialiste, le sensuel, l'épicurien prolongent leur vaine existence. Le spirituel ne renoncerait pas à ses aspirations. Ce serait la survivance du plus inapte. Dans quelle sorte de cloaque notre pauvre humanité ne risquerait-elle pas de s'abîmer ? »

Soudain le rêveur s'effaça, et Holmes, l'homme d'action, se leva de son fauteuil.

« Je crois, monsieur Bennett, qu'il n'y a rien à ajouter. À présent, les incidents isolés trouvent aisément leur place dans le schéma d'ensemble. Il va de soi que le chien avait perçu la métamorphose bien plus vite que vous grâce à son odorat. C'était le singe, et non le professeur, que Roy attaquait, et c'était aussi le singe qui agaçait Roy. La créature adorait grimper. C'est tout à fait par hasard, à mon avis, que ce passe-temps favori l'a conduit à la fenêtre de la jeune fille. Nous avons juste le temps, Watson, de prendre une tasse de thé à *L'Échiquier* avant de prendre le premier train pour Londres. »

---

l'homme, qui descend du singe, pourrait redevenir singe... S'il y a ici condamnation apparente — comme dans ***Dr Jekyll and Mr Hyde*** — d'une telle régression, l'attitude même de Doyle face au positivisme ambiant est plus ambiguë, comme le montre son intérêt pour le fantastique, le spiritisme et l'occultisme. Sur cet aspect de l'œuvre de Doyle, voir le recueil de ses nouvelles *L'horreur des altitudes*, Paris, U.G.E., 1981, Préface de Gilbert Sigaux.

2. **teased** : de **to tease** : 1) *taquiner* 2) *agacer, tourmenter*.

3. **to town** = **to London**.

PE 1117 .L287 S884 1990

Stories of mystery

Imprimé en France sur Presse Offset par

BRODARD & TAUPIN

GROUPE CPI

La Flèche (Sarthe).
N° d'imprimeur : 19759 – Dépôt légal Éditeur 20572-08/2003
Édition 04
LIBRAIRIE GÉNÉRALE FRANÇAISE - 43, quai de Grenelle - 75015 Paris.

ISBN : 2 - 253 - 05227 - 2 30/8729/3